THE CELESTINE PROPHECY

聖なる予言

ジェームズ・レッドフィールド
山川紘矢+山川亜希子＝訳

聖なる予言

THE CELESTINE PROPHECY
by
James Redfield

知恵ある者は空の輝きのごとく輝かん。また多くの人を正しきに導ける者は、星のごとくなりて、永遠に至らん。

ダニエルよ、終わりの時までこの言葉を秘し、この書を封じておけ。多くの者、探り調べ、しこうして、知識増すべし。

ダニエル書　12章3の4

目次

第一章　変化のきざし

私はレストランの前で、車を停《と》めた。そしてシートにもたれて、ちょっと考え込んだ。シャーリーンはもう中にいて、私と話したくてうずうずしているだろう。でも、なぜだろう？　彼女とは、もう六年間も連絡が途絶えていた。よりによって、私が一週間前に、森の中で隠遁《いんとん》生活を始めたばかりの時に、なぜ、彼女が現れたのだろう？

私はトラックから降りると、レストランの方へ歩いて行った。私の後ろには、夕日が最後の光芒《こうぼう》を放ちながら西の空に沈み、濡《ぬ》れた駐車場に、きらきらした琥珀《こはく》色の光を投げかけていた。一時間前の短い雷雨で、すべてのものが濡れ、夏の夕べは涼しく、新鮮に感じられた。薄れゆく光のせいで、ほとんど別の世界にいるように美しかった。頭上には、半月がかかっていた。

歩いていると、昔のシャーリーンの面影が、心に浮かんだ。彼女は今でも、美しく、情熱的だろうか？　年月はどのように彼女を変えただろうか？　彼女が話していた古文書のことを、どう考えればいいのだろう？　南アメリカで発見されたというその古文書のことを、彼女は今すぐ、私に話したがっていた。

「乗り継ぎのために、空港で二時間あるの」と彼女は電話で言った。「一緒に食事ができないかしら？　きっと、この写本の内容を気に入ると思うわ。あなた好みのミステリーですもの」

私好みのミステリー？　一体、どういう意味なのだろうか？

レストランは混んでいた。二人連れが何組も、順番を待っていた。ウェイトレスをつかまえて聞いてみると、シャーリーンはすでに席に着いているとのことだった。彼女は私を、上の階のテラスへと連れて行った。

階段を昇ると、一つのテーブルを、大勢の人が取り囲んでいるのが見えた。警官も二人いた。突然、その二人の警官はこちらを向くと、私のそばを足早に通り抜け、階段を駆け下りて行った。他の人たちも散っていった。するとその向こうに、みんなの注目を集めていた人物——女性だった——が、まだテーブルにすわっているのが見えた。それがシャーリーンだった。

私は彼女のところへ駆けよった。「シャーリーン、一体、何が起こったの？　何か、まずいことでもあったの？」

彼女は怒ったふりをして頭をそらせながら立ち上がると、いつものすてきな笑顔を見せた。髪型はおそらく変わったのだろう。しかし、その顔は、私が憶《おぼ》えていたとおりだった。小さくてほっそりした顔、大きな口、大きな青い瞳《ひとみ》、すべてが昔のままだった。

「信じないと思うけれど」と言うと、彼女は私を引き寄せて、親しげに抱きしめた。「二、三分前にトイレに行ったの。そのすきに、誰かが私のブリーフケースを、盗《と》っていったのよ」

「中に、何が入っていたの？」

「大切なものは、何も入っていなかったわ。旅行に持ってきた本と雑誌だけ。おかしいわね。他のテーブルの人たちが、誰かがやって来て、ブリーフケースを持って出て行ったと、私に話してくれたの。その人たちが、警官に人相を説明したので、警官はそのあたりを捜してみるんですって」

「僕も手伝った方がいいかな?」

「いいのよ、そんなこと忘れて。時間がないわ。それより、あなたと話がしたいの」

私がうなずくと、シャーリーンは私にすわるように言った。ウェイターが来たので、私たちはメニューを見て注文した。そのあと、私たちは十分か十五分、とりとめのない世間話をした。私は自分で選んだ隠遁《いんとん》生活のことを、あまり話さないようにしたが、シャーリーンは、私のあいまいな話し方に、気がついた。彼女は前に身を乗りだすと、またあの笑顔を見せた。

「それで、本当は何が起こっているの?」と彼女が聞いた。

私は彼女の目を見た。彼女は、私の目をじっと見つめていた。「君はすぐ、話を全部知りたがるんだね」

「いつもそうよ」と彼女は言った。

「実は、僕は今、自分のための時間をすごしていて、湖の別荘に滞在しているんだよ。今までずっと、働きづめだったからね。それに、人生の方向を、変えようかと思っているんだ」

「あなたが、湖のことを話していたのは、憶えているわ。あなたと妹さん、その別荘を売ったのかと思っていたわ」

「まだなんだ。でも、税金がね。町に近いので、税金がどんどん高くなるんだよ」

彼女はうなずいた。「それで、これからどうするつもりなの?」

「まだわからない。何か、今までと違うことをしたいな」

彼女は、意味深長な表情を浮かべた。「あなたも、他の人たちと同じように、何かを追い求めているようね」

「たぶんね、でもどうしてさ？」

「写本に書いてあるのよ」

私は彼女を見つめた。しばらく無言だった。

「その写本のことを、話してくれよ」と私は言った。

彼女は椅子《いす》の背にもたれてちょっと考えてから、私の目をもう一度見つめた。「電話で少し話したと思うけど、何年か前に新聞社をやめて、国連のために文化と人口問題の研究をしている調査会社に就職して、今まで、ペルーで仕事をしていたの。

リマ大学で、ある調査を仕上げていた時、古文書が発見されたという噂《うわさ》を、何度も耳にしたのだけれど、ただ、誰も詳しいことは、私に説明できなかったの。考古学や人類学の専門家さえもね。政府に問い合わせてみると、そんなことは一切知らないと、否定したの。

ある人が、実は政府が、何かの理由で、その写本を湮滅《いんめつ》しようとしているって、教えてくれたの。もちろん、その人も直接は知らなかったけれど。

あなたも知っているように、私は知りたがり屋でしょ。仕事が終わった時、あと二、三日、滞在して、調べてみることにしたのね。最初はいくら調べても、すぐ行きづまってしまったわ。ある時、リマの郊外のカフェでお昼を食べていると、一人の神父が、私をじっと見ているのに気がついたのね。二、三分すると、彼は私に近づいて来て、私がその日の朝、写本のことを質問していたのを、聞いていたと言うの。彼は自分の名前を明かさなかったけれど、私の質問には、全部答えると言ってくれたの」

彼女はしばらくためらっていたが、私をじっと見つめたままだった。「写本は紀元前六〇〇年のものだと、その人は言うの。それは、人間社会の大変革を予言しているんですって」

「それはいつ始まるの？」と私は聞いた。

「二十世紀の最後の二十年間よ」

「では、今だというわけ？」

「そう、まさに今よ」

「どんな種類の変革が起こるのかな？」と私は聞いた。

彼女はちょっと困ったようだったが、説得するように話し始めた。「その神父の話では、とてもゆっくりと、意識のルネッサンスのようなものが起こるのですって。それは宗教的なものではなく、霊的なものなの。私たちは今、地球上の人間の生活や、私たちの存在の意味について、新しい何かを発見しようとしているんですって。その神父によれば、それを知れば、人類の文明がまったく変わってしまうというのよ」

彼女は、少し間を置いてから、つけ加えた。「写本はいくつかの章に分かれていて、それぞれが一つずつ、人生の知恵を教えているんですって。その写本は、この時期に、人類はこうした知恵を一つずつ順番に、理解し始めるだろうと、予言していて、それに従って、私たちは今いる所から、完全な霊的文明へと、移行してゆくんですって」

私は首を振って、疑い深そうに眉《まゆ》をあげた。「君はそんなことを、本当に信じているの？」

「そうね、私は……」と彼女は言いかけた。

「まわりを見てごらん」階下にいる人たちを指さしながら、私は彼女をさえぎった。「これが現実の世界さ。ここで、何かが変わりつつあるとでも言うのかい？」

私がそう言ったとたん、遠くの壁ぎわのテーブルから、怒った声が聞こえた。何を言っているのかはわからなかったが、レストラン中を黙らせるほど、大きな声だった。一瞬、また盗難事件が起こったのかと思ったが、単なる言い争いだった。三十代に見える女性が立ちあがって、テーブルの向かい側にすわっている男性を、いきりたってにらんでいた。

「いいえ」と彼女は叫んだ。「問題は、私たちの間が、私の思ったようにゆかないってことなの！　わかる？　全然だめなの！」彼女は気をとり直すと、テーブルの上にナプキンを投げつけて、出て行ってしまった。

シャーリーンと私は、顔を見合わせた。下にいる人たちのことを話題にしたとたん、下で騒ぎが起こったのには、びっくりした。一人残された男性の方を見ながら、シャーリーンが言った。

「変化しているのは、現実の世界よ」

「どういう風に？」まだ驚きがさめやらずに、私はたずねた。

「変革は第一の知恵から始まるの。神父の話では、この知恵は最初は必ず、何かを追い求める感覚となって、無意識のうちに表面化するんですって」

「何かを追い求める？」

「そう」

「僕たちは何を求めているのかな？」

「そこなのよ！　最初は、私たちはよくわからないの。写本によれば、私たちは違う体験を垣間《かいま》見《み》始めているんですって。生活の中で、今までと何か違う、もっと強烈で勇気の出るような一瞬を味わうの。でも、この体験が何なのかも、私たちは知らないし、どう持続すればいいかもわからない。だから、それが終わってしまうと、また平凡な日常に戻るけれど、何となく不満で何かを追い求めるようになるんですって」

「その何かを追い求める感覚が、あの人の怒りの裏にあるっていうわけか」

「そうよ。他の人たちと同じようにね。私たちは人生に、もっと充足感を求めているのよ。そして、それを邪魔するものに、がまんできないの。最近よく言われている、『自分第一主義』の根底には、この何かを追い求める気持ちがあるの。しかも、ウォール街で働く人たちから暴力団にいたるまで、すべての人に影響しているんですって」

彼女は私の目を、まっすぐに見つめた。「男女関係についていえば、男も女も相手に要求ばかりして、ほとんど関係を続けるのが不可能になっているのよ」

彼女の言葉から、最近の私の二つの恋愛を思い出した。両方とも、熱烈に始まったのに、一年も持たずにだめになってしまっていた。私が再びシャーリーンに目を向けると、彼女はじっと待っていた。

「僕たちの恋愛のどこが、間違っているの?」と私は聞いた。

「私は神父さんと、そのことを長い間、話したの。すると彼は、互いに相手に過度の要求をしたり、相手が自分の世界に住むように期待して、自分のやりたいことに必ず参加させようとすると、必然的に、エゴの衝突が起きるのだと言うの」

彼女の話は、急所をついていた。私の最近の二つの恋愛は、まさに権力闘争に陥ってしまったのだ。いずれの場合も、私たちの日程が合わなくなっていたことに、気がついた。生活のペースが速すぎた。何をするか、どこへ行くか、何を追求するか、二人の考えのくい違いを調整する時間はほとんどなかった。最終的には、誰が主導権を握り、誰が毎日の計画を決めるかという問題が、解決できないほど難しくなってしまった。

「この主導権争いのために、男も女も同じ人と長くつき合うことができなくなるだろうと、写本に書いてあるのよ」

「それはあまり霊的な内容とは言えないな」と私は言った。

「私も同じことを神父さんに言ったのよ。すると彼は、現代社会のほとんどの病気は、この何かを追い求める気持ちに原因があるけれど、これは一時的なもので、いつかは終わることを覚えていなさいって、言ったの。最終的には、私たちは、自分が何を求めているか、より深い充足感を与えてくれる体験が何なのか、気がつくんですって。それが完全にわかった時、私たちは第一の知恵を、獲得するそうよ」

食事が出され、ウェイターがワインをつぎ足すのを何分か待って、私たちはお互いに相手の料理を味見した。テーブルの向こう側から、私のサーモンを味見するために手を伸ばしながら、シャーリーンは鼻にしわを寄せて、クスッと笑った。彼女と一緒だと、本当に気楽でいられた。

「さて」と私は言った。「僕たちが求めている体験とは何なの？　第一の知恵って何？」

彼女はどこから説明しようかと、ちょっと迷っていた。

「説明するのは難しいわ。でも、神父さんはこう言っていたわ。第一の知恵は、私たちの人生での『偶然の一致』に気がついた時、始まるんですって」

彼女は私の方にぐっと身を乗り出した。「あなたは何か、自分がやりたいことについて、予感とか直感を感じたことがない？　人生の進路についてはどう？　そして、なぜ、そんな感じがしたか、不思議に思ったことはなかった？　そのあと、そんなことはすっかり忘れて、他のことに夢中になっていたのに、ある時、誰かに会ったり、何かを読んだり、どこかへ行ったりしたのがきっかけで、望んでいた方向に導かれたという経験はない？」

「そして」と彼女は続けた。「神父さんによれば、こうした偶然の一致は、どんどん頻繁に起こるようになって、ついに、単なる偶然を越えていると、私たちは思い至るんですって。まるで、何か説明できない力に、私たちの人生が導かれているかのように、それが運命づけられていたと感じるの。この体験は、神秘的な感覚と興奮を引き起こして、その結果、私たちはもっと生き生き感じ始めるんですって。そしてこれが、私たちが垣間見ては、何とか、ずっと味わいたいと思っている体験なの。そして、この不思議な動きは本物で、日常生活の水面下で起きている何か意味のあることだと確信する人たちが、毎日増えているんですって。この気づきが、第一の知恵なのよ」

彼女は期待するように私を見た。しかし私は黙っていた。

「わからない？」と彼女は続けた。「第一の知恵とは、この地球上の私たちの生活を取り巻いている本来の神秘を、もう一度、考え直そうということなの。私たちはこうした神秘的な偶然の一致を体験していて、まだそれが何かわかってはいなくても、これは現実のことだと知っているの。子供の頃のように、私たちは、まだ発見していない人生の一面に、気がつき始めたのよ。何か別のものが、見えないところで進展している、ということをね」

シャーリーンは前よりももっと、体を前に乗り出し、話しながら手をさかんに動かしていた。

「君は本当に、はまってしまったんだね」と私は言った。

「あなただって、昔、こうした体験をよく話していたわよ」と彼女は手厳しい調子で言った。

この言葉に、私はうろたえた。彼女の言うとおりだった。私も一時、こうした偶然の一致を、本当に体験したことがあった。それが何か、心理学的に解明したいと考えたこともあった。しかし、そうこうしているうちに、私の考え方も変わってしまった。そのような見方は、未熟で非現実的だとみなすようになり、それからは、偶然の一致にも気がつかなくなった。

私はシャーリーンの顔をまっすぐに見て、言いわけがましく言った。「たぶん、あの時の僕は、東洋哲学やキリスト教神秘主義の本を、読んでいたんだよ。それで憶《おぼ》えているんじゃないの？ともかく、君が第一の知恵と呼んでいることは、もう昔から、何回も書かれていることなんだよ、シャーリーン。それとどう違うのさ。神秘的な偶然の一致を認識することが、どうして人類の文明の変革に結びつくのさ？」

シャーリーンはちらっとテーブルに目を落とし、すぐに私に戻した。「誤解しないでね」と彼女は言った。「確かに、この意識は昔から知られていたし、書かれてもいるわ。事実、神父も、この第一の知恵は新しくはないと言っていたわ。歴史的には、沢山の人がこの説明できない偶然の一致に気がついていたし、これは哲学や宗教の背景になっていたそうよ。でも今、違うのは、その数にあるの。神父によると、同時に非常に沢山の人々がこのことに気がついて、大変革が起こるんですって」

「どういう意味かな？」と私は聞いた。

「写本には、一九六〇年代に、この偶然の一致に気づく人が急激に増え始めると、書いてあるの。

この増加は次の世紀が始まる頃、こうした人々の数があるレベルに達するまで、続いてゆくんですって。つまり、臨界のレベルにね」

彼女はさらに続けた。「その臨界のレベルに達すると、文化全体が、この偶然の一致を真剣に考え始めるんですって。私たちは集団として、地球上の人間生活の下に、どんな神秘的なプロセスが隠れているか考え始め、そして、十分な数の人々が、同時にこの問題を考えるようになると、他の知恵が次々に意識に浮上してくるの。なぜかと言うと、十分な数の人たちが、真剣に人生に起こっていることを問い始め、私たちはその答えを見つけ出してゆくからなのよ。そして、他の知恵が、一つずつ、明らかにされてゆくんですって」

彼女は少し休んで、料理を一口食べた。

「僕たちが他の知恵を理解すると、文化が変わるの？」と私はたずねた。

「そうよ、神父はそう言っていたわ」と彼女は言った。

私はその臨界レベルのことを考えながら、しばらく彼女を見つめた。そして言った。

「紀元前六〇〇年に書かれた写本の内容にしては、ずい分と進んでいるじゃないか」

「そうよ」と彼女は答えた。「私も同じ疑問を感じたわ。でも、その写本を最初に解読した学者は、絶対に本物だと確信しているって、神父は言っていたわ。その主な理由は、アラム語で書かれていたからなの。つまり、旧約聖書の大部分が書かれたのと、同じ言葉よね」

「南アメリカでアラム語？　アラム語がどうして、紀元前六〇〇年に、ペルーに渡ったの？」

「神父も知らないって」

「彼の教会は、その写本を認めているの？」

「いいえ、彼が言うには、ほとんどの聖職者は、その写本を厳しく禁止しようとしているんですって。だから、彼は自分の名前を明かさなかったの。写本のことを口にするのは、とても危険なことなんですって」

「ほとんどの教会のお偉方が、なぜ反対しているか、何か言っていた？」

「ええ、写本が、彼らの宗教の完全性に、疑問を提起しているからよ」

「どうして？」

「はっきりは知らないわ。彼は、あまりそのことには触れなかったから。でも、明らかに他の知恵の中には、教会の伝統的な教義に触れるものがあって、今のままがよいと思っている長老たちを、警戒させているらしいの」

「なるほど」

「神父は」とシャーリーンは続けた。「自分は、その写本が教会の原理をくつがえすとは思わない、と言っていたわ。もし何かあるとすれば、こうした原理が何を意味しているのか、明らかになるだろうって。もし、教会の指導者が人生を再び神秘とみなすようになれば、彼らもそのことがわかって、その先の知恵に進むだろうと、彼は強く思っていたようよ」

「いくつぐらいの知恵があるのか、彼は教えてくれた？」

「いいえ、でも、第二の知恵のことは、少し話してくれたわ。それは、最近の歴史のもっと正しい解釈が書いてあるそうよ。つまり、変革をさらにはっきり説明できるようにね」

「詳しく説明してくれたの？」

「いいえ、時間が無かったの。彼は何か用があって、行かなくてはならなかったのよ。私たちは、その日の午後、彼の家でまた会う約束をしたんだけれど、私が行った時、彼はいなかったの。三時間待ったけれど、戻らなかったわ。私も、帰りの飛行機に乗るために、行かなければならなくなったわけ」

「その後、彼とはもう、会えなかったの？」

「そうなの。全然、会っていないわ」

「で、その写本の存在については、政府からなにも回答は受け取らなかったの？」

「全然」

「それで、それはいつ頃のことだったの？」

「約一ヵ月半前よ」

何分間か、私たちは黙って食事をした。それからシャーリーンは顔を上げると、「どう思う？」と言った。

「わからないね」と私は答えた。私の一部は、人類が本当に変化できるという考え方に、懐疑的だった。しかし他の一部は、そんなことを記した写本が、実際に存在しているのかもしれないと思って、驚いていた。

「彼は君に、コピーか何かを見せたの？」と私はたずねた。

「いいえ、残っているのは、私のメモだけよ」

私たちは再び、沈黙した。

「ねえ、私はあなたが、こういう考え方に夢中になるかと思ったの」

私は彼女を見た。「写本の言っていることが真実だという、証拠が必要だと思うな」

彼女はまた、うれしそうに笑った。

「どうしたの？」

「私もまったく同じことを言ったから」

「誰に？　その神父に？」

「ええ」

「彼は何と言った？」

「体験が証拠だと言ったわ」

「一体、どういう意味？」

「体験してみれば、写本が言っていることが、本当だとわかるということよ。自分が心の中で何を感じているのか、私たちの人生が今どう進行しているのか、よく考えてみれば、写本で言っていることが道理に合っていて、本当のことだとわかるというの」彼女はちょっとためらった。そして「道理に合うと思う？」と言った。


私はちょっと考えてみた。それが道理にかなっているのだろうか？　みんな私みたいに何かを追い求めているのだろうか？　もしそうであるとしたら、私たちの何かを追い求める気持ちは、私たちが知っている以上のもの、私たちが体験できる以上のものが、この人生に本当に存在するという、単純な知恵に由来しているのだろうか？　この三十年間に積み上げられてきた単純な気づきの結果なのだろうか？

「よくわからない」と私は言った。「もっとよく考える時間が必要だと思う」

私はレストランの横の庭に出ると、噴水の前にある木のベンチの後ろに立った。右側には、空港の点滅する灯が見え、ジェット機の離陸直前のエンジンの音が聞こえた。

「まあ、きれいな花」とシャーリーンが私の後ろの方で言った。振り向くと、彼女は、座席部分を仕切っているペチュニアとベゴニアの花を感心して見ながら、歩道をこちらに歩いてくるところだった。彼女が私の横にくると、私は彼女に腕をまわした。思い出が、私の心に溢《あふ》れ出した。何年か前、私たちがバージニア州のシャーロットビルに住んでいた頃、二人でよく、話をしながら、夕方のひとときを過ごしたものだった。私たちの議論は、大部分、学説や心理的成長についてだった。私たちは互いに魅《ひ》かれていたが、二人の関係はあくまでも、プラトニックなものだった。

「また、あなたに会えて、どんなに嬉《うれ》しいか、口では言えないほどよ」と彼女は言った。

「わかるよ。君と会うと、昔のことをいろいろ思い出すよ」

「どうして連絡もとらずに、それっきりになってしまったのかしら？」と彼女が言った。

彼女の言葉で、私は昔に戻ってしまった。私はシャーリーンに最後に会った時のことを、思い出した。私の車のそばで、彼女は私にさよならと言った。あの時、私には新しいアイディアがいっぱいあった。私はひどい虐待を受けた子供たちを助けるために、故郷を出発しようとしていた。過剰な反応や強迫的行動に走る子供たちを助けて、普通の生活にもどしてやる方法を自分が知っていると私は思い込んでいた。しかし、時がたつとともに、私のやり方は失敗してしまった。私は自分の無知を認めなければならなかった。人が自分の過去から、どうすれば自由になれるのか、私にはまだ謎《なぞ》のままだった。

過去六年間を振り返ると、その体験は価値があったと、今は感じていた。しかし、先に進みたい衝動も感じていた。でもどこへ？　何をするために？　シャーリーンは私の子供時代の精神的な傷を思い出させてくれた人なので、私にとって彼女は特別の存在だった。それで時々は彼女のことを思い出すこともあったが、それもほんの数回のことだった。それが今、彼女はまた、私の人生に戻ってきてくれたのだった。そして、二人の会話は、以前と同じように、刺激的で楽しかった。

「僕が自分の仕事に、完全に夢中だったからだと思う」と私は言った。

「私もよ」と彼女が答えた。「新聞社にいた頃は、次から次へと仕事がきたわ。顔をあげる暇もなかったぐらい忙しかったわ。他のことは、全部忘れていたもの」

私は彼女の肩を抱きしめた。「シャーリーン、僕たちは本当によく一緒に話したね、すっかり忘れていたけれど。僕たちの話は本当に気楽で自由だったよね」

彼女は目と笑顔で、私に同意した。「そうよ。あなたと話していると、エネルギーが沢山もらえたわ」

私がもう一言、言おうとした時、シャーリーンが、私の背後のレストランの入口を、じっと見つめた。彼女は不安そうに青ざめた。

「どうかしたの？」私はその方向に振り向きながら言った。何人かが、話をしながら駐車場の方へ歩いていた。しかし、別に変わったところはなかった。私はシャーリーンの方に顔を向けた。

彼女はまだ警戒し、困惑しているようだった。

「どうしたの？」と私はくり返した。

「一列目の自動車の向こうに、灰色のシャツを着た男の人を見なかった？」

私は駐車場の方を、もう一度振り返ってみた。別のグループがドアから出てくるところだった。

「どの人？」

「もういないみたい」彼女は目をこらして捜しながら言った。

彼女は私の目をまっすぐ見つめた。「他のテーブルにいた人たちの話では、私のブリーフケースを盗んだ男は、頭の毛が薄くて髭《ひげ》をはやし、灰色のシャツを着ていたそうよ。あそこの自動車の脇《わき》に、その人がいるのを見たの。私たちを見ていたわ」

私の胃が、不安で重苦しくなった。シャーリーンにすぐ戻るよと言って、私は駐車場の方へ歩いて行き、あまり遠くに行かないように注意しながら、あたりを捜してみた。それらしい男は見当たらなかった。

ベンチのところに戻ってくると、シャーリーンが私の方に一歩近寄って、小声で言った。「あの男は、私が写本のコピーを持っていると思ったのかしら？　だから、私のブリーフケースを盗んだんじゃない？　コピーを取り戻そうとしたのかしら？」

「わからない」と私は言った。「もう一度、警官を呼んで、君が見たことを報告しよう。君と同じ飛行機に乗る乗客も、チェックする必要があると思うよ」

私たちはレストランに戻り、警察に電話した。そして警官が来ると、さっき起こったことを伝えた。彼らは二十分かけて自動車を一台ずつ調べたが、もうこれ以上、時間をかけることはできないと言った。ただし、シャーリーンが乗る飛行機の乗客を、全員調べることには同意した。

警官が行ってしまうと、シャーリーンと私は噴水のそばに二人きりになった。

「ところで、あの男の人を見る前、私たちは何を話していたのかしら？」と彼女が聞いた。

「僕たちのことを話していたのさ。シャーリーン、どうして僕に、このことで急に会いたいと思ったの？」

彼女は当惑した表情を見せた。「ペルーで神父に写本の話を聞いている時、あなたのことをずっと、思い出していたの」

「ふーん」

「その時は深く考えなかったけれど、バージニアに戻ってから、写本のことを考えるたびに、あなたのことを思い出して、何回も電話をかけようと思ったけれど、そのたびに気が変わってやめてしまったの。するとマイアミでの仕事が入って、今、行くところなんだけれど、飛行機に乗ってから、ここで乗り継ぎの時間があるとわかったのよ。ここに着いてから、あなたの電話番号を調べてかけてみると、留守番電話が、緊急の時だけ、湖の方に連絡するようにと言ったけれど、電話しても構わないと思ったのよ」

私はどう考えたらよいかわからずに、しばらくの間、彼女を見つめていた。それから、「もちろん、電話してくれてうれしかったよ」と言った。

シャーリーンは腕時計を見た。「もう時間がないわ。空港に戻らないと」

「じゃあ、送ってゆこう」と私は申し出た。

私たちは第一ターミナルまで車でゆき、搭乗口へと歩いて行った。何か変わったことがないか、私は注意深くまわりを見た。私たちが搭乗口に着いた時には、すでに搭乗が始まっていた。さきほどの警官の一人が、乗客を一人ひとり見張っていた。私たちが近づくと、彼は、搭乗予定者全員を調べたが、犯人らしき人物は見当たらなかったと、私たちに伝えた。

　私たちは彼に礼を言った。彼が行ってしまうと、シャーリーンは私を見てにっこりした。

「もう行った方がいいわ」と彼女は言って、手を伸ばして私の首を抱いた。「これが私の電話番号よ。今度はもっと連絡し合いましょうね」

「いいかい、くれぐれも注意してね。何か変わったことがあったら、警察を呼ぶんだよ」と私は言った。

「私のことは心配しないで。大丈夫よ」と彼女は答えた。

　一瞬、二人は相手の目をじっと見つめ合った。

「この写本のこと、君はこれからどうするつもり？」と私はたずねた。

「わからないわ、ニュースに注意しているわ」

「もし、報道が制限されていたら？」

　彼女はもう一度、にこっとした。「思ったとおり、あなたも引っかかったわね。あなた好みの話だと、私が言ったでしょう。あなたこそ、どうするつもり？」

　私は肩をすくめた。「もっと何か発見できるかどうか見てみるよ」

「もし何か見つけたら、私にも知らせてね」

　もう一度さよならを言って、彼女は去って行った。彼女がもう一度、振り返って手を振ってから搭乗口へ消えて行くのを、私は見送った。それからトラックに戻ると、途中でガソリンを入れるために停《と》まっただけで、まっすぐ湖に帰って来た。

　小屋に着くと、私は囲いのあるベランダに出て、揺り椅子《いす》に腰を下ろした。夜はこおろぎと蛙《かえる》の鳴き声でにぎやかだった。遠くの方で夜鷹《よたか》の声も聞こえた。湖の向こう側の西の空に、月が低くかかり、さざ波のたつ湖面に映って、一条の光の帯を、私の方に送っていた。

その晩の話はとてもおもしろかったが、私はまだ、人類の文明的変革という考えには、いささか疑念を感じていた。多くの人々と同様に、私は六〇年代と七〇年代の社会的理想主義に夢中になり、さらに八〇年代の精神的なものに対する関心の高まりにも、興味を持っていた。しかし、今、本当に何が起きているのか、見極めるのは難しかった。人間世界全体を変えることができる新しい情報なんて、あり得るのだろうか？　すべてはあまりに理想主義的で、こじつけのように聞こえた。結局、人間はこの惑星上に、すでに長いこと生きながらえてきたのだ。今ごろになってなぜ、我々は存在に関する知恵を、急に悟り始めるのだろうか？　私はしばらく、水面《みのも》をじっと見つめていた。それから明かりを消すと、本を読みに寝室へ戻った。

次の朝、私は突然、夢で目が覚めた。その夢はまだ、あざやかに心に残っていた。一、二分の間、寝室の天井をながめて、その夢の全体を思い出してみた。私は森の中を、何かを探し求めて歩いていた。その森は大きくて、見たこともないほど、美しかった。

歩いている内に、私は完全に道に迷って困り果て、どう進めばいいか決められない状況に、何回も陥った。不思議なことに、そのたびごとに、まるで意図したかのように、どこからともなく人が現れて、次にどちらへ行けばよいか、教えてくれるのだった。自分の探しているものが何かは、最後までわからなかったが、その夢は信じられないほど、私を楽天的で大胆な気分にしてくれた。

起きあがると、窓から部屋を横切って射し込んでいる太陽光線に気がついた。光の中で、ほこりの粒が輝いていた。私は窓のところへ行き、カーテンを開けた。すばらしい朝だった。青い空と輝く太陽、そして、風が木々をやさしく揺らしていた。この時間には、湖はさざ波が立ち、濡《ぬ》れた肌には風が冷たいに違いなかった。

私は外に出ると、水に飛び込んだ。水面に顔を出すと、湖の中央まで泳いでゆき、あお向けになって見慣れた山々を見あげた。湖は、三つの尾根が交わっている深い谷間にあった。私の祖父は若い頃にこの場所を発見し、ここに、小さな人造湖を作ったのだった。

彼がこの山々を初めて歩いてから、百年もの月日がたっていた。その頃、彼は子供ながら、いっぱしの探検家だった。まだ、アメリカライオンやイノシシ、それに北尾根の上の方には、原始的な小屋に住むクリークインディアンがいた野性的な時代だった。沢山の古木がおいしげり、七つの泉のあるこのすばらしい谷間に、いつか住もうと彼はその時決心し、それを実現した。後に湖と小屋を作り、若い孫を連れて、数え切れないほど、山を歩きまわったのだった。祖父がこの谷間に感じた魅力を、私が完全に理解したとはいえない。しかし、文明がしのび寄り、そして取り囲んでしまっても、私はこの土地を何とか守ろうと努力していた。

湖の中央から、北の尾根の頂上の近くにつき出している、変わった形の岩が見えた。きのう、祖父のしきたりに従って、私はその張り出した岩に登った。その岩の上の眺めや匂《におい》や木の梢《こずえ》を吹きわたる風の中に、心の平和を見出したかった。そこにすわって湖を眺め、谷間の濃い緑を見ているうちに、私の気持ちもしだいに和《なご》やかになっていった。その場所のエネルギーと眺めが、心の中のわだかまりをとかしていくようだった。それから数時間たって、シャーリーンから電話があり、写本のことを聞いたのだった。

私は岸まで泳いで戻ると、小屋の前の木の桟橋《さんばし》に這《は》い上がった。こんなことはすべて、信じられないと思った。つまり、人生に完全に幻滅して山の中に隠れていたところに、突然シャーリーンが現れて、私の何かを追い求める気持ちの原因を説明し、人類の存在の秘密をとき明かすという古い写本を引用したのだった。

しかも、シャーリーンの出現は、まさしく写本が言っている何かの符号であると、私にはわかっていた。どうしたって、単なる偶然の出来事とは、思えなかった。その古文書は正しいのだろうか？　私たちが否定しようと冷笑しようと、この「偶然の一致」に気づく人々の数が、ゆっくりと臨界のレベルに達しつつあるのだろうか？　人類は今、この現象を理解し、ついには、人生の背後の目的を理解する時点に達しているのだろうか？

この新しい理解とは、一体何なのだろう？　神父が言ったように、写本の中の他の知恵が、それを私たちに教えてくれるのだろうか？

私は決心しなければならなかった。写本のおかげで、人生の新しい方向が開け、新しい興味が湧《わ》いてきたのを感じた。問題は、今、何をするかだった。ここに留《とど》まることもできれば、さらに探求する道を見つけることもできた。危険かもしれないと、ふと思った。誰がシャーリーンのブリーフケースを盗んだのだろう？　写本を湮滅《いんめつ》しようとしている者の仕業だろうか？　どうすれば、わかるのだろうか？

長いこと、私は危険性について考えていたが、結局、楽観主義が勝利をおさめた。もう心配しないことにした。注意深く、ゆっくりと進むことにしよう。私は小屋の中に入ると、電話帳を調べて、一番大きな広告の旅行代理店に電話をした。私に応対した係員は、ペルー行きの旅行は手配できますよ、と言った。実は偶然、キャンセルが一つ出ていた。それも、リマのホテルの予約もついている便だった。それを全部、値引きしてお買いいただくこともできます、と彼は言った。もし、三時間以内に出発できるならばという条件つきで。

三時間だって？

第二章　今という時

あわてふためいて荷造りし、フリーウェイをつっ走って、私は時間ぎりぎりにチケットを受け取り、ペルー行きの飛行機に乗ることができた。飛行機の一番後ろにゆき、窓ぎわの席にすわると、どっと疲れが襲った。

眠ろうと思ったが、体をのばして目をつむっても、ゆったりとした気分になれなかった。急に臆病《おくびょう》になって、旅行に出てきてよかったのかどうか、不安になった。何も準備しないで出て来て、よかったのだろうか？　ペルーのどこへ行ったらよいのだろう？　誰に話をすればいいのだろうか？

湖で感じた自信は、あっという間にしぼみ、疑問が次から次へとわいてきた。第一の知恵にしても人類が変容するという話にしても、両方ともおとぎ話のような、非現実的なことに思えてきた。そう考えると、第二の知恵の内容も、あり得ないことに思えた。どうして、新しい歴史の見方が、私たちに偶然の一致を気づかせ、万人の意識を覚醒に導くというのだろうか？

私はのびをして、深呼吸をした。多分、ペルーに行ってすぐ戻ってくるだけの、無駄な旅行になるだろうと、私は結論を下した。お金の無駄使いではあるが、実害はなかろう。

飛行機が急に動き出し、滑走路へと向かい始めた。私は目を閉じた。大きなジェット機がスピードをあげ、空をおおった厚い雲に向かって離陸した時、軽い目まいを感じた。飛行機が水平飛行に移って、やっとリラックスしてうつらうつらした。三、四十分たって、激しい揺れで目を覚ました。私はトイレに行くことにした。

ラウンジを通りすぎる時、丸い眼鏡をかけた背の高い男が、窓の近くで乗務員と立ち話をしているのに気がついた。彼は私の方をチラッと見て、また話し続けた。濃い茶色の髪の男で、四十五歳ぐらいに見えた。一瞬、どこかで見たことがあるように思ったが、彼をよく見ると、知り合いではないとわかった。そばを通りすぎる時、二人の会話が耳に入った。

「とにかくありがとう」とその男は言った。「あなたはいつもペルーに行っているから、写本について、何か聞いたことがないかと思ったんですよ」彼はくるりと背を向けると、飛行機の前の方へ歩いて行った。

私はびっくりした。彼はあの写本のことを話していたのだろうか？　私はトイレに行くと、どうすべきか考えた。このことを忘れたがっている自分もいた。たぶん、彼は何か他の本のことを言っていたのだろう。

私は自分の席に戻ると、また目を閉じた。この出来事を打ち消したことに満足し、男に何も質問しなくてよかったと思った。しかしそうしているうちに、湖で感じた興奮がよみがえってきた。もし、あの男が本当に写本の情報を持っていたら、どうしよう？　何が起こるのだろうか？　もし、彼に質問しなかったら、私は知らないままで終わってしまうだろう。

心の中で何回もためらったあげく、ついに立ち上がると、飛行機の前の座席の方へ歩いて行った。中ほどで、通路側の席にいる彼を見つけた。彼のすぐ後ろの席が空いていた。私は引き返して、乗務員に席を換わりたいと言ってから、自分の荷物をまとめてその席に移った。二、三分たってから、私はその男の肩をたたいた。

「失礼ですが」と私は言った。「あなたが写本のことについて話していたのを、耳にしたのですが、ペルーで見つかった例の写本のことですか?」

彼はびっくりした様子だった。そして用心深く、「そうです」と答えた。

私は自己紹介をしてから、友人が最近ペルーから戻って来て、その写本の存在を教えてくれたのだと説明した。彼はいかにもほっとした様子で、自分はウェイン・ドブソンといって、ニューヨーク大学の歴史の助教授であると名乗った。

話しながら、私は、隣りの席の男が、いらだたしげな視線をこちらに向けているのに、気がついた。彼は座席の背にもたれて、眠ろうとしていた。

「あなたは写本を見たことがありますか?」と私は助教授にたずねた。

「一部を見ました。あなたは?」と彼が言った。

「見ていません。でも、友人が第一の知恵について、話してくれました」隣りの男が体の向きを変えた。ドブソンは彼の方を向いて言った。「すみません、邪魔をして。私と席を換わっていただけますか?」

「はい、その方がいいみたいですね」とその男は言った。

三人とも通路に立つと、まず私が窓側の席にすわり、ドブソンが私の横にすわった。

「第一の知恵について、どんなことを聞いたのか、話してください」とドブソンが言った。

私はしばらく心の中で、自分が理解したことをまとめようとした。

「第一の知恵とは、その人の人生を変える不思議な出来事に気づくことだと思います。つまり、何か大きな力が働いていると、感じ取ることです」

自分がおかしなことを言っているような気がした。

ドブソンは、私の不安を感じ取った。「それで、あなたはそれをどう思いますか？」とたずねた。

「わかりません」と私は答えた。

「現代の常識とは合いませんよね。こんなことは全部放っておいて、もっと実際的なことを考えたいと思いませんか？」

私は笑って、確かにそのとおりだとうなずいた。

「大体の人はそう思うでしょう。たまには、私たちの人生には、何かもっとあるとはっきり感じることがあっても、いつもの習慣的な考え方が、こんなことはわかるはずがないと決めつけて、その感覚を完全に無視してしまうのです。そこで、第二の知恵が必要なのです。私たちの意識の歴史的背景を見れば、それが本当だと、もっとよくわかってくるんです」

私はうなずいた。「では、あなたは歴史家として、写本にある地球規模の変革の予言は、正しいと思っているのですか？」

「もちろんです」

「歴史家として？」

「そうです！　しかし、それには歴史を正しい方法で見なければなりません」彼は大きく息を吸った。「信じて下さい。間違った方法で、何年も歴史を学び、教えてきた者として、言っているのですよ。私はずっと、文明の技術的な成果と、その進歩をもたらした偉人にだけ、焦点をあてていたのです」

「そのどこがいけないのですか？」

「それ自体、何も悪くはありません。しかし本当に重要なのは、各時代の世界観であり、人々が感じたり考えたりしていたことなのです。それがわかるまで、長い時間がかかりましたよ。歴史は、私たちの生活の営みについて、長期的な視点から見た知識を、与えてくれるはずです。歴史は単なる技術の進化ではないのです。それは思考の進化なのです。前の時代の人々の現実を理解することによって、私たちはなぜ、自分たちが世界を今見ているように見ているのか、さらに進歩するために自分に何ができるのかわかるのです。いうなれば、私たちが長い文明の発展段階の、どの地点にいるか見極めることができれば、これから私たちがどこへゆくか、わかるのです」

彼は少し黙ってから、つけ加えた。「第二の知恵は、まさしく、こうした歴史的な展望を与えてくれるという、効果があります。少なくとも、西洋思想の観点からはね。それによって、写本の予言に歴史的な意味が与えられ、その予言が実現する可能性があるというよりは、不可避であるように見えてきます」

いくつ知恵を知っているのか、私はドブソンにたずねた。最初の二つだけだと、彼は答えた。彼の話では、写本の噂《うわさ》を聞いて、三週間前にあわててペルーへ短期間旅行し、その二つを見つけたとのことだった。

「ペルーに着いてから、二人ほど、写本が実在すると証言した人に会いましたが、二人とも、そのことについて話すのを、死ぬほどこわがっているようでした。政府が少し異常になっていて、写本の写しを持っている者や、この話を広める者に対して、逮捕したり、肉体的な脅迫をしていると言っていました」

彼の表情が真剣になった。「私も神経質になりました。しかしそのあと、ホテルの給仕が、写本の話をよくしている神父を知っていると、話してくれました。給仕は、その神父は、古文書を弾圧しようとしている政府と戦っているのだと、言っていました。私はどうしても、その神父がいつもいるという家に、行きたくなりました」

私がびっくりした表情をしたのだろう。ドブソンが私にたずねた。「どうかしましたか？」

「私に写本のことを話してくれた友人は、その話をある神父から聞いたと言っていました。その神父は自分の名前は言わなかったけれど、友人は彼と、第一の知恵の話をしました。彼女はもう一度、神父と会う約束をしたのですが、彼は現れなかったそうです」

「同じ人かもしれませんね」とドブソンが言った。「私も彼を見つけることができなかったのです。家には鍵《かぎ》がかかっていて、誰も住んでいないように見えました」

「一度も、彼には会っていないのですか？」

「会っていません。でも、まわりを探すことにしました。裏の方に古い倉庫があり、戸があいていました。なぜかわかりませんが、私は中を探してみようと思いました。ゴミの後ろのはがれた壁板の下に、第一と第二の知恵があるのを見つけました」

彼は、もうおわかりでしょうと言いたげに、私を見た。

「偶然、それを見つけたのですか？」と私はたずねた。

「そうです」

「この旅行に、そのコピーを持って来ていますか？」彼は首を横に振った。「いや、徹底的にそれを研究する決心をして、同僚に預けてあります」

「第二の知恵の要点を、教えていただけませんか？」と私は頼んだ。

長い沈黙のあと、ドブソンはにっこりしてうなずいた。

「きっと、そのために私たちはここにいるのでしょう」

「第二の知恵は」と彼は始めた。「私たちの現在の意識を、長い歴史的展望の中に位置づけていますす。そもそも、九〇年代が終わるということは、二十世紀が終わるということだけでなく、千年紀の終わりでもあります。我々は今第二の千年紀を終わろうとしています。私たち西洋人は、自分たちがどこにいて、次に何が起こるかを知るためには、この千年の間に、何が起きたのか、理解しなければなりません」

「写本は何と言っているのですか？」と私はたずねた。

「第二の千年紀が終わる時、つまり、現在ということですが、我々はその千年間の歴史を全体として見ることができるようになると写本は言っています。そして、この千年紀の後半の五百年間、つまり、我々が近代と呼んでいる時期に作られた、ある思い込みに気がつくようになる、とも言っています。いま、我々が偶然の一致に気づき始めているのは、この思い込みからの一種の覚醒《かくせい》なのです」

「思い込みって、何ですか？」と私はたずねた。

彼はいたずらっぽく笑った。「この千年間を再体験する用意ができていますか？」

「もちろんです。話して下さい」

「話すだけでは十分ではありません。私がさっき言ったことを、思い出して下さい。歴史を理解するためには、あなたの世界観がどのように発達し、あなたより前に生きていた人々の現実から、それがどう作られたかを、把握する必要があります。現代の物の見方が出来上がるまでに、千年という月日がかかっています。そして今日、あなたがどこにいるかを理解するためには、紀元一〇〇〇年にまず戻り、そこから千年間を体験しながら進んで来なければなりません。一つの人生のように、この全体の期間を実際に生きてみるのです」

「どうするのですか？」

「私があなたを誘導してゆきます」

私は一瞬、ためらって、窓からはるか下の地形をながめた。すでに、時間が今までとは違って感じられた。

「やってみます」やっと、私は答えた。

「いいでしょう」と彼は言った。「では、あなたが、中世と私たちが呼んできた紀元一〇〇〇年に生きていると、想像して下さい。最初に、この時代の現実は、キリスト教会の権力者によって定義されていたということを、理解して下さい。彼らはその権力的地位ゆえに、人々の心に大きな影響力を持っていました。教会の権威者が現実だとして描いた世界は、何よりも、宗教的なものでした。彼らは、生活の中心に、神の人類に対する計画という考え方をおきました」

彼は続けた。「父親の属している階級の一員であるあなた自身を、想像して下さい。基本的には、百姓か貴族のどちらかです。そして、この階級に一生、しばられると知って下さい。しかし、どの階級に属していようと、どんな仕事をしていようと、あなたはすぐに、こうした社会的な地位は、教会が定めた人生の宗教的な現実に比べれば、二次的なものだと気がつきます。

人生とは、宗教的なテストに合格することだと、あなたは発見します。神は人類を宇宙の中心に置き、そのまわりを宇宙全体が取り囲んでいると、教会は説明します。しかも、それはたった一つの目的、すなわち、魂の救済を得るか、失うかのためです。そして、この試練では、あなたは二つの相反する力、つまり神の力と悪魔の誘惑のどちらかを、まちがわずに選ばなくてはなりません。

しかし、この競技に、あなたは一人で立ち向かうわけではありません」と彼は続けた。「実際のところ、単なる個人としては、あなたはこの点に関して、自分の地位を決める資格はありません。それは、聖職者の仕事だからです。教典を解釈して、あなたが神の言いつけに従っているか、悪魔に魅入られたかをいちいち判断するためにこの人たちはいるのです。彼らの言いなりになっていれば、報われた死後の生活を保証されます。しかし、彼らの言いつけを守らないと、破門され、天罰が下るというわけです」

ドブソンは私をじっと見た。「ここで理解しなければならないことは、中世の世界では、あらゆることがあの世的な言葉で、定義されていたことです。人生のすべての現象、すなわち雷雨や地震から、作物の出来不出来、愛する人の死に至るまで、すべてが神の意志かまたは悪魔の所業だとされています。天候、地質、育成技術、病気といった概念はありません。それらは、もっと後の時代のものです。今のところ、あなたは完全に、教会を信じています。あなたが当然のこととして受け入れている世界は、宗教的なものによってのみ、動いています」

彼は話をやめ、私を見た。「その時代にいますか?」

「ええ、その現実を見ています」
「では、その現実がこわれ始めるのを、想像して下さい」
「というと？」
「中世の世界観、あなたの世界観は、十四世紀から十五世紀にかけて、崩壊し始めます。まず、あなたは教会の不正に気がつきます。例えば、彼らは秘《ひそ》かに、純潔の誓いを破ったり、または政府の役人が聖書の掟《おきて》を破ると、それを大目に見るために賄賂《わいろ》をもらったりしているのです。

こうした不正は、あなたに不信感を抱かせます。教会は、自分たちこそ神とあなたをつなぐ唯一の者だと、主張しているからです。彼らは聖書の唯一の解説者であり、あなたの救済を左右できる唯一の存在だということを、思い出して下さい。

突然、あなたは反乱の真っただ中にいます。マルチン・ルッターに率いられたグループは、法王を頂点としたキリスト教会からの分離を主張します。もう人々の心を支配するのは止めよと、彼らは腐敗した教会に要求します。新しい教会が作られ、それは、だれでも聖書を手にすることができ、仲介者なしに、自分の思うとおりに解釈すべきだという、考え方に基づいています。

あなたが信じられない思いで見守っているうちに、反乱は成功します。教会は力を失い始めます。何世紀にもわたって、教会は現実を定義してきました。しかし今、あなたの目の前で、彼らは信用を失ってゆきます。その結果、全世界は疑問の海へ、投げこまれます。それまで教会の定義に従っていた、宇宙の成り立ちや人類の目的に関する、明確な意見の一致が失われ、あなたを含めて西洋文化圏の人々は、非常に不安定な立場に置かれます。

あなたは、権威に現実を定義してもらうことに、すっかり慣れきっていたので、外からの指示がないと混乱し、道を見失ったように感じます。教会が下した現実の定義や人間存在の理由がまちがいだとしたら、一体、何が正しいのだろうと、あなたは問いかけます」

彼はしばらく黙った。「これが、当時の人々にとって、どれほどの衝撃だったか、わかりますか？」

「不安だったろうと思います」と私は言った。

「控え目に言っても、大激動でした。世界の古い見方は、いたるところで挑戦を受けました。事実、一六〇〇年代までに、天文学者は、太陽も月も教会が主張するように、地球のまわりを廻《まわ》っているわけではないと、完全に証明しました。地球は、何十億という星を持つ銀河系宇宙の中の、太陽という小さな星のまわりを廻っている、一つの小さな惑星にすぎなかったのです」

彼は私の方に身を乗り出した。「これは重要なことです。人類は宇宙の中心という位置を、失ったのです。この影響がどんなだったか、わかりますか？　今や、天気や植物の成長を見ても、誰かが突然死んでも、あなたは不安と困惑を感じます。昔は、神か悪魔のせいだと言っていました。しかし、中世の世界観の崩壊とともに、その確信も失われました。今まで当然だと思っていたすべてのことを、新しく定義し直すことが、必要になりました。神の本質と、あなたと神の関係について、特にこの作業が必要になったのです」

「こうした気づきとともに、近世が始まりました。民主的精神が成長し、法王と王室に対する不信感が広まります。推測や宗教的な信心に基づいた宇宙の定義は、もはや自動的に受け入れられることはなくなります。確信は失ったものの、私たちは教会に変わる新しいグループに現実を支配される危険は、冒したくありませんでした。もし、あなたがその時代に生きていたら、きっと科学に対して新しい指令をだす仕事に、参画していたでしょうね」

「何ですって？」

彼は笑った。「この定義されていない広い宇宙を見て、その時代の思想家と同じように、あなたは何か統一的見解を作るために、この新しい世界を、系統的に調べる方法が必要だと、考えたことでしょう。そして、現実を発見するこの新しい方法を、科学的手法と呼びました。それはただ、宇宙の動きに関する考え方をテストし、結論を出して、その結論に他の人が賛成するかどうか見るためだけに使うものです」

「それから」と彼は続けた。「この新しい宇宙へ、科学的手法で武装した探検家を送り出す準備をします。そして、彼らに歴史的な使命を与えます。この場所を調べ、それがどう動いているか、私たちがここに生きていることは、どういう意味なのか発見しろ、というわけです。

あなたは神が支配する宇宙を信じられなくなり、そのために、神そのものについても確信が持てなくなりました。しかし、自分たちは、統一的見解を作りあげる方法を持っている、と感じました。この方法を使えば、神や、地球上の人類の存在目的にいたるまで自分のまわりのあらゆるものの本質を発見できると、感じたのです。ですから探検家を送り込んで、自分のいる情況の本質を発見し、報告させようとしました」

彼は一息入れて、私を見つめた。

「写本によれば、この時に、我々は一つの思い込みを持ち始めました。そして今、それから目覚めようとしているのです。我々はこうした探究者を送り出し、完全な存在理由を持ち帰らせようとしました。しかし、宇宙は複雑すぎて、彼らはすぐに答えを持ち帰ることができませんでした」

「その思い込みとは何ですか？」

「もう一度、その時代に生きていると思って下さい。科学的手法が、神の新しい姿も、人類の目的も持ち帰ることができなかった時、確信と意味の喪失は、西洋文明に深刻な影響を与えました。質問の答えが見つかるまで、我々は何か、他のことをする必要がありました。そしてついに、非常に論理的な結論らしきものに到達しました。我々は互いに顔を見合わせて、言いました。『さて、まだ探究者たちが、我々の宗教的霊的状況を把握して戻って来ないから、それを待つ間、この我々の新しい世界に、身を落ち着けようではないか。我々は自分たちの役に立つように、この新しい世界を操る方法を十分に学んだ。だから、しばらくの間、生活水準をあげ、この世でもっと安心できるように、働こうではないか』と」

彼は私を見てにやりとした。「我々はそのとおりにしました。四世紀前にね！　物事を自分自身の手にゆだね、地球を征服し、その資源を生活水準の向上に利用することに夢中になって、迷《ま》い子《ご》になった感覚を払いのけました。そして、千年紀の終わり近くになって、何が起こったのかやっと見えるようになりました。我々が躍起になっていたことが、思い込みにすぎなくなってしまったのです。失ってしまった宗教的な安心感のかわりに、世俗的な安心感や経済的な安定を追求しているうちに、我々は完全に自分を見失ってしまったのです。我々がなぜ生きているのか、目に見えないところで何が起こっているのかといった疑問は、しだいに脇《わき》へ押しやられ、ついには完全に抑圧されてしまったのです」

彼は私の目をじっと見て言った。「より快適な生き残りのスタイルを確立するために働くことが、満足感となり、生きる目的となりました。そして、我々は最初の疑問を、いつのまにか、忘れてしまいました。我々は、自分たちが何のために生きているのか、まだ知らないということさえ、忘れてしまったのです」

窓の外のずっと下の方に、大きな都会が見えた。飛行経路から判断すると、それはフロリダ州のオーランドらしかった。私はその幾何学的な街路に圧倒された。人間が作りあげた、計画的で秩序立った配列だった。私はドブソンを見た。彼は目を閉じて、眠っているようだった。あれから約一時間、彼は第二の知恵について、さらに話してくれた。食事が配られ、それを食べてから、私はシャーリーンのことと、なぜ私がペルーに行くことにしたかを話した。そのあと、私は窓の外の雲を見ながら、彼の話を考えたいと思っていた。

「それで、どう思いますか？」眠そうな顔で私を見ながら、彼が急に質問した。「第二の知恵が理解できましたか？」

「わかりません」

彼は他の乗客を、顎《あご》で示した。「人間の世界について、はっきりした展望を持てたように思いませんか？　すべての人がどれほど、思い込みを持っているか、わかりますか？　こうした見方をすると、いろいろなことの説明がつきます。仕事に取りつかれ、ゆとりが無く、ストレスからくる病気になってしまってもペースを落とせないでいる人が、どれほどいますか？　彼らは、自分から目をそらすために一生懸命仕事をし、人生を単なる実務的なものにまで、矮小化《わいしょう》しているために、ゆっくりできないのです。自分が生きている理由を知らないという事実を思い出さないために、そうしているのです」

「第二の知恵は、歴史的時間に対する我々の意識を、拡大させます」と彼は続けた。「単に自分の一生からだけでなく、千年紀全体の見地に立って文化を観察する方法を、私たちに教えてくれます。それによって、私たちに自分の思い込みを気づかせ、そこから解放します。あなたはさっき、この長い歴史を体験しました。あなたは今、〝より長い今〟を生きています。今、人間世界を見た時、あなたははっきりと、この捉《とら》われ、つまり、経済発展への強固な思い込みに、気がつかなくてはなりません」

「でも、なぜ、それが悪いんですか?」と私は抗議した。「それこそ、西洋文明を偉大にしたものですよ」

彼は大声で笑った。「もちろん、そのとおりです。誰もそれが悪いとは言っていません。実のところ、写本も、思い込みは必要な発展段階、すなわち、人間進化の一段階だと言っています。しかし今、我々はすでに、この世に十分長く、沈澱《ちんでん》してきました。いまや、思い込みから目覚め、本来の疑問を再び考える時なのです。この惑星上の生活の裏に、何があるのでしょう? 私たちはなぜ、ここにいるのでしょうか?」

私は長い間、彼を見つめてから、聞いた。

「他の知恵が、その目的を説明していると、思いますか?」

ドブソンは首を後ろにそらせた。「見てみる価値はあると思います。我々がそれを見つけ出す前に、写本の残りの部分が湮滅《いんめつ》されないように、祈るだけです」

「ペルー政府は、どうして、そんな重要な古文書を湮滅できると考えているんですか?」と私は聞いた。

「内密にやるんでしょうね」と彼は答えた。「公式には、写本は存在しないことになっています」

「でも、科学者たちが立ち上がればいいのに」

彼は決然とした表情で私を見た。

「立ち上がっていますよ。だから、私はペルーへ戻るのです。私は十名の高名な学者の代表なんですよ。そして全員が写本の原本を公開するように、要求しているんです。私はペルーの関係官庁の長官に手紙を送って、私が行くので協力して欲しいと、要請しています」

「なるほど、彼らはどう反応するんでしょうかね」

「おそらく、拒否するでしょう。しかし、少なくとも公式の出発点にはなりますからね」

彼は横を向くと、物思いに沈んだ。私は窓の外をながめた。下を見ているうちに、自分たちが乗っている飛行機は、四世紀間の技術進歩の結晶だと、ふと思った。人間は、地球上で発見した資源の使い方を、十分に学んでいた。この飛行機の完成を可能にした製品や知識を創《つく》り出すために、一体、どれだけの人、どれだけの世代が必要だったのだろう？　そして、どれだけの人が、自分の思い込みに気づきもせずに、一つの小さな点、一つの小さなステップに、その全生涯を注ぎ込んできたのだろうか？

その時突然、ドブソンと私が今まで議論していた歴史の広がりが、全体像となって私の意識にぱっと入ってきたように感じた。まるで自分の人生の一部であるかのように、この千年間をはっきりと見ることができた。千年前、私たちは神と人間の魂が、きちんと定義されていた時代に生きていた。その後、私たちはその定義を失った。言い方を変えれば、もっとそれ以上の何かがあると決めたのだ。その結果、本当の真理を発見し報告するために、探検家たちを派遣した。それには長い時間がかかったので、私たちは新しい現世的な目的に捉《とら》われてしまった。その目的とは、この世に沈澱《ちんでん》し、より快適に生きることだった。

そして、私たちは沈澱した。私たちは鉱石を溶かして、さまざまな機械を作ることができるようになった。いろいろな動力源も発見した。最初は蒸気、そしてガスと電力と原子力だ。農業と大量生産をシステム化し、巨大な店舗と広汎《こうはん》な流通網を作り出した。

このすべてを推進したのは、進歩への欲求であり、真実の到来を待っている間、自分の安全と生きる目的を得たいという、人々の欲望だった。私たちは自分自身と子供たちのために、より快適で楽しい生活を作り出す決心をした。そしてほんの四百年間で、私たちの思い込みは、生活のあらゆる快適さを生産できる世界を作り出したのだ。問題は、自然を征服し、自分の生活をより快適にすることだけに集中したこの強迫的な衝動が、地球の自然を汚染し、破滅寸前にまで追い込んでしまったことだ。私たちはこのまま進むことはできなかった。

ドブソンは正しかった。第二の知恵は、私たちの新しい気づきは必然的なものだと、わからせてくれた。私たちは、まさに文明のクライマックスに達しようとしているのだ。そして、自分たちが集合的に決めたことを達成しつつあるのだ。それが実現すれば、私たちの思い込みはこわされ、私たちは何か他のものに目覚めてゆく。この千年紀の終わりに近づくにつれ、近代の勢いが弱まりつつあるのが、ほとんど目に見えるようだった。四百年間続いた強迫観念は終わろうとしていた。私たちは物質的な安全を保障する手段を完成した。そして今、なぜ自分たちがそうしたのか、その理由を見つけ出す用意ができ、実際に身構えているように思えた。

私のまわりの乗客の顔にも、同じ思い込みを見ることができたが、同時に覚醒のきざしも見てとることができた。すでに偶然の一致に気がついている人は、一体どのぐらいいるのだろうか？

飛行機は機首を下に向け、下降し始めた。間もなくリマに着きますと、乗務員が機内放送で案内した。

私はドブソンに私のホテルの名を教え、彼はどこに泊まるかたずねた。彼は自分のホテルの名を言い、私のホテルから、二、三キロしか離れていないよとつけ加えた。

「あなたの予定は？」と私はたずねた。

「ずっと考えているんですよ」と彼は答えた。「まず、アメリカ大使館を訪ねて、私がペルーに来た目的を報告しようと思っています。記録のためにね」

「それはよい考えですね」

「そのあと、できるだけ沢山のペルーの学者と、話をしようと思います。リマ大学の学者はみな、自分たちは写本について、何も知らないと言っていますが、各地の遺跡で働いている学者の中には、話してくれる人もいるでしょう。あなたは？　予定がおありですか？」

「私は何も考えていません。あなたとご一緒していいでしょうか？」

「かまいませんとも。私も誘おうかと思っていました」

飛行機が着陸すると、私たちは荷物を取り、あとでドブソンのホテルで会うことにした。私は空港を出てタクシーをつかまえた。外は夕暮れだった。空気は乾燥し、風がさわやかだった。

タクシーが走り出すと、別のタクシーが急に私たちのあとに現れ、そのまま後をつけてくるのに気がついた。そのタクシーは、何回道を曲がっても、私たちのあとについていた。後ろの席に、一人の人影が見えた。私は緊張して、胃がひきつるように感じた。英語のわかる運転手に、ホテルに直行せずに、しばらくその辺をドライブして廻《まわ》るように頼んだ。町の様子を見たいのでと、私は彼に言った。運転手は無言で、そのとおりに従った。例のタクシーは、ずっとついて来た。一体、これはどういうことなのだろうか？

ホテルに着くと、運転手にそのまま車の中にいるように言ってから、私は自分でドアを開け、料金を支払う振りをした。後ろからついてきたタクシーが少し離れた歩道際に止まると、中から一人の男が出てきて、ゆっくりとホテルの入口へ歩いて行った。

私はタクシーに素早く飛び乗るとドアを閉め、走ってくれと運転手に言った。私たちが走り出すと、例の男は通りに出て来て、私たちが見えなくなるまで、じっと見ていた。運転手の顔がバックミラーに写っていた。彼は緊張した表情で、私をじろじろ見ていた。

「すまないね」と私は言った。「宿を変えることにしたんでね」私は必死で作り笑いをして、ドブソンのホテルの名前を彼に伝えた。しかし、このまままっすぐ空港に戻って、一番早い便でアメリカに帰ってしまいたいと心のどこかで思っていた。

ホテルの八百メートルほど手前で、私は運転手に車を止めるように言った。「ここで待っていて下さい。すぐに戻るから」と私は言った。

通りは人でいっぱいだった。ほとんどはペルー人だったが、そこここに、アメリカ人やヨーロッパ人も歩いていた。旅行者の姿を見ると安心した。ホテルから五十メートルも離れていない所まで来て、私は足をとめた。何かがおかしかった。突然、銃声がひびき、悲鳴が起こった。私の前の群衆がみな、地面に伏せ、ずっと向こうまで、見渡せるようになった。ドブソンが目を大きく見開き、恐怖に顔を引きつらせて、私の方に駆けてきた。数人の男が彼を追っていた。一人がピストルを上に向けて撃ち、ドブソンに止まれと叫んだ。

私の近くまで駆けてくると、ドブソンは目を細め、私に気がついた。「逃げろ！」と彼は叫んだ。「頼むから逃げろ！」私は踵《きびす》を返すと、恐怖にかられて路地に逃げ込んだ。前の方には、二メートルほどの高さの垂直の木の塀があって、私の行く手をふさいでいた。そこまで来ると、私は思い切りジャンプして塀の先につかまると、右足を振りあげて上にひっかけた。左足も引きあげて塀の向こう側に降りようとしながら、いま来た路地を振り返った。ドブソンは必死で逃げていた。また、何発か銃が発射された。彼は前につんのめって倒れた。

ゴミの山や段ボールの束を飛びこえて、私は無我夢中で走った。後ろから足音が聞こえたと一瞬思ったが、振り返る勇気はなかった。路地は次の通りにつながっていた。その通りもまた、人でいっぱいだったが、彼らは向こうの通りで起こったことをなにも知らないようだった。次の通りに出た時、私は思い切って後ろを振り返ってみた。心臓がドキドキした。後ろには誰もいなかった。私は急いで右に曲がって、歩道の群衆にまぎれ込もうとした。ドブソンはなぜ、逃げたのだろう？　私は自問した。彼は殺されたのだろうか？

「ちょっと待って」と誰かが私の左肩の後ろから、ささやくように言った。私は逃げようとしたが、彼は私の腕をつかんだ。「ちょっと待って下さい」と彼はもう一度言った。「全部、見ていました。あなたを助けたいのです」

「あなたは誰ですか？」私は震えながら聞いた。

「ウィルソン・ジェームスと言います」と彼は言った。「あとで説明します。とりあえず、ここから離れた方がいい」

彼の声と態度の何かが、私をほっとさせ、私は彼についてゆくことにした。私たちは通りをそのまま歩いてゆき、革製品を売っている店に入った。彼はカウンターの男にうなずくと、裏のかびくさい部屋に私を連れて行った。そして戸を閉め、カーテンを下ろした。

彼は六十代だったが、それよりずっと若く見えた。目の輝きのせいか何かだろう。肌は浅黒く、髪は黒かった。ペルーの原住民の出のように見えたが、彼の英語はほとんどアメリカ人のように聞こえた。そして派手な青いTシャツにジーンズをはいていた。

「ここにいれば、しばらくは安全です」と彼は言った。「なぜ、あの人たちはあなたを追っていたのですか？」

私は答えなかった。

「あなたは写本のことで、ここに来たのでしょう？」と彼は聞いた。

「どうしてわかりましたか？」

「あなたといた人も、そのためにここに来たのでしょう？」

「そうです。彼はドブソンと言います。どうして僕たちが二人だってわかりましたか？」

「あの路地のところに、部屋を持っているんです。窓の外を眺めていたら、あなた方が追われているのが見えたのです」

「奴らはドブソンを撃ったのだろうか？」答えを聞くのがこわかったが、私はたずねた。

「知りません」と彼は言った。「でも、あなたが逃げきったのを見て、あなたをつかまえるために、裏の階段を降りたのです。たぶん、助けられるだろうと思ったので」

「どうしてですか？」

一瞬、彼は私を見つめた。私の質問にどう答えればいいか、迷っているようだった。彼の表情がやさしくなった。「わかってもらえないかもしれませんが、私が窓のところに立っていると、古い友人のことが、心に浮かんだのです。彼はもう死んでしまったんですがね。彼が死んだのは、人々が写本について知るべきだと考えたからです。路地の出来事を見た時、あなたを助けなくてはならないと感じたのです」

彼の言うとおり、私は何のことか、理解できなかった。しかし、彼が真から私に対して正直であると、感じた。次の質問をしようとした時、彼がまた口を開いた。

「そのことは、またあとで話しましょう。もっと安全な場所に移った方がいい」

「ちょっと待って下さい。ウィルソン」と私は言った。「アメリカに帰る方法が知りたいんです。どうしたらいいでしょうか？」

「ウィルと呼んで下さい」と彼は言った。「空港へはまだ行かない方が、いいと思います。彼らがまだあなたを捜しているとすれば、空港も調べているはずです。町の外に住んでいる友人がいます。彼らがあなたを匿《かく》まってくれます。この国を出るには、他の方法もいくつかあります。あなたの用意ができれば、どこへ行けばいいか、彼らが教えてくれるでしょう」

彼はドアをあけて店の中を調べてから、外へ出て通りをチェックした。戻って来ると、後ろからついてくるように、身振りで合図した。私たちは、ウィルが指さした青いジープのところまで、通りを歩いて行った。乗り込むと、後ろの座席に食品やテントや鞄《かばん》が、注意深く積み込まれているのに気がついた。まるで、長い旅の準備のようだった。

私たちは黙って車を走らせた。私は助手席の背にもたれて、考えをまとめようとした。恐怖で胃がきりきりした。こんなことは予想もしなかった。もし捕えられてペルーの監獄にぶちこまれるか、すぐ殺されたりしたら、どうなるのだろうか？　私は自分の置かれている状況を、摑《つか》まなければならなかった。衣類は持っていなかったが、お金とクレジットカードを一枚、持っていた。

そしてなぜか、ウィルを信頼していた。

「あなたと、誰でしたっけ、ドブソンですか、二人は何をして、追われていたのですか？」とウィルが突然たずねた。

「思い当たることは、何もないのです」と私は答えた。「ドブソンとは飛行機の中で会いました。彼は歴史学者で、公式に写本の調査をしに来たのです。彼は学者グループの代表だそうです」

ウィルはびっくりした様子だった。「ペルーの政府は、彼が来るのを知っていたのですか？」

「ええ、彼は政府の役人に、協力を要請する手紙を出していました。彼を逮捕しようとするなんて、信じられません。彼はコピーを手元に持っていないんですから」

「彼は写本のコピーを持っているんですか？」

「最初の二つの知恵だけです」

「アメリカにコピーがあるなんて、思いもしませんでしたよ。どこから手に入れたのですか？」

「以前ペルーに来た時、ある神父が写本のことを知っていると聞いたそうです。その神父には会えなかったものの、神父の家に隠されていたコピーを、彼は見つけたのです」

ウィルは悲しそうな顔をした。「ホセです」

「誰ですって？」と私は聞いた。

「さっきお話した、私の友人のことです。殺された友人です。意志の強い男で、できるだけ沢山の人に、写本のことを話そうとしたのです」

「彼に何が起こったのですか？」

「殺されたのです。誰に殺されたのかわかりません。彼の遺体は、家から何キロも離れた森の中で見つかりました。しかし、敵にやられたと考えざるを得ません」

「政府ということですか？」

「政府か、教会の一部の人々です」

「教会がそんなことまでしますかね」

「たぶんね。教会は秘《ひそ》かに写本に反対しています。写本の内容を理解して擁護する神父も少しはいますが、十分に注意しなければいけません。ホセは知りたいと言う人には誰にでも、公然と写本について話しました。彼が殺される何カ月も前から、私はもっと慎重にして、誰かれかまわずコピーを渡すのはやめろと注意していたのです。でも、自分はすべきことをやっているのだと、彼は言っていました」

「写本はいつ、発見されたのですか？」と私はたずねた。

「三年前に、初めて翻訳されました。でも、いつ発見されたのかは、誰も知りません。原本は何年も前から、インディオの間で広まっていて、それをホセが発見したのです。彼は誰にも言わずに、それを翻訳させました。もちろん、その写本に何が書いてあるかわかったとたん、教会は完全にそれを禁止しようとしました。いま、私たちが持っているのは、全部コピーです。教会は原本を湮滅《いんめつ》してしまったと思います」

ウィルは町を出て、東の方へ車を走らせていた。灌漑《かんがい》のゆき届いた地域の、狭い二車線の道だった。小さな木造の家を通りすぎると、立派な柵《さく》に囲まれた大きな牧草地になった。

「ドブソンは、最初の二つの知恵について、あなたに話しましたか？」とウィルがたずねた。

「第二の知恵について、話してくれました」と私は答えた。「第一の知恵は、僕の友人が話してくれました。彼女は前に、神父と話しています。ホセのことだと思いますが」

「その二つの知恵を、理解できましたか？」

「できたと思います」

「偶然の出会いがしばしば深い意味を持っているということは、理解していますか？」

「この旅行全体が、次から次へと偶然の一致の連続のように思えます」と私は言った。

「あなたが敏感になり、エネルギーとつながったとたんに、そういうことが起こり始めるんですよ」

「つながる？」

ウィルはほほ笑んだ。「これは、写本の先の方に書かれていることです」

「その話を聞きたいですね」と私は言った。

「あとで話しましょう」と彼は言って、砂利を敷いた小道に車を乗り入れるよと、顎《あご》で示した。三十メートルほど先に、あまり大きくない木造の家があった。ウィルは家の右手にある大きな木の下に、車を停《と》めた。

「私の友人が、この辺の大部分の土地を持っている大農場の所有者のところで、働いています」

と彼は言った。「家主がこの家を私の友人に使わせています。彼は大変な有力者で、しかも写本の秘《ひそ》かな支持者です。ここなら安全ですよ」

入口の電気がつき、ペルー人らしいずんぐりした男が、にこにこしてスペイン語で嬉《うれ》しそうに何か言いながら、飛び出して来た。ジープのそばに来ると、開いた窓からウィルの背中を軽くたたいて、嬉しげに私の方を見た。ウィルは彼に英語で話すように言うと、私たちを紹介した。

「この人を助けてやってくれないか？」とウィルがその男に言った。「アメリカに帰りたがっているのだが、追われていて危険なのだ。彼を君のところに置いていきたいんだがね」

男はウィルをじっと見ていた。「また、第九の知恵を探しに行くんだね？」と彼が聞いた。

「そうだ」ジープから降りながら、ウィルが答えた。

私は自分の側のドアから降りると、車のまわりを歩いた。ウィルと彼の友人は、何か話しながら家の方へゆっくり歩いて行った。二人の会話は聞き取れなかった。

私が歩いてゆくと「では仕度を始めます」と言って、男は歩き去った。ウィルが私を振り返った。

「あの人があなたに第九の知恵について質問していましたが、どういう意味なのですか？」

「まだ発見されていない部分が、写本にはあるのです。原本には八つの知恵が書かれていますが、もう一つ、第九の知恵があることが示されています。大勢の人が、それを探しているのですよ」

「どこにあるか、ご存じなのですか？」

「いや、確実には知りません」

「では、どうやって見つけるつもりですか？」

　ウィルはにこっとした。「ホセが最初の八つを見つけたのと、同じやり方です。あなたが最初の二つを見つけ、私に出会ったのと同じ方法ですよ。人がエネルギーとつながり、十分にエネルギーが強くなると、次から次へと符合する出来事が、起こり始めるのです」

「そのつながり方を教えて下さい。それは何番目の知恵ですか？」と私は聞いた。

　ウィルは、私の理解の程度を推《お》しはかるように、私を見た。「どのようにつながるかは、一つの知恵だけではだめです。すべてなのです。地球上での人生の意味を発見するために、科学的方法を利用して、探検家が世界へ派遣されたと、第二の知恵にありましたね、でも、彼らはすぐには戻りませんでしたね？」

「ええ」

「残りの知恵は、やっと戻って来た答えを代表しています。でも、それは、従来の科学から得られた答えではありません。私が言っている答えは、多くの異なった研究分野から出てきます。物理学、心理学、神秘学、宗教がみんな一つになって、偶然の一致という認識に基づく、新しい複合体になるのです。

　私たちは今、偶然の一致の意味と働き方を、詳しく学んでいます。そして、一つずつ知恵を学びながら、まったく新しい世界観を作ってゆくのです」

「それなら、一つひとつの知恵について、聞きたいですね」と私は言った。「あなたが出発する前に、全部説明してくれませんか？」

「それではうまくゆかないということが、わかったのですよ。あなたは自分で一つずつ、それぞれ別の方法で発見してゆかなければなりません」

「どうやって？」

「ただ、起こってきます。私があなたに話しただけでは、うまくゆきません。一つずつの知恵について情報を得るかもしれませんが、知恵を自分のものにすることはできません。あなたは自分の人生航路の中で、一つずつ発見しなければならないのです」

私達は黙って、互いに見つめ合った。ウィルがにっこりした。彼と話をしただけで、私は信じられないほど、生き生きし始めた自分を感じた。

「どうして今、第九の知恵を探しにゆくのですか？」と私はたずねた。

「今がその時だからです。私はずっとここでガイドをしてきました。ここの地理にも詳しいし、八つの知恵を全部、理解しています。あの路地の上の窓のところでホセのことを考えていた時、もう一度、北の方へ行こうと決心していたのです。第九の知恵はその方角にあります。それはわかっています。それに私はもう若くありません。その上、自分がそれを発見して、その内容を実行しているビジョンを見たのです。それが一番重要な知恵であることも、私は知っています。他の全部の知恵が一つにつながり、人生の本当の意味がわかるからです」

彼は急に話すのをやめ、真剣な表情になった。「その三十分前に出発しているはずだったのに、何か忘れているという感じが、つきまとって離れなかったのです」彼はまた黙った。「その時、まさにあなたが現れたんですよ」

私たちは長い間、じっと見つめ合った。

「私があなたと一緒に行くことになっていると、思っているんですか？」と私はたずねた。

「あなたはどう思いますか？」

「わかりません」よくわからずに、私は答えた。私のペルー旅行のいきさつが、私の心にぱっと浮かんだ。シャーリーン、ドブソン、そしていまウィル。私はただ漠然とした好奇心から、ペルーにやって来た。そしていま、私は身に覚えもないのに、逃げ隠れしている逃亡者だった。しかも、追いかけているのが誰なのか、それさえ知らなかった。しかも、奇妙なことに、その時、私はこわくてパニックに陥るかわりに、ワクワクしていた。全力を尽くしてアメリカに帰る方法を探すべきなのに、私が本当にしたいことは、ウィルについて行くことだった。そしてそれは、まぎれもなくもっと危険なことだった。

どうしようか考えているうちに、実際は自分には選択の余地がないことに気がついた。第二の知恵によって、私が昔の思い込みの世界に戻る可能性は、なくなっていた。もし、目覚めたままでいたかったら、前に進むしかなかった。

「わたしは一晩、ここに泊まる予定です」とウィルが言った。「ですから、明日の朝までに決めればいいのですよ」

「もう決めました」と私は言った。「一緒に行きたいと思います」

第三章　エネルギー

私たちは夜明けとともに起きて、午前中ずっとほとんど黙ったまま、東へ走り続けた。出発してすぐ、ウィルはこれからアンデスをまっすぐに越えて、ハイセルバという所に向かうと言った。そこは、森林でおおわれた山麓《さんろく》の高原とのことだった。しかし、それ以外、彼はほとんど口をきかなかった。

私は彼の生い立ちや私たちの行き先について、何回か質問したが、運転に集中したいと言って、彼は丁寧にことわった。ついに私も話をするのは諦《あきら》めて、そのかわりに景色に注意を向けた。山の頂上からの眺めは、驚くほど美しかった。

昼頃、最後の山の頂上に着いた。私たちは見晴らしのよい場所にジープをとめて、車の中でサンドイッチの昼食を食べ、前方の広大な荒れた谷間を見下ろした。谷間の向こう側は低い丘になっており、緑でおおわれていた。食事中に、今晩はビシエンテロッジに泊まると、ウィルが言った。そこは十九世紀に建てられた屋敷で、以前はスペインのカトリック教会に所属していたそうだ。現在は彼の友人が所有しており、企業や学界の会議用のリゾートとして、運営されていると、ウィルは説明した。

この短い説明のあと私たちは出発し、また無言で車を走らせた。一時間後、私たちはビシエンテに到着した。石と鉄でできた大きな門を入ると、砂利道を北東に進んだ。もう一度、私はビシエンテのことと、ここに来た理由を質問したが、ウィルは前と同じように私の質問には答えず、まわりの景色を見るようにと言った。

ビシエンテの美しさは、すぐに私をとりこにした。そこは色彩豊かな牧場と果樹園に囲まれ、牧草は非常に緑が濃くて健康そうに見えた。牧場全体に三十メートル置きぐらいに生えている大きな樫《かし》の木の下でさえ、牧草が深々と繁っていた。その巨大な樫の木は、信じられないほど魅力的だったが、それがなぜかはわからなかった。

一キロ半ほど行くと、道路は東に曲がり、少し登り坂になった。小さな丘の上に、色を塗った板と灰色の石でできた大きなスペイン風の建物があった。少なくとも、五十部屋はあろうかと思える建物で、目隠しのついた大きなベランダが、南側全体についていた。ロッジの周囲には巨大な樫の木とエキゾチックな植物が植えられた花壇があり、歩道はまぶしいほど色彩豊かな花々と羊歯《しだ》で、ふち取られていた。人々がベランダや木の中で、のんびりと立ち話をしていた。

車から降りると、ウィルはしばらく立ち止まって、景色をじっと眺めた。建物の東側はなだらかな下りになっており、その下は平らになって牧草と森に続いていた。遠くに別の小さな丘の連なりが、青っぽい紫色にかすんでいた。

「中に入って、部屋があるかどうか、確認しよう」とウィルが言った。「しばらく、まわりを見てはどうです？　きっと、気に入ると思いますよ」

「もう気に入ってますよ」と私は言った。

向こうへ行きながら、彼は振り返って私を見た。「研究用の庭園を見逃さないように。では、夕食の時に会いましょう」

ウィルが何か理由があって私を一人にしたのは、明らかだった。しかし、そんなことはどうでもよかった。気分は上々で、少しも不安はなかった。ウィルは私に、ビシエンテが国庫にもたらす多量のドルのために、ここで写本のことが議論されていても、政府は干渉しない政策を取っていると、言っていた。

何本かの大きな木と、南の方へ行く曲がりくねった小道に、私は魅《ひ》きつけられ、その道を行くことにした。木の近くに行くと、小道は小さな鉄の門まで続いていた。その先には何段か石段があって、牧場に続いていた。牧場には野の花が咲き乱れていた。その向こうには、何かの果樹園と小川があり、森に続いていた。私は門の所で立ち止まると、その風景に感嘆しながら、大きな深呼吸を数回した。

「本当にきれいでしょう?」後ろから声がした。

私は素早く振り返った。リュックを背負った三十代後半の女性が、私の後ろに立っていた。

「本当にきれいですね。こんな美しい風景は見たことがありません」と私は言った。

しばらく私たちは平原をながめ、また、両側の階段状になった花壇の植物に、目を向けた。

「研究用の庭園はどこか、ご存じですか?」と私は聞いた。

「ええ、今、私も行くところです。御案内しますわ」と彼女が言った。

私たちは自己紹介をしてから、階段を下りてよく踏みならされた道を南へ進んだ。彼女はサラ・ローナーといい、薄茶色の髪と青い目を持ち、まじめな物腰を除けば、まるで少女のようだった。私たちは何分か黙ったまま歩いた。

「ここには初めていらっしゃったの？」と彼女がたずねた。

「ええ、ここのことは、あまり知りません」と私は答えた。

「私はここに時々来るようになって、一年ほどになりますから、少しは説明してあげられますわ。二十年ほど前、ここは一種の国際的な科学者の集会場として、有名になりました。いろいろな科学者の団体が、ここで会議を開きました。主に、生物学者や物理学者ですが。そして数年前……」

彼女はちょっとためらって、私を見た。

「ペルーで発見された写本について、聞いたことがありますか？」

「ええ、あります」と私は言った。「最初の二つの知恵について、聞きました」私は自分がどんなにその写本に興味を持っているか話したかったが、我慢することにした。彼女を完全に信頼していいか、わからなかったからだ。

「たぶん、そうだと思ったわ」と彼女は言った。「あなたは、ここのエネルギーを受け取っているように見えましたもの」

私たちは小川に架かっている木の橋を渡っていた。「エネルギーだって？」と私は聞き返した。

彼女は立ち止まって、橋の手すりに寄りかかった。「第三の知恵のことは、何かご存じですか？」

「何も知りません」

「物質的世界の新しい理解の仕方が、書かれています。私たち人間は、目に見えないエネルギーを知覚するようになると、第三の知恵は言っています。このロッジは、このことについて研究し議論したいという科学者の、たまり場となったのです」

「では、科学者もこのエネルギーは本当だと考えているのですか？」と私はたずねた。

彼女は向きを変えて橋を渡り始めた。「ほんの一部の科学者です。でも、私たちは夢中になっています」

「では、あなたは科学者なのですか？」

「メイン州の小さな大学で、物理を教えています」

「ではなぜ、他の科学者はあなた方に反対するのですか？」

彼女はしばらく黙った。考えているようだった。「あなたは科学の歴史を理解しなければいけませんね」と彼女は言って、私がこの話をもっと追求したいかどうか問うように、私を見た。私はうなずいて、話を続けるように促した。

「第二の知恵を少し、思い出して下さい。中世の世界観が崩壊してから、西洋の私たちは、突然、自分たちが見知らぬ宇宙に生きていることに気がつきました。この宇宙の本質を理解するために は、事実を迷信から区別しなければならないと、気がついていました。そのために、私たち科学者は、科学的懐疑主義として知られた特殊な態度を、身につけました。そして、世界の動き方に関する新しい仮説には、必ず確固たる証拠が要求されるようになりました。何かを信じるには、目に見え、手でつかめる証拠を欲しくなったのです。物理的な方法で証明できない考えは、体系的に排除されました。

こうした態度は、自然の中でもはっきりしているもの、つまり、岩や体や木といった、どんなに疑い深い人でも認識できる対象については、うまく機能しました。私たちは次々に探求し、物質界のあらゆるものに名前をつけ、宇宙がどのように動いているか、発見しようとしました。そしてついに、自然の中で起こるすべてのことは、自然の法則に従って起こる、そして、それぞれの出来事は、物理的に理解できる直接的な原因を持っていると、結論づけました」彼女はわかるでしょうと言うように、私を見た。「おわかりのように、科学者は多くの点で、他の人とそう違っているわけではありません。他の人と同じように、私たちも自分のいる場所を征服する決心をしました。それは、世界を安全で管理しやすく見せるような、宇宙の解釈を作り出そうという思想でした。そして、懐疑的な態度ゆえに、私たちはずっと、具体的な問題のみに目を向けてきました。その方が、私たちの存在を確かなものにしてくれるように、思えたからです」

私たちは橋を渡って、小さな牧場の中の曲がりくねった道を歩いて行き、木立の中に入っていった。

「この態度によって、科学は体系的に、世界から不確実なもの、神秘的なものを排除しました。アイザック・ニュートンの考えに従って、宇宙は巨大な機械のように、常に予測可能な方式で動いていると、結論しました。なぜなら、長い間、それしか証明されなかったからです。何の因果関係もない他の出来事と同時に起きた出来事は、単に偶然で起こったと言われていました。

その後、宇宙の神秘に再び私たちの目を開いた、二つの研究が行われました。過去数十年間に、物理学の革命についていろいろ書かれてきましたが、本当の変化は、二つの主要な発見から生じました。量子力学と、アインシュタインの発見です。

アインシュタインの仕事のすべては、私たちが固体として認識しているものは、エネルギーが、ある一定のパターンでその中を駆けめぐっている、ほとんど空《から》っぽのスペースであるということを、示すものでした。私たち自身も例外ではありません。そして量子力学が示したのは、このエネルギーのパターンをどんどん微小なレベルまで見てゆくと、驚くべき結果が見られるということでした。実験の結果、私たちが素粒子と呼んでいる小さな粒までこのエネルギーを分割し、その働きを観察しようとすると、観察するという行為そのものが、結果を変えてしまうということが、わかったのです。こうした素粒子は、実験する人の予測に影響されるようなのです。これは、素粒子が、今までの宇宙法則からは、行くはずのない場所に出現すると予測された場合にもあてはまります。つまり、同時に二カ所に現れるとか、時間的に先にいったり、戻ったりといったことです」

彼女は話を中断して、私を見た。

「別の言い方をすれば、宇宙の基本物質はその核心においては一種の純粋エネルギーであり、古い機械的な宇宙モデルとは相容《あいい》れない方法で、人間の意志と期待に順応するということです。つまり、私たちの期待そのものが、私たちのエネルギーを世界へと流出させ、他のエネルギーのシステムに影響を与えるというわけです。これがまさに、第三の知恵が教えていることなのです」

彼女は首を振った。「残念ながら、大部分の科学者は、こうした考え方を真剣にとりません。彼らは懐疑的なままで、私たちが証明できるまで、待っていようという態度なのです」

「おーい、サラ、こっちにいるよう」と遠くからかすかな呼び声が聞こえた。およそ五十メートルほど右手の木の向こうで、誰かが手を振っているのが見えた。

サラは私を見た。「あの人たちと少し話があるの。第三の知恵を翻訳したもののコピーがありますから、私が向こうに行っている間、どこか場所を見つけて、読みませんか？」

「もちろん、そうします」と私は言った。

彼女はリュックサックから書類挟《ばさ》みを取り出すと、それを私に渡して向こうへ歩いて行った。

私は書類挟みを受け取ると、まわりを見まわして、腰を下ろす場所を探した。このあたりの森には小さな灌木《かんぼく》がびっしりと生え、地面は少し湿っぽかったが、東の方は小山のようになっていた。その方向に行って、乾いた場所を探すことにした。

小山のてっぺんで、私は思わず息をのんだ。そこは信じられないほど美しい場所だった。ふしくれだった大きな樫《かし》の木が十五メートルおきに生え、大きく広がった枝が上の方で互いに合わさって、天蓋《てんがい》のようになっていた。地面には、幅の広い葉を持つ熱帯植物が、一メートルから一メートル半の高さに生い繁っていた。葉の幅は三十センチ近くあった。この植物の間に、大きな羊歯《しだ》や白い花をつけた繁みが、点在していた。私は乾いた場所を見つけ、腰を下ろした。木の葉のすがすがしい香りと、花々のかぐわしい香りが私の鼻をくすぐった。

私は書類挟みを開き、翻訳の最初のページをあけた。簡単な序文があって、第三の知恵は、物理的な宇宙観を変えるものだと、説明されていた。それは、サラの話そのままだった。第二の千年紀の終わりに、人類はすべてのものの基礎であり、すべてのものから発せられている新しいエネルギーを発見するだろうと予言されていた。すべての物には、私たち自身も含まれていた。

私はしばらく、そのことをよく考えてから、また読み始めた。とても興味深いことが書いてあった。人間はこのエネルギーを、まず最初は、美に対するとぎすまされた感覚として認識すると、写本は言っていた。それについて考えていると、下の道の方から、誰かがこちらに歩いてくる足音がした。私が見たのと同時に、サラは頂上を見上げて私を見つけた。

「ここはすばらしい場所ね」私のところにやってくると、彼女は言った。「美に対する認識のところを、もう読みました？」

「ええ」と私は言った。「でも、どういう意味か、まだよくわかりません」

「写本の先の方に、もっと詳しく書いてあるけれど、簡単に説明しましょう。美に対する認識は一種のバロメーターであって、私たちがどこまで、実際にエネルギーを認識できるか示しています。一度エネルギーを見ることができるようになると、それが美とつながっていることに気がつくことからも明らかです」

「まるであなたはエネルギーが見えるみたいですね」と私が言った。

彼女は自意識の片鱗《へんりん》も見せずに私を見た。

「ええ、私には見えます。でも、最初は、美を深く感じ取れるようになったのよ」

「でも、それがどう役に立つのですか？　そもそも、美とは相対的なものでしょう？」

彼女は首を振った。「私たちが美しいと感じるものは違うかもしれません。でも、私たちが美しいと思うものの本質的な性質は、みな似かよっています。考えてみて下さい。何かを美しいと感じる時、その物の存在感が増し、輪郭や色がくっきりと鮮やかになるとは思いませんか？　とても目立ちます。輝いています。他のそれほど魅力的でないものと比べると、ほとんど虹色《にじいろ》に輝いて見えるでしょう」

私はうなずいた。

「この場所をごらんなさい。あなたがここに圧倒されたのがわかります。誰もがそうだからです。この場所はあなたにとび込んできます。色や形の迫力が増します。さて、次の認識の段階は、すべての物のまわりにあるエネルギーの場を見ることです」

私がびっくりした顔をしたに違いない。彼女は声をたてて笑い、それからまじめな顔をして言った。「庭園の方へ歩いてゆきましょう。八百メートルほど南に行ったところです。きっとおもしろいと思うわ」見ず知らずの私のために時間をさいて写本のことを説明してくれた上に、ビシエンテを案内してくれたことに、私は礼を言った。彼女は肩をすくめた。

「私たちの計画に対して、あなたが好意的な方に見えたからよ」と言った。「それに、ここでは一人ひとりが、広報活動をしているのです。この研究を続けるためには、アメリカやその他の国に伝えなければなりませんもの。ここの政府は、私たちのことをあまり良く思っていないようですから」

突然、後ろから声がした。「ちょっとすみません！」後ろを振り返ると、男が三人、足早に小道を登って来た。三人とも四十代後半ぐらいで、きちんとした服装をしていた。

「お二人のうちどちらでも、研究用の畑はどこか、教えてくれませんか？」三人の中で一番背の高い男がたずねた。

「ここに何のご用があるのか、話していただけます？」とサラが質問した。

「私とここにいる同僚は、ここの所有者の許可を得て、畑を調査し、ここで行われている研究とやらについて、話を聞きに来ました。私たちはペルー大学の者です」

「私たちの発見に同意してはおられないようですね」サラはほほ笑みながら言った。雰囲気を柔らげようとしているようだった。

「まったく否定しています」ともう一人の男が言った。「今まで一度も観測されていないのに、何か不思議なエネルギーが見えると主張するのは、まったく馬鹿げていますよ」

「あなた方は見ようとしたことがありますか？」とサラが質問した。

男はその質問を無視して、再びたずねた。

「その畑へどう行くか、教えてくれますか？」

「もちろん」とサラが言った。「百メートルほど進むと、道が東へ曲がっています。その道をたどって、四百メートル行くと、そこが畑です」

「ありがとう」と背の高い男が言って、三人は急いでそちらの方へ歩いて行った。

「間違った方向に行かせましたね」と私が言った。

「必ずしもそうとは言えないわ」と彼女は答えた。「あちらにも別の畑があります。そこの人たちの方が、ああした懐疑的な人たちと、上手に話を合わせられるのです。ときどき、ここにはあいう人たちが来るんですよ。科学者だけでなく、好奇心が強いだけで、私たちのやっていることをまったく理解できない人も、やって来ます。これは、科学という学問に内在する問題を示しています」

「というと？」と私はたずねた。

「前にも言ったように、従来の懐疑的な態度は、この宇宙の目に見える現象を探るためには、非常に役に立ちます。木や太陽の光や嵐《あらし》などの場合です。でもその他に、もっと微妙で、本当に存在しているかどうか言えないような、観察不可能な現象の一群があります。こうした現象は、懐疑心を一時停止するか脇《わき》にどけるかして、できる限りの方法でそれを認識する努力をしない限り、研究することはできません。それに成功したら、元の厳格な研究に戻ればいいのです」

「なるほど」と私は言った。

やがて森が終わり、何十という畑が見えてきた。それぞれの区画には、違う種類の植物が植えられていた。ほとんどが食用の品種のようだった。バナナからほうれん草まで、何でもあった。畑の東側は広い砂利道になっていて、それは北に伸びて公道につながっていた。その砂利道に沿って、トタンぶきの納屋《なや》が三戸、建っていた。それぞれの納屋では四、五人の人たちが働いていた。

「私の友人が何人かいるわ」と彼女は言って、一番近い納屋の方を指さした。「行ってみましょう。みんなに会っていただきたいわ」

サラは私を三人の男性と一人の女性に紹介した。みな、研究にかかわっているそうだった。男たちは私と少し話しただけで、また仕事を続けたが、マージョリーという生物学者の女性は、話をする暇があるようだった。

私はマージョリーの目を見つめた。「ここでどんな研究をされているのですか？」と私はたずねた。

彼女は不意をつかれたようだったが、にっこりして答えた。「どこから始めればいいのかしら」と言った。「あなたは写本のことをご存じ？」

「最初の部分はね」と私は言った。「第三の知恵を学び始めたところです」

「それが、私たちがここにいる理由です。お見せしましょう」彼女は自分について来るように合図し、私たちはトタンぶきの小屋をまわって豆の畑へと歩いて行った。豆の木は非常に元気に育っていた。虫食いのあとも、枯れた葉も見あたらなかった。豆はふかふかの腐葉土のような土に植えられ、一本の木の茎や葉が他の木の茎や葉に触れるか触れないかになるように、注意深く間隔がとられていた。

彼女は一番近くにある植物を指さした。「私たちはこの植物を完全なエネルギーシステムとして見ています。そしてよく育つために必要な土、栄養、水分、光など、すべてについて考えています。私たちが発見したことは、一本の植物のまわりの全生態系は、実は一つの生命組織、すなわち有機体だということです。その各々の部分の健康が、全体の健康に影響しています」

彼女は少しためらってから言った。「重要なことは、植物のまわりのエネルギーについて私たちが考え始めたとたん、びっくりするような結果が見られたということです。私たちが研究している植物は、特に大きくはありませんが、栄養素の点で、ずっと力がありました」

「どうやって測定したのですか？」

「蛋白質《たんぱく》も炭水化物もビタミンもミネラルも、普通より多く含んでいました」

彼女は期待するように私を見た。「でも、もっとすごいことがありました。人間がよく世話をした植物は、もっと効力があることがわかったのです」

「どんな世話ですか？」

「まわりの土を耕したり、毎日見てやったりといったことです。私たちはグループ別に比較して、実験を行いました。あるグループには特別の世話を行い、他のグループには何もしませんでした。そして確認できたのです。もっと興味深いことは」と彼女は続けた。「私たちはその概念を拡大して、研究者が植物の世話をするだけでなく、心の中でもっと強く育てと、呼びかけてみたのです。実際に人が植物のそばにすわって、注意と関心を全部、植物の成長に集中させたのです」

「もっと強く育ちましたか？」

「ええ、かなりね。それにずっと早く成長しました」

「信じられませんね」

「本当に……」六十代に見える男性がこちらに歩いてくるのを見て、彼女は言葉をとめた。

「こちらにやってくる方は、微量栄養学の先生です」と彼女は用心深く言った。「一年前にここに初めて来て、すぐにワシントン州立大学から休暇を取ったのです。ヘインズ教授という方ですわ。すばらしい研究をされた方です」

彼がやって来て、私は紹介された。彼は黒い髪をしたがっちりした体格の男で、こめかみには白髪《しらが》がまじっていた。マージョリーに質問されて、教授は自分の研究の要点を話し始めた。彼は、非常に精密な血液テストによって測定される、体の器官の機能に関心があり、特に食物の質とその機能の関係に、興味があるとのことだった。もっとも面白いことは、このビシエンテで育った栄養価の高い植物を食べると、体の機能が著しく向上し、それも、生理学的に言われている栄養素の働きを、はるかに越えた効果があるということだった。これらの植物に固有の何かが、まだ説明のつかない効果をもたらしたそうだった。

私はマージョリーを見た。そして質問した。「では、植物に向けられた注意が、植物に何かを与え、人間がその植物を食べると、その何かが人間に力を与える、というわけですね？　このエネルギーのことは、写本に書かれているのですか？」

マージョリーは教授を見た。彼はちょっとほほ笑んだだけだった。「まだわかりません」と彼は言った。

私は彼の今後の研究について質問した。彼は、ワシントン州立大学にも同じような畑を作って長期的な研究を行い、こうした植物を食べた人々が、よりエネルギッシュで健康になるかどうか、長期にわたって見てみたいと話した。彼が話している間、私はちらちらとマージョリーを盗み見せずにはいられなかった。急に彼女が信じられないほど、美しく見えた。だぶだぶのジーンズとTシャツの下で、彼女の体がほっそりとしなやかに見えた。彼女の髪も目も濃い茶色で、巻き毛が顔のまわりにたれていた。

私は肉体的に強く魅《ひ》かれるのを感じた。そう私が感じたちょうどその時、彼女が顔をこちらに向け、私の目をまっすぐに見つめた。そして、一歩、私から離れた。

「私は人と会う約束があります。またあとでね」彼女はヘインズ博士にさよならを言うと、恥ずかしそうに私を見てほほ笑んだ。そして納屋の横を通って道を下って行った。

私は教授と二、三分話してから、彼と別れてサラのところに戻った。彼女は他の研究者と一緒に、まだ熱心に話をしていたが、私が歩いて来るのを目で追っていた。

私が近づくと、彼女と一緒にいた男はにっこりし、クリップボードの上の書類を整理すると、建物の方へ歩いて行った。

「何か見つけましたか？」とサラが聞いた。

「ええ」とあわてて私は言った。「ここの人たちはおもしろい仕事をしているようですね」

「マージョリーはどこ？」と彼女が言った時、私は下を見ていた。

私が顔をあげると、彼女はからかうような表情を浮かべていた。

「誰かに会わなければならないって、言っていました」

「彼女に嫌がられてしまったの？」今度は笑いながら、彼女は言った。

私も笑った。「そうみたいですね。でも、僕は何も言いませんでしたよ」

「言う必要はないのよ」と彼女は言った。「マージョリーはあなたのエネルギーの場の変化に、気がついたのよ。とてもはっきりしていましたもの。ここからでも、全部見えましたもの」

「私の何が変化したんだって？」

「あなたの体のまわりのエネルギーの場よ。ここにいるほとんどの人は、その見方を学んでいます。少なくとも、ある明るさの中ではね。誰かが性的な考えを抱くと、その人のエネルギーの場は渦を巻いて、その対象となっている人の方に、実際に伸びてゆくのです」

そんなことは信じられないと思ったが、そう言おうとした時、何人かの人が小屋から出て来た。

「エネルギー放出の時間だわ」とサラが言った。「ご覧になるでしょ？」

私たちは四人の学生のように見える青年について、とうもろこし畑へ行った。近づくと、その畑がおよそ三メートル四方の二つの区画に、分かれているのに気がついた。一方の区画のとうもろこしは、六十センチの高さに伸びていた。もう一方の区画のとうもろこしは、四十センチにもなっていなかった。四人の男は背の高いとうもろこしの区画の方に歩いてゆくと、四隅に一人ずつ、中側を向いてすわった。合図とともに、彼らは植物の上に目の焦点を合わせたようだった。遅い午後の太陽が、私の背後から光を投げかけ、その区画は柔らかい琥珀《こはく》色の光に包まれていた。ずっと向こうの森は暗いままだった。とうもろこし畑と学生の姿は、ほとんど真っ黒な背景の中に浮かび上がっていた。

サラは私の隣りに立っていた。「完全だわ」と彼女が言った。「見て下さい。あれが見えるかしら？」

私は一生懸命にその情景を見つめたが、何も発見できなかった。

「何も見えません」と私は言った。

「少ししゃがんで、低いところから見て下さい」とサラが言った。「そして人と植物の間の空間に、焦点をあててごらんなさい」

一瞬、光がちらっと見えたような気がした。しかし、多分、残像かあるいは目の錯覚だろうと思った。何か見えるかと思って、さらに何回か試してから、諦《あきら》めた。

「だめです」と立ち上がりながら私は言った。

サラは私の肩を軽くたたいた。「気にしないでね。最初が一番難しいのよ。何回か、焦点の合わせ方を試してみないと、だめなんですよ」

瞑想《めいそう》をしている男たちの一人が、私たちの方を見ながら、人差し指をくちびるにあてた。私たちは歩いて建物の方に戻った。

「あなたはビシエンテに、ずっと滞在する予定ですか？」とサラがたずねた。

「たぶん、長くはいないでしょう」と私は答えた。「私と一緒に来た人が、写本の最後の部分を探しているのです」

彼女はびっくりした様子だった。「もう全部、見つかったのかと思っていたわ。私はまだ知らないけれど。私の仕事に関係のある部分ばかりに目がいって、他のところはまだ読んでいないのです」

私はとっさにズボンのポケットに手をやった。急にサラの翻訳がどこにあるか、わからなくなったからだ。それは後ろのポケットに巻いて入れてあった。「一日のうちに二回、エネルギーの場の見やすい時間があるとわかりました。日没と日の出の時間です。よかったら、明日の夜明けに待ち合わせて、もう一回、試しません？」

彼女は書類挟《ばさ》みに手を伸ばしながら続けた。「そうすれば、あなたが持って行けるように、この翻訳のコピーも作ってあげられますもの」

私はこの申し出をしばらく考え、約束しても大丈夫だと決めた。

「いいでしょう」と私は言った。「友達に聞いて、時間があるかどうか確かめなくてはなりませんけれど」私は彼女にほほ笑んだ。「どうして、僕は見えるようになると思ったのですか？」

「なんとなくそう感じるからよ」

私たちは午前六時に丘の上で会うことにして、私は一人でロッジまで一キロ半の道を戻り始めた。太陽は完全に沈んでしまったが、残照が地平線の灰色の雲を、オレンジ色に染めていた。空気は冷たかったが、風はなかった。

ロッジでは、大きな食堂の配膳《はいぜん》台の前に、列ができ始めていた。空腹を感じて、私はどんな料理があるか見に、列の前の方に歩いて行った。ウィルとヘインズ教授が列の先頭近くにいて、立ち話をしていた。

「やあ、午後はいかがでしたか？」とウィルが言った。

「すばらしかったですよ」と私は答えた。

「こちらはウィリアム・ヘインズさんです」とウィルがつけ加えた。

「ええ、さっきお目にかかりました」と私は言った。

教授もうなずいた。

私は明朝の約束のことを話した。ウィルは何も問題はないと言った。まだ話をしていない二、三の人と会いたいので、午前九時より早く出発することはないからということだった。

その時、列が前へ進み始めた。私たちの後ろにいた人たちが、友人と一緒にいるようにと私に言ってくれた。私は教授の横に入った。

「私たちがここでやっていることを、どう思われますか？」とヘインズが質問した。

「わかりません」と私は言った。「少し、頭に吸収しようとしているところです。エネルギーの場という考え方は、私には初めてですからね」

「それが実在するという話は、誰にとっても初めてですよ」と彼は言った。「しかし面白いことに、このエネルギーは、科学がこれまでずっと、探し求めていたものなのです。つまり、あらゆる物質の根底に共通する要素なのです。特にアインシュタイン以来、物理学は統一理論を追求してきました。これがそうなのかどうかはわかりませんが、少なくとも写本は私たちに刺激を与えて、面白い研究を始めさせたわけです」

「科学がこの考えを受け入れるためには、何が必要なのでしょうか？」と私は質問した。

「それを測定する方法です」と彼は言った。「このエネルギーの存在は、実はそれほど知られていないわけではありません。空手《からて》の名人は、ほとんど不可能に見える、素手でレンガを割るという離れ技をやってのけますが、『気』というエネルギーを使うのだと、言っています。また、四人の男が一緒になって動かそうとしても、じっとすわったままびくともしないといった芸当も、やってみせます。それに、運動選手が引力の法則に逆らって、空中でねじりを入れたり、宙返りをしたり、空中に浮いたりするのは、私たちも見たことがあります。これはみな、見えないエネルギーを使った結果なのです。もちろん、もっと沢山の人が、自分の目で実際に見ないことには、本当に受け入れられませんが」

「先生はご覧になったことがあるのですか？」

「それらしいものを見たことはあります」と彼は言った。「私が何を食べたかに、よるんですよ」

「と言うと？」

「ここにいる人たちで、エネルギーの場を簡単に見ることができるのは、ほとんど野菜しか食べない人たちです。それも、自分たちで育てた、非常に力のある植物だけを食べています」

彼は前方の配膳《はいぜん》台を指さした。「これがその一部です。でも幸いなことに、肉なしではいられない私のような古い人間のために、魚や鳥肉も出しますがね。でも、私も食事を変えれば、見えると思いますよ」

どうして食事を変えないのか、私は彼に質問した。

「わかりません。古い習慣は、なかなか変えられませんので」と彼は答えた。

列は前に進み、私は野菜だけを注文した。私たち三人は、他の人々もいる大きなテーブルにすわって、一時間ほど気楽な会話を楽しんだ。そのあと、ウィルと私はジープへ戻って荷物を下ろした。「エネルギーの場を見たことがありますか？」と私は彼にたずねた。

彼はほほ笑んでうなずいた。「私の部屋は一階です。あなたの部屋は三階の三〇六号室です。フロントで、鍵《かぎ》を受け取って下さい」

部屋には電話がなかったが、玄関で会ったロッジの従業員は、朝の五時きっかりに部屋のドアをノックしますと言った。私は横になると、しばらく考えていた。その日の午後は長くいろいろなことがあった。ウィルが何も説明してくれなかったことも理解できた。私に、第三の知恵を自分で体験して欲しかったのだ。

次に気がついたのは、誰かがドアを叩《たた》く音だった。腕時計を見ると、午前五時ちょうどだった。従業員がもう一度、ドアを叩いたので、私は彼に聞こえるように「ありがとう」と言ってから、起き上がって小さな窓から外をのぞいた。東の方の薄明るい光だけが、朝のしるしだった。

私は廊下を通ってシャワーを浴びにゆき、素早く身仕度をすると、階下に下りて行った。すでに食堂は開いていて、驚くほど大勢の人々がいた。私は果物だけ食べると、急いで外に出た。

霧が層になって地表を這《は》い、遠くの牧場までかかっていた。小鳥たちが、木の上で鳴きかわしていた。ロッジを出て歩いてゆくと、東の地平線に太陽のてっぺんが顔を出した。すばらしい色だった。あざやかな紫紅色に染まった地平線の上には、深い青色の空が広がっていた。

十五分も早く丘に着いたので、私は大きな木の幹によりかかって腰を下ろし、私の頭上に張り出した大きな節くれ立った枝に、見とれていた。二、三分たって、誰かがこちらに歩いてくる足音が聞こえた。サラが来たのかと思って、私はその方向を見た。それはサラではなく、四十代半ばの見たことのない男だった。彼は道をそれて私の方に歩いて来たが、私がいるのに気がついていないようだった。三メートルほどのところまで来ると、彼は私を見てびっくりした。彼につられて、私もびくっとした。

「おや、こんにちは」彼は強いブルックリン訛《なま》りで言った。ジーンズにハイキングシューズという服装で、非常に頑丈そうな運動家タイプに見えた。髪は巻き毛で、額は少々後退していた。

私は軽く会釈《えしゃく》をした。

「急にびっくりさせてすみません」と彼は言った。

「どういたしまして」

彼は自分はフィル・ストーンだと紹介した。私も自己紹介をして、友達を待っているところだと説明した。

「ここで何か研究されている方ですね」と私は言った。

「いいえ」と彼は答えた。「私は南カリフォルニア大学で働いています。私たちは別の場所で、熱帯雨林の破壊状況について研究しているのですが、機会を見つけては、ここに来て休養しています。森林の姿がこれほど違う所を、歩きまわるのが好きなのです」

彼はまわりを見まわした。「このあたりの樹木は、樹齢五百年のものもあるのを、ご存じですか？　ここは本当の原生林で、人の手が何も入っていない、とても珍しい森なのです。すべてが完全なバランスを保っています。大きな木が太陽光線をさえぎって、下のさまざまな熱帯植物が繁るのを助けています。熱帯雨林の植生《しょくせい》もとても古いのですが、こことはまったく違った成長をします。基本的にはジャングルなのです。ここの場合は、アメリカの温帯地方に見られる、古い森林によく似ています」

「アメリカでは、このような森林は見たことがありませんね」と私は言った。

「そうでしょう。ほんの少ししか、残っていないのです。私が知っている森林のほとんどは、政府が森林業者に売ってしまいました。こうした森林は、彼らには材木にしか見えないのです。このような場所をメチャクチャにするとは、けしからんことです。あのエネルギーをごらんなさいよ」

「ここのエネルギーが見えるのですか？」と私は聞いた。

彼はしげしげと私を見た。説明しようかどうか決めかねているようだった。

「もちろん見えます」と彼は言った。

「私はまだ、見えないのです」と私は言った。「昨日、畑で植物と瞑想《めいそう》していた人がいたので、見ようとしたのですが」

「私も最初は、そんな大きなエネルギーの場は見えませんでしたよ。私は自分の指のエネルギーを見ることから、始めたのです」

「どういうことですか？」

「あちらに行きましょう」と彼は言って、木がまばらで、その梢《こずえ》を通して青空が見えるところを指さした。「見せてあげます」

そこへゆくと、彼は言った。「体を後ろにそらせて、両方の人差し指の先をくっつけて下さい。背景に青空が来るようにします。次に三センチほど指先を離して、その間の空間を見て下さい。何か見えませんか？」

「私の目のレンズについたほこりが」

「それは無視して下さい」と彼は言った。「目の焦点を少しずらして、指先を近づけたり離したりしてみて下さい」

彼の言うとおりに、私は指を動かしてみたが、目の焦点をずらすという意味は、よくわからなかった。やっと、指の間の空間に、ぼんやりと視線を向けることができた。両方の指先は少しぼやけたが、この時、指先の間に、煙のようなものが見えた。

「あれれ」と私は言って、自分が見たものを説明した。

「それです、それです!」と彼は言った。「今度は少し遊んでみて下さい」

私は四本の指を合わせ、次に手のひら、そして肘《ひじ》まで合わせてみた。どの場合も、両手の間、両腕の間に、エネルギーの線が見えた。私は手を下ろして、フィルを見た。

「私のを見ますか?」と彼はきいた。彼は立ち上がると、何メートルか後ろに下がり、空が直接彼の後ろにくるように、頭と上体の位置を決めた。私は二、三分やってみたが、後ろで物音がして、集中が途切れた。振り向くとサラだった。フィルは前に出てくると、うれしそうにほほ笑んだ。「この人と待ち合わせていたんですか?」

近づいて来たサラも、にこにこしていた。「おはよう、あなたを知ってるわ」彼女はフィルを指さして言った。

二人は親しげに抱き合ってから、サラは私を見て言った。「ごめんなさい、遅れてしまって。私の頭の中の目覚しが、今日はなぜか、うまく働かなかったの。でも今、なぜかわかったわ。あなた方二人に、話し合うチャンスを与えましたものね。何をなさっていたの?」

「彼は今、指と指の間のエネルギーの場の見方を、練習していたんだ」とフィルが言った。

サラは私を見た。「去年、フィルと私はまさにこの場所で、同じことを練習したのよ」彼女はフィルを見た。「背中を合わせましょう。きっと、彼は私たちの間のエネルギーが、見えると思うわ」

二人は背中を向け合って立った。私がもう少し近くに来るように頼むと、彼らは私から一メートルほどのところまで近づいた。二人の姿が、まだ暗い青い空をバックにして、シルエットとなって浮かびあがった。驚いたことに、二人の間の空間が明るく見えた。黄色というか、黄色がかったピンク色に見えた。

「彼には見えているぞ」とフィルは私の表情を見て言った。

サラは後ろを振り向いてフィルの腕をつかむと、ゆっくりと私から遠ざかり、三メートルほどの距離に立ち止まった。二人の上半身のまわりに、白っぽいピンク色のエネルギーの場が見えた。「それでは」とサラがまじめな口調で言った。彼女は歩いてくると、私の横にしゃがんだ。「今度はここの景色を見て下さい。美しさを」

自分のまわりのものの姿や形の荘厳さに、私は心がふるえた。大きな樫《かし》の木の部分部分ではなく、一本一本の樫の木全体に、目の焦点を合わせることができるような感じだった。私はそれぞれの木の枝の独特な形に、心を打たれた。そして順番にぐるりと、一本ずつ見ていった。こうしていると、理由はわからなかったが、一本一本の樫の木の存在感が、私の方に迫ってくるような感じが増してきた。まるで、彼らを初めて見るような、少なくとも、その美しさを味わったのは初めてのような気がした。

突然、大きな木の下の熱帯植物の葉が、私の注意を引いた。私は一つひとつの植物の個性的な形を見つめた。それぞれのタイプの植物が、まるで小さな共同体のように、同じ種類の他の植物と固まって生えているのにも気がついた。例えば、背の高いバナナのような木は、小さなポトスに囲まれ、そのポトスはまたもっと小さな羊歯《しだ》に囲まれていた。この小さな植物の社会を見ていると、それぞれの個性と存在感に、またしても圧倒された。

三メートルほど向こうのある一つの植物の繁みが、私の目にとまった。私は何度かこのタイプの植物を、観葉植物として育てたことがあった。それは斑入《ふい》りのポトスだった。濃い緑色をしたその植物は、一メートル以上にも広がって繁っていた。そして完全に健康で、生気に満ちているように見えた。

「そう、あの植物に焦点をあててごらんなさい。でもぼんやりとね」とサラが言った。

言われたとおりにして、私は目の焦点を動かして遊んでみた。そして、植物の実像から十五センチほど離れた空間に、焦点をあてた時だった。次第に、光がチラッと見え始め、もうちょっと焦点をずらすと、植物のまわりに白い光の泡が見えた。

「今、何か見えました」と私は言った。

「もう少し、まわりをみてごらんなさい」とサラが言った。

私はびっくりして一歩、後ろにさがった。私の視界の中にある一つひとつの植物のまわりに、白っぽい光の場が見えたのだ。その光は目に見えるのに完全に透明で、植物の形や色を見えにくくするようなことはなかった。私は自分が見ているものは、それぞれの植物に固有の美の延長だと気がついた。最初、私は植物を見、次にその個性と存在を見、さらに何かが、その姿や形の純粋な美しさの中で拡大し、その時私はエネルギーの場を見たのだった。

「これが見えるかしら?」とサラが言った。彼女は私の前にすわると、ポトスと向かい合った。そして、彼女の体を取り巻いている羽毛のような白い光が外側に噴出して、ポトスを取り囲んだ。そして、ポトスのエネルギーの場が、直径数メートルにまで、広がった。

「すごい！」と私は叫んだ。二人の友人が笑い出した。起こったことの不思議さに気がついて、私も笑ってしまった。しかし、数分前までは完全に疑っていた現象を目の前に見ても、何も不快には感じないどころか、すんなりと受け入れられた。エネルギーの場を見るということは、超現実的な感覚になるのではなく、むしろ私のまわりの物を、より確固とした現実味のあるものにするということに、気がついたのだった。

そして同時に、私のまわりのすべてのものが、違って見えた。例えて言えば、神秘的な美しさを出すために、森の色彩を強調している映画のようだった。植物も木の葉も空も、すべてがかすかな光を放ち、その存在を際立たせていた。そして、そこに生命と、たぶん意識の存在を感じさせた。この光を一度見たら、二度と再び、森林を当たり前のものだとは、思えなくなるだろう。

私はフィルを見た。「そこにすわって、ポトスにエネルギーを注いでみせて下さい」と私は頼んだ。「比較したいので」

フィルはちょっと困ったような表情を見せた。「僕はできないんです。理由はわからないけれど」と彼は言った。

私はサラの方を見た。

「できる人とできない人がいるのよ」と彼女は説明した。「どうしてかはまだわからないけれどね。マージョリーは、これができるかどうか、大学院の学生を選別しなければならないの。心理学者が、この能力と性格の相関関係を研究しているけれど、まだ、結論は出ていません」

「僕にもやらせて下さい」と私は言った。

「どうぞ、やってみて」とサラが言った。

私はそこにすわって、植物と向かい合った。サラとフィルは私の真横に立った。

「さて、どうすればいいのかな?」

「ただ、意識をその植物に集中するの。あなたのエネルギーでそれをふくらませるようなつもりでね」とサラが言った。

私は植物をじっと見つめ、植物の中でエネルギーが膨張する様子を想像した。二、三分たってから、私は二人を見上げた。

「残念ね」とサラは皮肉っぽく言った。「あなたはどうも、その才能には恵まれていないみたいね」

私はがっかりした振りをして、フィルを見た。

その時、下の方で怒ったような声が聞こえた。木の間から、男たちのグループが、大声で議論しながら歩いてゆくのが見えた。

「あの人たちはだれ?」サラの方を向いてフィルがたずねた。

「知らないわ。私たちのやっていることに苛立《いらだ》っている人が、増えているようよ」とサラが言った。

私は振り向いて、まわりの森をながめた。すべてがまた、普通に見えた。

「あれ、もうエネルギーの場が見えなくなってしまった!」

「何かに、引っ張られてしまったのね」とサラが言った。

フィルがにっこりして、私の肩を叩いた。「これからは、いつでも見えますよ。自転車に乗るのと同じようにね。美しさを感じて、そこから広げればいいだけだから」

急に、私は時間を見なければいけないことに気がついた。太陽はすでにかなり高くなり、朝のそよ風が木々をゆらしていた。時計を見ると、七時五十分だった。

「もう戻らなくては」と私は言った。

サラとフィルも、私と一緒に戻ることにした。歩きながら、私は振り返って木におおわれた丘の中腹を見た。「あそこは本当に美しい場所ですね。アメリカに、こういう所があまりないとは、残念ですね」と私は言った。

「一度、他の場所のエネルギーの場を見ると、この森のエネルギーがどんなに生命力に満ちているか、よくわかりますよ。あの樫《かし》の木を見て下さい。ペルーでは珍しい木ですが、ここ、ビシエンテでは育つのです。伐採された森、特に収益のあがる松を植林するために、広葉樹を伐採した森は、非常に低いエネルギーの場しか持っていません。都市は、そこに住む人々を除けば、まったく別の種類のエネルギーを持っています」

私は道ばたの植物に焦点を合わせようとしたが、歩きながらでは集中できなかった。

「本当に、またエネルギーの場が見えるでしょうか?」と私は言った。

「絶対に」とサラが答えた。「一度見たことのある人で、二度とできなかった人なんて、聞いたことがありませんもの。一度、ここに来た眼科のお医者様が、エネルギーの場の見方を覚えて、すっかり興奮したことがありました。彼は色盲など、視力の異常について研究していたのですが、色盲の人は、怠けている感覚器官を、目の中に持っているという結論を出したそうです。彼は患者に、彼らが一度も見たことのない色を見る方法を、教えていたのです。彼によれば、エネルギーの場を見るのも、それとまったく同じことで、休眠中の感覚器官を目覚めさせるということで、理論的には誰にでも、できることだそうよ」

「こんな場所の近くに住めたらいいのに」と私が言った。

「誰でもそう思うんじゃないかな」とフィルは答えてから、サラに向かってたずねた。「ヘインズ博士はまだいるの？」

「ええ」とサラが答えた。「彼はここを離れられないの」

　フィルは私を見た。「ここに今、とてもおもしろい研究をしている人がいるんです。このエネルギーの人間に及ぼす影響を、研究しているんですよ」

「ええ、昨日、彼と話をしました」と私は言った。

「この前ここに来た時、彼は、あの森のようにエネルギーレベルの高い場所の近くにいるだけで、体がどんな影響を受けるか、研究したいと言っていました。その効果を見るために、器官の効率と排出物をはかるのと同じ測定法を利用すると言っていました」

「でも、その効果を私はもう知っているわ」とサラが言った。「この場所に入ったとたん、私は気分がよくなり始めるもの。あらゆることが、うまくゆくようになるわ。力が湧《わ》いてくるし、物ごとを明確にしかも素早く考えられるようになるの。それに、こうしたことに対する私の直感は、私の物理学の仕事に驚くほど、ぴったりと呼応しているの」

「あなたは何を研究しているのですか？」と私は質問した。

「量子物理学の実験について、私がお話したことを覚えていますか？　実験中に、原子の細かい粒子が、どんなところでも科学者が期待したところに現れると、説明しましたね」

「ええ」

「私はこの理論を、私の実験で少し広げようと思っています。学者たちが研究している亜原子の問題を解決するためではなく、前にお話した疑問を探求するためです。つまり、宇宙は同じ基本エネルギーで出来ていますから、この物理的宇宙が全体として、どの程度まで、私たちの期待に反応するのか？　私たちの期待はどの程度まで、私たちに起きるすべての物事を創《つく》り出しているのか？」

「いわゆる偶然の一致ですか？」

「そうです。あなたの人生に起こったことを考えて下さい。古いニュートン流の考え方では、すべては偶然で起こっていて、人は自分で決めて準備することはできるけれど、すべての出来事は私たちの態度とはまったく関係のない、それ自身の原因によって起こるとされています。

最近の現代物理学の発見によって、宇宙はもっとダイナミックなのではないかと、堂々と言えるようになりました。おそらく、宇宙は基本的な運行は機械的に行われていても、同時に、私たちの放出する精神的なエネルギーに、微妙に反応しています。正確には、しているかもしれない、という意味ですけれど。もし、私たちが植物をより速く成長させることができるのならば、たぶん、私たちの思いによって、出来事を速めたり、遅くしたりもできるはずです」

「写本は、そのことに触れていますか？」

サラは私を見てにっこりした。「もちろん。私たちはそこで、このアイディアを得たんですもの」彼女は歩きながら、リュックサックの中を探して、紙挟みを引っぱり出した。

「あなたにあげるコピーよ」と彼女は言った。

私はちらっとそれを見てから、ポケットにしまった。橋を渡っている時、私はちょっと立ち止まると、まわりの植物の色や形を見た。焦点をずらすと、視界の中のすべてのものの周囲に、すぐにエネルギーの場が見えた。サラとフィルは、黄緑色のような大きなエネルギーの場を持っていた。時々、サラのエネルギーの場は、ピンク色に変化した。

突然、二人は足を止め、前の方をじっと見つめた。十五メートルほど先に、私たちの方へ足早に歩いて来る男がいた。不安で胃がむかむかしたが、私はエネルギーの場を見ることにした。その男が近づくと、私は誰かわかった。彼は、昨日道をたずねたペルー大学の学者の中の、一番背が高い男だった。彼のまわりには、赤いエネルギーの層が見えた。

彼は私たちの所に来ると、サラに向かって非難がましく言った。「あなたは科学者だね？」

「そうです」とサラは答えた。

「それならば、どうしてこんな科学にがまんできるのかね？　畑を見てきたが、信じられないほどずさんだ。あんたたちは、何一つきちんとやってないじゃないか。ある種の植物の成長が早い理由なんて、いくらでもあるじゃないですか」

「すべてを管理することはできません。私たちは一般的な傾向を探っているのです」

サラの口調が激してきた。

「生きものが目に見えない光とやらを持っているなどと主張するのは、まったく馬鹿げている。何の証拠もないではないか」

「私たちはその証拠を探しているのです」

「しかし、証拠が見つかる前に、何かの存在を主張するなど、もってのほかだ」

二人とも声を荒げていたが、私はただぼんやり聞いているだけだった。私の注意を引いたのは、二人のエネルギーの場の動き方だった。議論が始まるとフィルと私は一メートルほど後ろに下がり、サラとその背の高い男は、お互いに一メートルあまり間隔をあけて、正面から向かい合っていた。すぐに、二人のエネルギーが、内側から波動が溢《あふ》れるかのように、濃くなり興奮し始めた。議論が進むにつれ、二人のエネルギーの場が混じり始めた。片方が意見を言うと、その人のエネルギーの場は掃除機が吸い込むように、相手のエネルギーの場を吸い込むような動きを示した。しかし、もう片方が反撃すると、エネルギーは彼の方へと戻っていった。エネルギーの場の動きから見ると、得点をあげるということは、相手のエネルギーの場を一部とらえて、自分の方に引き寄せることのように思えた。

「それに、その現象を、私たちはすでに観察しているんですよ」とサラがその男に言った。

男はサラを軽蔑《けいべつ》したような目で見た。「じゃあ、あんたは無能な上に、正気じゃないんだ」そう言い捨てると、彼は行ってしまった。

「あなたこそ、恐竜の生き残りよ」とサラが怒鳴ったので、フィルも私も声をたてて笑った。しかし彼女はまだ怒っていた。

「あんな人たちにはがまんできないわ」歩き始めた時、サラが言った。

「忘れろよ」とフィルが言った。「ときどき、ああいう人はいるものさ」

「でも、どうしてこんなに多いの？　それも今になって」とサラがたずねた。

ロッジに着くと、ウィルがジープのそばにいるのが見えた。ジープのドアが開いていて、荷物がボンネットの上に並んでいた。彼はすぐ私に気がつくと、こっちに来るようにと合図をした。

「さて、僕はすぐ、出発するようです」と私は言った。この発言で、それまで十分間続いていた沈黙が破られた。議論の間にサラのエネルギーの場がどうなったか、私の見たことを説明しようとした時から、その沈黙は始まった。私の説明がどうも下手だったらしく、二人は私を無表情に見ると、そのままずっと、自分たちの思いに浸り切ったのだった。

「お目にかかれてよかったわ」と手を差し出しながらサラが言った。

フィルはジープの方を見ていた。「あれはウィル・ジェームスでしょう？」と彼がたずねた。「あの人と一緒に旅行しているのですか？」

「ええ、なぜですか？」と私は言った。

「そう思っただけです。彼をこの辺で見たことがあるんです。彼はここの所有者の知り合いで、エネルギーの場の研究を最初に始めたグループの一人ですよ」

「一緒に来て、彼に会って下さい」と私は言った。

「いや、私はもう行かなければ」と彼は言った。「あとでまた、ここで会いましょう。あなたもここに戻って来ずにはいられないでしょうから」

「必ずね」と私は言った。

サラは、自分も行かなければならない、連絡する時はロッジの事務所を通すようにと言った。私はもう二、三分二人を引きとめて、いろいろと教えてくれたことに、お礼を言った。

サラの表情が真剣になった。「エネルギーを見ること、つまり、この物質的な世界の新しい見方を身につけることは、一種の伝染病のように広まってゆきます。まだよくわかってはいないけれど、このエネルギーが見える人のそばにいると、みんな、エネルギーが見え始めるのです。ですから、誰か他の人に、教えてあげて下さい」

私はうなずいてから、ジープの方に急いだ。ウィルは笑顔で私を迎えた。

「もう用意はできましたか？」と私はたずねた。

「ほとんどね」と彼が言った。「今日の朝はどうでしたか？」

「おもしろかったですよ」と私は言った。「お話することが沢山ありますよ」

「あとに取っておきましょう。ここを出なければなりません。どうもおかしな感じなんだ」

私は彼に近寄って聞いた。「一体、どうしたのですか？」

「別に深刻なことではありません。あとで説明します。荷物を持って来て下さい」

私はロッジに戻り、部屋に置いてあったわずかな荷物を取りに行った。所有者の好意で部屋代はいらないと、すでにウィルに言われていたので、私はフロントに行って鍵《かぎ》を従業員に返すと、外に出てジープに戻った。

ウィルはボンネットの下で何かをチェックしていたが、私が近づくとボンネットをバタンとしめた。

「これですべてOKだ。さあ、出発しよう」

私たちは駐車場を出て、ロッジの門まで下ってから表の道路に出た。何台かの車が、時を同じくして出て行こうとしていた。

「で、何か起こっているんですか？」と私はウィルにたずねた。

「この地方の役人の一団が、科学者連中と一緒にやって来て、この会議センターの関係者を非難したのです。彼らは違法なことが行われていると主張しているわけではないんです。ただ、ここにいる人たちの中には好ましからざる人物、ちゃんとした学者じゃない人物がいると言っているようです。こうした役人連中は騒ぎを起こして、ロッジを廃業に追い込むことだってできるのだから」

私はぼんやり彼を見ていた。彼は続けた。

「このロッジには普通、同時に何組かのグループが滞在しています。写本に関連した研究に関係のある人は、ほんのわずかです。他の人たちはそれぞれ自分たちの学問を持つグループで、この場所が美しいから、ここに来るのです。もし役人がひどいことをして変な雰囲気になると、こうしたグループは、ここで会議を開くのを止めてしまいますからね」

「でも、あなたは、ここの役人は旅行者の金がビシエンテに入るのを、邪魔しはしないと言いませんでしたか？」

「彼らはそんなことはしないだろうと、私も思っていました。誰かが写本はけしからんと、彼らをたきつけたのです。畑にいた人たちは、何が起こっているか、知っていましたか？」

「いいえ、知らないと思います」と私は言った。「ただみんな、なぜ急に腹を立てた連中が増えたのか、不思議がっていました」

ウィルは黙っていた。私たちは門を出ると、南東の方向へ曲がった。一キロ半ほど行ってから、また別の道へ入った。その道は遠くの山脈へと、東に向かっていた。

「畑のすぐ脇《わき》を通りますよ」とウィルがしばらくして言った。

前方に畑と、一つ目のトタン屋根の建物が見えた。私たちが近づくと、ドアが開いて中から出てきた人と目が合った。マージョリーだった。私たちが通ると、彼女はにっこりして私の方を向いた。私たちは一瞬の間、目と目で見つめ合った。

「あれは誰？」とウィルが聞いた。

「昨日会った女性ですよ」と私が答えた。彼はうなずいただけで、すぐに話題を変えた。「第三の知恵は見ましたか？」

「コピーをもらいました」

ウィルは返事をしなかった。物思いにふけっている様子だったので、私は翻訳のコピーを取り出し、読んでいたところを探した。そこから先、第三の知恵は自然の美しさについて、詳しく説明していた。自然の美しさに気づくことによって、人間はエネルギーの場を観察することを学ぶと、そこには書かれていた。いったんこうなると、私たちの物理的宇宙の認識は、急激に変化してゆくと、写本は述べていた。

例えば、私たちは、このエネルギーが満ちあふれている食物をもっと食べるようになり、ある場所は他よりも沢山のエネルギーを放射していることに気がつき始める。また、最も高いエネルギーは、古い自然環境、特に森林から得られるということも、わかるようになるだろう。最後のページを読み始めようとした時、ウィルが突然、口を開いた。

「畑でどんな体験をしたか、話してくれますか？」

私はできるだけ上手に、そこで会った人のことも含めて、二日間の出来事を詳しく説明した。マージョリーと会った時の話をすると、彼は私を見て笑った。

「その人たちに、他の知恵のことや、その知恵が畑で彼らがやっている仕事に、どう関係しているか、どの程度話しましたか？」と彼はきいた。

「いや、まったく話しませんでした」と私は言った。「最初は信頼していいかどうか、わからなかったからですが、後では彼らの方が、僕よりずっとよく知っているとわかったからです」

「あなたが正直に話していたら、彼らに大切な情報を与えることができたと思いますよ」

「どんな情報を？」

彼は私を温かいまなざしで見た。「それはあなたにしか、わかりません」

私は何と言ってよいかわからなかったので、外の景色を眺めていた。しだいに岩だらけの山になってきた。大きな花崗岩《かこうがん》が、道路におおい被《かぶ》さっていた。

「畑のそばを通った時にマージョリーにまた出会ったことを、どう思いますか？」とウィルがきいた。

私は「単なる偶然」と言いかけたが、そのかわりに「わかりません。あなたはどう思いますか？」と聞いた。

「私は何事も偶然には起こらないと思っています。私に言わせれば、あなた方二人は終わっていない仕事があるということを、意味していますね。お互いに言う必要があったのに、言えなかった何かがあるのでしょう」

この考え方は面白いと思ったが、同時に私を不安にした。私はずっと、よそよそしいと人から非難され続けてきた。また、質問はしても、自分の意見や立場をはっきりさせない人だとも、言われていた。どうして、こんなことが今また起こったのか、不思議だった。

私はまた、少し自分の気分が変わり始めているのにも気がついた。ビシエンテに来てから、私は大胆で、何でもできる気になっていた。それが今は不安感のあるうつ状態としか言えない気分だった。

「あなたのせいで、気が重くなってしまいましたよ」と私は言った。

彼は大声で笑ってから答えた。「私のせいじゃありませんよ、ビシエンテを出て来たからです。あそこのエネルギーに、あなたは凧《たこ》のように舞い上がっていたのです。なぜ学者たちが、数年前からビシエンテにぶらぶらし始めたのか、わかりますか？　彼らは、なぜ自分がそこをそんなに好きなのか、わかっていないのです」彼は私をまっすぐ見た。「我々にはわかっているのですがね」

彼は道路の前方を確認してから、また私の方を見た。彼の顔は思いやりに満ちていた。

「あのような場所を離れる時には、あなた自身のエネルギーにエンジンをかけなければなりません」

わけがわからずに、私はただ彼を見つめていた。彼は安心させるように、私にほほ笑んだ。そのあと、二人は黙ったまま、一キロ半ほど進んだ。その時、彼が口を開いた。「畑で何が起きたか、もっと聞かせて下さい」

私は話を続けた。私が実際にエネルギーの場を見た時のことを話すと、彼はびっくりした表情を見せたが、何も言わなかった。

「あなたもエネルギーの場が見えますか？」と私はたずねた。

彼は私をチラッと見た。「見えますよ。続けて下さい」と彼は言った。

私は中断せずに話し続け、サラとペルー人科学者の議論と、二人が対決していた時のエネルギーの場の動きの話になった。

「サラとフィルはそのことについて、何か言っていましたか？」と彼がきいた。

「いや何も」と私は言った。「二人とも、何も言う気がないようでした」

「私はそうは思わない」とウィルが言った。「彼らは第三の知恵に夢中で、まだそれより先には行っていないのです。人がエネルギーを競い合うというのは、第四の知恵なのです」

「エネルギーを競い合う？」と私はたずねた。

彼は私が持っている翻訳を顎《あご》でさして、にっこりしただけだった。

私はさっき目を離した所に、目を戻した。まさに、第四の知恵のところだった。それには次のように書かれていた。人間はいつか、この宇宙が一つの動的なエネルギー、つまり、私たちを生かし、私たちの期待に反応するエネルギーから成り立っていることを、理解するようになる。しかも、自分たちがこのエネルギーの大いなる源から切り離されていたこと、そのためにか弱くて不安で何か欠けていると、感じ続けていたことも、理解するようになる。

この不足感に直面して、私たち人間は常に、自分が知っている唯一の方法で、自分の個人的なエネルギーを増やそうとする。すなわち、心理的に他人からエネルギーを盗もうとするのだ。この無意識の競争こそ、世界中の人類の争いの根底にあるものなのである。

第四章　権力闘争

砂利道の穴でジープがガタンと揺れた拍子に、目を覚ました。腕時計を見ると、午後三時だった。伸びをして完全に目を覚まそうとすると、腰骨に鋭い痛みを感じた。

ジープの旅はひどく疲れた。ビシエンテを発《た》ってから、私たちは一日中旅をした。ウィルはなかなか見つからないものを探しているかのように、方向を何回も変えて走っていた。夜、私たちは小さな旅館に泊まったが、ベッドが固くてでこぼこだったので、私はほとんど眠れなかった。二日目も苛酷《かこく》な旅が続いて、そろそろ文句を言いたくなっていた。

私はウィルを見た。彼があまり真剣に注意深く道路に集中しているので、邪魔しないことにした。数時間前、ジープを止めて、私と話をしたいと言った時と同じぐらいに、彼はまじめな気分のようだった。

「知恵は一度にひとつずつ発見しなければならないと、私が言ったのを憶《おぼ》えていますか？」とその時彼はたずねたのだった。

「ええ」

「ひとつずつ、向こうからやって来ると、本気で信じていますか？」

「ええ、今までは確かにそのとおりでしたね」と私は半分ユーモアをこめて言った。

ウィルは真剣な表情で私を見た。

「第三の知恵を見つけるのは、簡単だったようですね。ビシエンテに行くだけでよかったのです。で、これから先は、残りの知恵に出会うのは、ずっと難しくなるかもしれません」

彼は一息入れてから言った。「私たちは、南のチランバの近くにある、クラという小さな町に行きます。そこにもう一つ原生林があります。あなたはそれを見た方がいいと思います。しかし、油断しないようにして下さい。偶然の一致は次々に起こってきますが、それに気がつかなくてはならないからです。わかりましたか？」

わかったと思う、言われたことを憶えておきますと、私は彼に言った。そのあと、会話が途切れて、私はぐっすり眠り込んでしまった。そして今、背中が痛くなって、眠ってしまったことを悔んでいた。私はもう一度伸びをした。ウィルがこちらを見た。

「今、どこにいるのですか？」と私が聞いた。

「まだ、アンデスの中です」と彼が言った。

丘はけわしい峰と遠くの谷間に変わっていた。植物は少なくなり、木は小さくて、風に吹き倒されていた。深く息を吸い込むと、空気が薄く冷たくなっているのに気がついた。

「この上着を着た方がいい」とウィルは言って、茶色の木綿のウィンドブレーカーを鞄《かばん》から引っ張り出した。「午後になると、ここは寒くなるから」

道路がカーブすると、前の方に小さな十字路が見えた。その一角の白い木造の店とガソリンスタンドのそばに、一台の車がボンネットを開けてとまっていた。フェンダーの上に敷いた布の上に、工具が置いてあった。私たちがそこを通りかかった時、金髪の男が店から出て来て、こちらをちらっと見た。彼は丸顔で、黒ぶちの眼鏡をかけていた。

私はその男をよく見た。すると五年前のことを急に思い出した。

「人違いだということはわかっているけど」と私はウィルに言った。「あの男は僕が一緒に仕事をしていた友達に、そっくりだった。もう何年もそいつのことを思い出しもしなかったけれど」

ウィルが私をじっと見ているのに気がついた。

「まわりの出来事をよく見ていろと、言ったでしょう」と彼は言った。「すぐ戻って、手伝いが必要かどうか、聞いてみよう。彼はこのあたりの人には見えなかったから」

私たちは道幅の広い所を探して、Uターンした。店のところまで戻ると、その男はエンジンを修理していた。ウィルはガソリンポンプの近くに車をとめて、窓から身を乗り出した。

「故障したのですか?」とウィルがたずねた。

その男はずり落ちた眼鏡を、鼻の上に押し上げた。私の友人も同じくせを持っていた。

「ええ、エンジンがだめになってしまったのです」と彼は答えた。男は四十代前半ぐらいで、華《きゃ》奢《しゃ》な作りだった。彼の英語はフランス訛《なま》りはあったが、正確だった。

ウィルはすぐに車から降りると、自己紹介した。男はにっこりして握手をしたが、その握手の仕方にも見覚えがあった。彼の名前はクリス・ルノーと言った。

「フランス人のような名前ですね」と私が言った。

「ええ、私はフランス人です」と彼が答えた。「ブラジルで心理学を教えています。ペルーに来たのは、ここで見つかった古文書について、情報を得るためです。写本のことですが」

私は一瞬ためらった。彼をどの程度信用すべきか、わからなかったからだ。

「私たちも同じ理由で、ここに来ているんです」と私は言った。

彼は興味津々《しんしん》という面持ちで私を見た。「何かご存じですか？」と彼はたずねた。「もう、コピーを見ましたか？」

私が返事をする前に、ウィルが建物から出て来て、網戸が彼の後ろでバタンとしまった。「ラッキーだった」と彼は私に言った。「ここにはキャンプできる場所もあるし、温かい食事もできるそうだよ。一晩泊まってもよいと、ここの家主が言ってくれたよ」彼はルノーの方を向くと、期待して彼の顔を見た。「あなたさえ、ご迷惑でなければですが」とウィルは言った。

「全然かまいませんよ」とルノーは答えた。「仲間がいる方がいいですから。新しいエンジンは、明日の朝にならないと届かないのです」

　ルノーとウィルが修理のことや、ルノーの四輪駆動車の性能について話している間、私はジープによりかかって、太陽の暖かさを感じていた。そして、ルノーが思い出させてくれた昔の友人の楽しい思い出に、浸っていた。その友人は純真で好奇心が旺盛《おうせい》で、いつも本ばかり読んでいた。ルノーもいかにも純真で、好奇心が強そうに見えた。彼の持論を思い出そうとしたが、年月のせいで記憶は薄れていた。

「さあ、荷物をキャンプ場まで運ぼう」とウィルは言いながら、私の背中をぽんと叩《たた》いた。

「いいですよ」と私は上の空で言った。

　彼は車の後ろのドアを開け、テントと寝袋を取り出して私に渡した。それから衣類の入ったズタ袋を引っ張り出した。ルノーは自分の車に鍵《かぎ》をかけた。私たちは店の前を通りすぎて、階段を下りて行った。店の建物の後ろは、急な下りになっていた。私たちは左に曲がって、細い小道をたどっていった。二十メートルほど行くと、水の流れる音がした。さらに行くと、流れが岩の間を滝のように落ちていた。空気は一層冷たくなり、ハッカの強い香りが、どこからともなく流れていた。

私たちの目の前で土地は平らになり、流れは直径八メートルほどの池になっていた。誰かがキャンプ場の草を刈り、火を焚《た》けるように石の囲みが作ってあった。薪《まき》は近くの木のそばに、積んであった。

「これはすばらしい」と言って、ウィルは四人用のテントの包みをほどき始めた。ルノーはウィルの右側に、自分の小さなテントを広げた。

「あなたもウィルも、学者ですか？」しばらくしてルノーが私にたずねた。ウィルはテントを作り終え、夕食のことを聞きに上に行っていた。

「ウィルソンはガイドですよ」と私は言った。「僕は今、とりたてて何もしていません」

ルノーはちょっと戸惑った様子だった。

私は笑顔になってたずねた。「写本はどの程度、見たことがあるのですか？」

「私は第一と第二の知恵を見ています」彼は私に近づきながら言った。「そして実を言いますと、写本が言うとおりに、すべて起こっていると思うのです。私たちは世界の見方を変えつつあります。心理学からも、それがわかります」

「どういう意味ですか？」

彼はひと呼吸した。「私は、人間はなぜ、互いに相手を暴力的に扱うのか、研究しています。今までは、こうした暴力はお互いに相手を支配し、優位を占めようとする人間の衝動から来ると、理解されていました。ところが最近になって、この現象を内面から、つまり個人の意識という面から、研究するようになりました。人間の中で何が起きて、彼に他人を支配したいと思わせるのだろうかと、問い直してみたのです。一人の人が他の人に近づいて話を交わすという、毎日世界中で何十億回も起こる出来事の際に、次の二つのうち、どちらかが生ずるということが、わかりました。二人の間に何が起こったかによって、その人は力を得たように感じるか、失ったように感じるか、のどちらかなのです」

私は戸惑った表情で彼を見た。彼は急に長い演説を始めてしまって、少しきまりが悪そうな様子だった。私は続けるように頼んだ。

「そのために」と彼は続けた。「我々人間は、いつも相手を何とかうまく操ってやろうという態度を取っています。また情況や話題がどうであれ、会話の主導権を握るために、必要なことは何でも言おうと、待ち構えています。誰もが、相手を支配する方法を見つけ出し、その出会いで優位に立とうと、追い求めているのです。それに成功して、自分の意見が勝てば、落ち込まずに心理的な高揚感を味わうのです。

言うなれば、人間が互いに相手を出し抜き、支配しようとするのは、外の世界の具体的な目的のためだけではなく、心理的な高揚感を得るためでもあります。これこそ、個人のレベルでも国家のレベルでも、こんなにも多くの非理性的な争いがある理由です。

我々研究者の間では、この事実が今、一般の人々の意識にのぼりつつあるということで意見が一致しています。我々人間は、いかに自分たちが互いに相手を操ろうとしているかに気がついて、自分たちの動機を再検討しようとしています。我々は、別のつき合い方を探しているのです。この再検討ということは、写本で言っている新しい世界観の一部だろうと、私は思うのです」

ウィルが戻って来て、私たちの会話は中断した。「食事の用意が出来ましたよ」と彼は言った。私たちは急いで小道を登り、建物の地下へ行った。そこは家族の居間だった。私たちは居間を通りすぎて食堂に入った。テーブルの上には、温かいシチューと野菜とサラダが、用意されていた。

「どうぞ、どうぞ」と旅館の主人は英語で言いながら、椅子《いす》を引いてまわった。彼の後ろには、彼の妻と十五歳ぐらいの娘が立っていた。

ウィルが椅子にすわろうとした時、彼の腕がフォークに触れて、大きな音をたててフォークが床に落ちた。男が妻をにらみつけると、彼女は、新しいフォークをすぐに取りに行こうとしなかった若い娘を、鋭い声でしかりつけた。少女は次の部屋にとんでゆき、新しいフォークを持って戻ってくると、おどおどしながらウィルに渡した。彼女は背を丸め、手は少し震えていた。テーブル越しに、私とルノーは顔を見合わせた。

「食事をお楽しみ下さい」と男は言って、料理を私に渡した。食事中ずっと、ルノーとウィルは研究生活や授業や本の出版のことなど、気楽な話をしていた。宿の主人は部屋を出て行ったが、女はドアのところに立っていた。

女と彼女の娘がパイを配り始めた時、娘が肘《ひじ》で私のコップを倒し、テーブルが水びたしになった。母親は怒って飛んでくると、娘をスペイン語で怒鳴りつけ、彼女を脇《わき》へ押しやった。

「大変失礼しました」水を拭《ふ》きながら、女は言った、「あの子はとても無器用でして」

若い娘はワッと泣き出すと、持っていた残りのパイを女に投げつけた。パイは女に当たらずに、テーブルの真ん中の皿に当たり、ぐしゃぐしゃになったパイと割れた皿が向こう側に飛び散った。ちょうどその時、宿の主人が戻って来た。

男は大声でしかりつけ、少女は部屋から飛び出して行った。

「どうもすみません」と言いながら、彼はテーブルに駆け寄った。

「大したことじゃありません」と私は言った。「あの娘さんに、きつく当たらないで下さいね」

ウィルは立ち上がって代金を払った。そして私たちはそそくさとそこを出た。ルノーはずっと黙っていたが、ドアを出て階段を下り始めると、話し始めた。

「あの女の子を見ましたか？」彼は私を見て言った、「彼女は心理的暴力の古典的な例ですよ。他人を支配したいという人間の欲求が究極までゆくと、ああなるのです。あの年とった男と女は、あの娘を完全に支配していました。あの娘がどんなに神経質でおどおどしていたか、気がつきましたか？」

「ええ」と私は言った。「でも、彼女は限界に来ていたみたいですね」

「まさにそのとおりです。彼女の両親は、一度も彼女にやさしく接したことがないのです。そして、彼女にしてみれば、暴力的に出るより、他に方法がないのです。身を保つためには、それしかないのです。不幸なことに、彼女が大人になった時、この若い頃の心の傷のために、自分も同じように他人をコントロールし、支配しなければならないと、考えるようになります。この性格は心に深く刻みこまれ、両親と同じように、彼女を支配的な人間にしてゆきます。特に、子供のように弱い立場の人々に対して、そうなります。

実際は、この同じ心の傷は、両親も必ず持っています。彼らは自分の両親に支配されたために、今、支配しなければ気がすまないのです。こうして、心理的な暴力は世代から世代へと、受けつがれてゆくのです」

ルノーは急に話をやめた。「トラックから寝袋を持って来なくては」と彼は言った。「すぐ戻って来ます」

私はうなずき、ウィルと一緒にキャンプ場へ歩いて行った。

「ルノーとずい分、話をしていましたね」とウィルが言った。

「ええ」と私は答えた。

彼はほほ笑んだ。「実際は、ルノーがほとんどしゃべっていたでしょう。あなたは聞いていて、質問されると答えてはいたが、自分からはほとんど何も話さなかったね」

「彼の話を聞きたかったのです」と私は言いわけがましく言った。

ウィルは私の口調を無視した。「あの家族の間のエネルギーの動きに、気がつきましたか？子供がほとんど死んでしまうまで、あの男と女は子供のエネルギーを吸っていましたよ」

「エネルギーの流れを観察するのを、忘れていました」と私は言った。

「ルノーも、エネルギーを見たがっていると思いませんか？　そもそも、彼とはなぜ、出会ったのだと思いますか？」

「わかりません」

「何か意味があると思いませんか？　我々は道を走っていた。そして、あなたに昔の友人を思い出させた人物に出会った。その人に会ってみると、彼もまた、写本を探していた。これは偶然の一致をこえているとは、思いませんか？」

「はい」

「多分、ここに泊まることによって、何か情報を受け取るために、会ったのですよ。またあなたも、彼のために何か情報を、持っているんじゃないかな？」

「ええ、そう思います。何を彼に話せばいいのですか？」

ウィルはまた、私を暖かく見た。「事実を話すのです」と彼は言った。

私が何も言えないうちに、ルノーが私たちの方へ駆け下りて来た。

「あとで必要かもしれないので、懐中電灯を持って来ました」と彼が言った。

私は、初めて夕暮れに気がついて、西の空を見た。太陽は沈んでいたが、空はまだ明るいオレンジ色だった。その方向に雲が二つ三つ、暗い赤味がかった色で、浮かんでいた。一瞬、前の平地に生えている植物のまわりに、白っぽい光を見たように思ったが、それはすぐに消えてしまった。

「きれいな夕焼けですね」と私は言った。その時、ウィルがテントに入ってしまったのに気がついた。ルノーは、寝袋をケースから出していた。

「本当に」とルノーは見ようともせずに、上の空で言った。

私は彼のところへ行った。

ルノーは私を見上げて言った。「さっき、聞き損なったのだけれど、あなたはどの知恵を見たのですか？」

「最初の二つは、話を聞いただけです」と私は答えた。「でも、サティポの近くのビシエンテロッジに二日間いたのですが、そこにいる間に、研究者の一人から、第三の知恵のコピーをもらいました。なかなかのものですよ」

　彼の目が輝いた。「今、手元に持っていますか？」

「ええ、見てみますか？」

　彼はこの申し出に飛びつき、コピーを自分のテントに持って行った。私はマッチと古新聞を使って、火を起こし始めた。火が明るく燃え上がると、ウィルがテントから出て来た。

「ルノーはどこに行ったの？」と彼が聞いた。

「サラがくれた写本の翻訳を読んでいます」と私は言った。

　ウィルはこちらに歩いて来ると、焚《た》き火《び》をする場所の近くに置かれたすべすべした丸太に腰を下ろした。私も彼の隣りにすわった。すでにすっかり暗くなり、私たちの左手にある木の輪郭と、後ろのガソリンスタンドの暗い明かりと、ルノーのテントからもれる光のほかは、何も見えなかった。森からはさまざまな物音が聞こえてきた。私が聞いたことのない音も、まじっていた。

　三十分ぐらいたつと、ルノーが懐中電灯を持って、テントから出て来た。彼はこちらにやって来ると、私の左側に腰を下ろした。ウィルはあくびをした。

「この知恵はすばらしいですね」と彼は言った。「そこにいる人たちは、実際にエネルギーの場を見ることができるのですか？」

　私は手短に、ビシエンテに着いてから、実際に私がエネルギーの場を見るまでの体験を話した。

　彼はしばらく無言だったが、それから質問した。「自分たちのエネルギーを植物に放射して、植物の成長に影響を与えるという実験を本当にやっていたのですか？」

「植物の栄養的な能力にも、影響を与えるんです」と私は言った。

「しかし、この知恵は、それよりももっと広い意味を持っている」ほとんど自分に言い聞かせるように、彼は言った。「第三の知恵はこういうことなんだ。つまり、宇宙全体がこのエネルギーから成っていて、我々はたぶん、植物だけでなく他のものにも、我々の持つエネルギーを使って、影響を及ぼすことができる」彼は一分あまり無言だった。「どうすれば、我々は自分のエネルギーによって、他人に影響を与えることができるのだろうか？」

ウィルは私の方を見て、にこっとした。

「私が見たことを話しましょう」と私は言った。「私は二人の人が論争しているのを目撃したのですが、その時、二人のエネルギーが実に奇妙な動きをしていました」

ルノーはまた、眼鏡を押しあげた。「ぜひ、聞かせて下さい」

この時、ウィルが立ち上がって言った。「私はもう寝なければ。長い一日だったのでね」

私たち二人はおやすみを言い、ウィルはテントに入った。その後私は、サラと学者の論争を、その時の二人のエネルギーの場の動きに重点を置きながら、できる限りうまく説明した。

「ちょっと待って下さい」とルノーが言った。「二人が言い争っている時、二人のエネルギーが相手を捕えようとして、引っ張り合っていたのを、あなたは見たのですね？」

「そのとおりです」と私は言った。

彼はしばらく考え込んだ。「それを十分に分析しなければならない。二人の人間がどちらの考え方が正しいか、論争している。互いに相手に勝とうとして、相手の自信を失わせたり、悪口の言い合いにまでいきつく」

彼は突然顔をあげて言った。「そうだ、わかったぞ」

「何がですか？」と私は質問した。

「エネルギーの動きのことですよ。それを体系的に研究すれば、人間が競争したり議論したり、互いに傷つけ合ったりする時に、人間が何を受け取っているか、理解できると思います。他の人間を支配する時、おそらくその人は、相手のエネルギーを受け取るのです。他人を犠牲にして、自分を充たすのです。そしてこれこそ、我々をつき動かしているものなのです。私はどうしても、エネルギーの場の見方を学ばなければなりません。ビシエンテロッジは、どこにあるのですか？どう行けばいいのですか？」

私は大体の位置を教えたが、詳しい道順はウィルに聞いて欲しいと言った。

「そうします。明日、聞きます」彼は確信をこめて言った。「今夜はもう寝た方がいい。明日は、できるだけ早く、出発したいと思います」

彼はおやすみと言うと、パチパチという火の音と夜の静寂《しじま》の中に私一人を残して、テントの中に消えた。

私が目を覚ますと、ウィルはもうテントの外にいた。温かいオートミールの匂《にお》いがした。私は寝袋から這《は》い出ると、テントの出口から外をのぞいた。ウィルが火の上にフライパンをかざしていた。ルノーはどこにも見えなかった。彼のテントはもうなかった。

「ルノーは？」と私はテントから這い出ると火のそばに行って、ウィルにたずねた。

「彼はもう、荷造りを終わったよ」と彼が言った。「上でトラックの修理をしているところだ。部品が着いたらすぐ、出発できるようにってね」

ウィルはオートミールの入った茶碗《ちゃわん》を、私に手渡した。私たちは丸太にすわった。

「昨夜は、遅くまで話していたの？」とウィルが聞いた。

「それほどではありません」と私は言った。「彼に知っていることを全部、話しました」

ちょうどその時、道の方から音が聞こえた。ルノーが足早に、私たちの方に歩いて来た。

「全部用意できました。お別れを言わねばなりません」

何分か話をしてから、ルノーは階段を昇って、行ってしまった。ウィルと私は、順番にガソリンスタンドの主人の洗面所を使わせてもらって、シャワーを浴びて髭《ひげ》をそった。そのあと荷造りをし、ガソリンを満タンにして、北に向かって出発した。

「クラまでどれぐらいありますか？」と私は聞いた。

「運が良ければ、日が暮れる前に着くと思うよ」と彼は言って、さらにつけ加えた。「で、ルノーから何を学びましたか？」

私はじっと彼を見た。彼は明確な答えを求めているようだった。「わかりません」と私は言った。

「ルノーはどんな考え方を、教えてくれましたか？」

「我々人間は、自分で気がついていないけれど、他人をコントロールし、支配しようとする傾向を持っている。我々は人々の間に存在するエネルギーを、勝ち取りたいと思っている。そうすれば、なぜか私たちは元気になり、気分がよくなる」

ウィルはまっすぐに、前方の道路を見ていた。急に何か他のことを考え始めたように見えた。

「なぜ、私に聞くのですか？」と私はたずねた。「これは第四の知恵なのですか？」

彼は私を見た。「いや違う。あなたは、人々の間のエネルギーの流れを見ましたね、でも、それが自分に起こった時、どんな感じかは、まだわかっていないようだ」

「どんな感じか、教えて下さい！」私は少しいらいらして言った。「あなたは僕が話をしないといって、非難します。でも、あなたから情報を得るのは、とてもむつかしくて、まるで歯を抜くみたいなことですよ。ずっと、あなたの写本の体験について、何とかもっと聞き出そうとしたのに、あなたはいつも、はぐらかすだけでしょう」

彼は声をたてて笑い、私に笑顔を見せた。

「私たちは約束したじゃありませんか？　覚えていますか？　私が何も話さないのには、わけがあります。写本の中に、自分の過去の出来事をどう解釈するか、説明している部分があります。一体、自分は何者なのか、何をしにこの惑星にいるのか、探し出すプロセスについてです。私のことを話すのは、私たちがこの知恵にたどり着いた時にしたいのです。いいですか？」

私は彼の大げさな口調に、思わず笑った。「ええ、まあね」

午前中ずっと、私たちはおし黙ったまま、ドライブを続けた。よく晴れた日で、空はまっ青だった。山を登るにつれ、時折、濃い雲が路上にただよって、フロントガラスを濡《ぬ》らした。昼頃、私たちは見晴らしのよい場所に車をとめた。東の方に、山と谷間のすばらしい風景が広がっていた。

「おなかがすいた？」とウィルが聞いた。

私がうなずくと、ウィルは後ろの席の鞄《かばん》から、きちんと包んだサンドイッチを取り出した。その一つを私に渡しながら、彼がたずねた。「この眺めをどう思う？」

「美しいですね」

彼はにこっとして、私をじっと見つめた。私のエネルギーの場を観察しているようだった。

「何をしているのですか？」と私はたずねた。

「ただ見ているだけです」と彼は言った。「山の頂上は特別の場所で、そこに居る人のエネルギーを強めます。あなたにとって、山の見晴らしのいい所は合性がいいみたいだね」

私は祖父が見つけた谷と湖を見下ろす峰のこと、そしてシャーリーンがやって来た日に、私がそこですっきりと精気に溢《あふ》れた感覚になったことを、ウィルに話した。

「そこで育ったということは、たぶん、今のための準備だったのでしょう」と彼は言った。

山が与えてくれるエネルギーについて質問しようとした時、彼はまた口を開いた。「原生林が山の中にあると、エネルギーはもっと強力になります」

「私たちがこれから行く原生林は、山の中ですか？」と私はたずねた。

「自分で見て下さい」と彼は言った。「あそこに見えますよ」

彼は東の方向を指した。ずっと先の方に、二つの尾根が何キロか平行して走り、その先でV字型に合わさっていた。その二つの尾根の間に、小さな町のようなものがあった。そして、二つの尾根の出会った所で、山は急に高くなって、岩山がつき出ていた。その頂上は私たちが今いる山よりも少し高く、麓《ふもと》の方は緑の濃い、水々しい木々におおわれていた。

「あの緑のところですか？」と私はたずねた。

「そう」とウィルは答えた。「ビシエンテに似ているが、もっと強力で特別です」

「どのように特別なのですか？」

「もう一つの知恵を学ばせてくれるところですよ」

「どのように？」と私はたずねた。

彼はジープを発車させ、道路に乗り入れた。「必ず、あなたは見つけ出しますよ」と彼は言った。

一時間ほどの間、二人ともほとんど無言だった。そのあと、私は眠ってしまった。しばらくして、ウィルが私の腕をゆすった。

「起きて下さい」と彼は言った。「クラに着きますよ」

私はすわり直した。私たちの前方に、二本の道が合わさった谷間に小さな町があった。町の両側には、私たちが見た二つの尾根があった。尾根の木々はビシエンテで見た木と同じように巨大で、目を見はるほど、濃い緑色だった。

「町に入る前に、話しておきたいことがある」と彼が言った。「ここは森林のエネルギーがとても高いのにもかかわらず、ペルーでも特に遅れている所です。この町は写本の情報が得られる場所として有名ですが、私がこの前来た時には、エネルギーも感じなければ、知恵のことも理解しない貪欲《どんよく》な連中で、いっぱいでした。彼らはただ金と名誉が目あてで、第九の知恵を発見しようとたくらんでいるのです」

私は村を見た。四本か五本の通りがあるだけだった。町の中央で交叉《こうさ》している二本の大通りには、大きな木造の建物が並んでいたが、その他の通りは、小さな家が並んだ路地に近い程度のものだった。四ツ角には、十数台の四輪駆動やトラックがとまっていた。

「なぜ、こんなに人が多いのかな？」と私は聞いた。

彼はにっこりして言った。「もっと奥地に行く前に、ガソリンや食料を調達する最後の場所だからね」

彼はジープを発車させて、ゆっくりと町へ入ってゆき、大きな建物の前で車をとめた。私はスペイン語の看板は読めなかったが、ショーウィンドウに置いてある品物からみて、そこは食料品と雑貨を売る店らしかった。

「ここでちょっと待っていて下さい」と彼は言った。「二つ三つ、買い物をしてきます」

私がうなずくと、ウィルは店の中へ消えた。まわりを見まわしていると、一台のトラックが道路の向こう側にとまり、何人かの人たちが降りてきた。その中の一人は、作業服を着た黒髪の女性だった。驚いたことに、それはマージョリーだった。彼女と二十代前半の若い男が、通りを横切って私の前を通りすぎた。私はドアをあけて外に飛び出した。「マージョリー！」と私は叫んだ。

彼女は立ち止まって振り返ると、私を見つけてにっこりした。「あら、こんにちは」と彼女は言った。そして私の方へ来ようとすると、つれの若い男が彼女の腕をぐっと摑《つか》んだ。

「誰とも口をきくなって、ロバートが言ってたよ」彼は私に聞こえないように、小声で言った。

「いいのよ」と彼女が言った。「この人は知っている人だから。先に行っていて」

彼は私を疑い深そうに見たが、そのまま戻って店の中に入って行った。私は畑で二人の間に起こったことを、口ごもりながら説明した。彼女は笑って、サラがその時のことを全部、話してくれたと言った。彼女が何か言いかけた時、ウィルが買った物を両手で抱えて、店から出て来た。

私は二人を紹介した。ウィルが荷物をジープの後ろに積み込む間、私たちは二、三分、立ち話をした。

「いい考えがある」とウィルが言った。「通りの向こう側で、何か食べよう」

通りの向こう側に、小さなカフェのような店があった。

「それはいい」と私は言った。

「私はちょっと……」とマージョリーが言った。「私はすぐ行かないと。みんなと一緒だから」

「どこへ行くんですか?」と私が聞いた。

「西の方へ、四キロほど、戻るんです。そこで写本の勉強をしているグループを、訪ねに来たの」

「食事のあとで、私たちが送りますよ」とウィルが言った。

「ええ、それならば、いいわ」

ウィルは私を見た。「もう一つ、買い物があるので、二人で先に行って、注文しておいて下さい。私は行ってから何か注文します。二、三分で行くから」

私たちは同意し、マージョリーと私は、何台かトラックが通りすぎるのを待った。ウィルは通りを南の方へ歩いて行った。突然、マージョリーと一緒にいた若い男が、店から出て来て私たちの前に立ちふさがった。

「どこに行くんだ」彼はマージョリーの腕を摑んで言った。

「これは私の友達よ」と彼女は言った。「一緒に食事をして、そのあと、彼が私を送ってくれるの」

「気をつけろよ、ここでは、誰も信用できないんだぞ。ロバートが許さないって、知っているだろう」

「大丈夫よ」と彼女は言った。

「さあ、おれと一緒に来るんだ！」

私は彼の腕を摑んで、マージョリーの腕から引き離した。「彼女がいま、何て言ったか、聞いただろう？」と私は言った。彼は一歩後ろに下がって私をにらみつけたが、急におびえたような表情になった。彼はくるっと背を向けて、店の中へ戻って行った。

「じゃあ行こう」と私は言った。

私たちは通りを横切って、小さな食堂に入った。食事をする場所は一部屋だけで、テーブルは八つしかなく、油と煙のにおいが浸《し》み込んでいた。私は左の方に、空いているテーブルを見つけた。私たちが歩いてゆくと、中にいた人たちが何人かチラッとこちらを見て、すぐにまた、自分たちのやっていたことに戻った。

ウェイトレスはスペイン語しか話さなかったが、マージョリーがスペイン語を知っていたので、注文してくれた。そのあと、マージョリーは暖かく私を見た。

私は彼女にほほ笑んだ。「あなたと一緒にいたのは誰なの？」

「ケニーよ」と彼女は言った。「ケニーはなぜ、あんなだったのかしら？　助けて下さってありがとう」

彼女は私の目をまっすぐ見た。彼女の言葉は、私をすっかりよい気分にした。「どうして、そのグループと知り合ったの？」と私は質問した。

「ロバート・ジャンセンは考古学者なんです。彼は写本の勉強と、第九の知恵を探すためのグループを作っています。彼は数週間前にビシエンテに来て、二、三日前に、また現れたの。そして……」

「それで？」と私はたずねた。

「ええ、私はビシエンテに恋人がいて、その人と別れたかったのです。ちょうどその時、ロバートに会ったのだけれど、彼はとても魅力的で、彼のやっていることもおもしろそうだったの。第九の知恵を知れば、私たちの研究が進展する、今、自分はそれを探しているところだと、彼は私を説得しました。彼は、第九の知恵を探すのは、それまで自分がやってきた仕事の中で、一番興味深いことになるだろうと言いました。そして、二、三ヵ月間、チームの仕事をしないかと誘ってくれたので、私はその誘いを受けることにしたのです」彼女はそこで話をやめ、テーブルを見つめた。彼女が話しにくそうだったので、私は話題を変えた。

「今まで、いくつの知恵を読みましたか？」

「ビシエンテで見た一つだけです。ロバートは他の知恵も持っているのに、それを理解するためには、まず古い伝統的な考え方を捨てる必要があると、信じています。彼は、自分を通して基本的な考え方を学んだ方がいいと、言っているの」

それを聞いて、私は顔をしかめたに違いなかった。「あなたは気に入らないみたいね」と彼女はつけ加えた。

「どうもあやしいな」と私は言った。

彼女は私をまたじっと見た。「私も変だと思ったの。私を送って下さる時、ロバートと会って、どう思うか私に教えて下さい」

ウェイトレスが食事を運んで来た。彼女がテーブルのそばを離れると同時に、ウィルがドアのところに現れた。彼は足早に私たちのテーブルまでやって来た。

「ここから北へ少し行ったところまで、人に会いに行くことになってね」と彼は言った。「二時間ほどで戻ります。ジープでマージョリーを送ってあげなさい。僕は他の人の車で行くから」彼は私ににこっとした。「あとで、ここで会おう」

ロバート・ジャンセンのことを彼に話そうかと思ったが、何も言わないことにした。

「わかった」と私は答えた。

彼はマージョリーを見た。「お会いできてよかったです。ゆっくりお話できればよかったですね」

彼女は少し恥ずかしそうな表情で彼を見た。「きっとまた、そのうちに」

彼はうなずくと、私に車のキイを渡して出て行った。

マージョリーは二、三分食べてから言った。「あの人は目的を持った人みたいね。どうして彼に出会ったの?」

私はペルーに到着した時の体験を、彼女に詳しく話した。私が話をしている間、彼女は熱心に聞いていた。実のところ、彼女があんまり真剣に聞いてくれるので、私はすらすらと話ができ、しかも劇的な展開やエピソードを、洞察や直感を使って上手に表現することができた。彼女は魅入られたように、私の一言一言に聞きほれていた。

「まあ大変、あなたは危険にさらされているのね」彼女は話の途中で、口をはさんだ。

「いや、そうは思わない。リマからこんな遠いところではね」と私は言った。

　彼女はまだ、期待するように私を見ていた。そこで食事をしながら、サラと私が畑に着いた時までのビシエンテでの出来事を、私は手短に話した。

「そこであなたに会ったのです」と私は言った。「そして、あなたは逃げました」

「そうではないの」と彼女は言った。「ただ、あなたを知らなかったからよ。あなたのエネルギーの場が見えたので、私は離れた方がよいと思ったのよ」

「すみません」と私は笑いながら言った。「私のエネルギーをあなたに向けて解き放ってしまって」

　彼女は腕時計を見た。「もう帰らなくては。みんなが心配するから」

　私は勘定書より大目にお金を置くと、外に出てジープの方に行った。夜の空気はひんやりとして、吐く息が白く見えた。私たちがジープに乗ると、彼女が言った。「この道路を北へ戻って下さい。曲がる所を教えますから」

　私はうなずくと、素早くUターンしてその方向へ向かった。

「これから私たちが行く農場について、もっと教えて下さい」と私は言った。

「ロバートはそこを借りているんだと思うわ。彼のグループはかなり長いこと、そこを使って写本の勉強をしています。私が来てからは、全員で食料を集めたり、車の準備をしたりしています。彼の部下には、とても粗野な人もいるの」

「なぜ、彼はあなたに来るように言ったの？」と私はたずねた。

「最後の知恵を見つけた時に、それを翻訳する人が欲しいからだと、彼は言っていました。少なくとも、ビシエンテにいた時には、そう言いました。ここでは、彼は食料のことや旅行の準備のことしか、話しません」

「彼はどこに行く予定ですか？」

「知りません」と彼女は答えた。「私が聞いても、絶対に教えてくれないの」

二キロほど走ると、彼女は左に曲がって細い岩だらけの道を行くように指示した。その道は曲がりくねって山を登り、今度は下って谷間の平らな所に出た。前方に、荒けずりの板で作った農家があった。その後ろに、いくつかの納屋《なや》と離れが見えた。ラマが三頭、牧場の柵《さく》の向こうから、私たちの方を見ていた。

ジープのスピードを落として停《と》まると、数人の男が車のまわりをとり囲み、笑顔も見せずに私たちをじっと見た。私はガソリンを使った発電機が、家の横でブンブンと音をたてているのに気がついた。その時ドアが開いて、黒い髪をした意志の強そうな痩《や》せた顔の大きな男が、私たちに近づいて来た。

「あれがロバートよ」とマージョリーが言った。

「なるほど」と私は言った。私はまだ元気で自信に溢《あふ》れていた。

ジャンセンがやって来たので、私たちはジープを降りた。彼はマージョリーを見た。

「心配していたぞ」と彼が言った。「友達にばったり会ったそうだね」

私は自己紹介した。彼は私の手をぎゅっと握った。

「ロバート・ジャンセンです」と彼は言った。「二人とも無事でよかった。どうぞこちらへ」

建物の中では、男たちが食料や備品の整理に忙しかった。一人の男がテントとキャンプ用具を、裏の方へ運んで行った。食堂の向こうに、二人のペルー人の女性が、台所で食料を荷造りしているのが見えた。ジャンセンは居間の椅子《いす》に腰を下ろすと、私たちにもすわるように合図した。

「なぜ、私たちが無事でよかったと、さっき言われたのですか？」と私が聞いた。

彼は私の方に体を近づけると、丁寧な口調でたずねた。「あなたはこの地域に、いつ来られたのですか？」

「今日の午後です」

「では、このあたりがどんなに危険か、知らないのです。何人も行方不明になっています。あなたは写本のことや、まだ見つかっていない第九の知恵のことをご存じですか？」

「ええ、実は……」

「では、どんなことが起こっているのか、知っておく必要がありますね」と彼は私をさえぎって言った。「最後の知恵の探索は、どんどんみにくいものになっています。危険な連中が加わり始めたのです」

「それは誰ですか？」と私はたずねた。

「この発見の考古学的な価値を、気にもとめない連中です。自分の欲のために、第九の知恵を欲しがっている奴らです」

顎髭《あごひげ》をはやした、腹の出た大男が入って来たので、私たちの会話は中断した。彼はジャンセンにリストを見せ、二人はスペイン語で何か話し合った。

ジャンセンは再び私の方を見た。「あなたも、未発見の知恵を探しにここへ来たのですか？」と彼は聞いた。「ご自分が、どんなことに頭をつっこんだか、おわかりですか？」

私はおどおどして、自分をうまく表現できなかった。「ええまあ、私はおもに、写本全体について、もっと知りたいのです。まだそんなに見ていないのです」

彼は椅子《いす》の上で姿勢を正してから言った。「写本は国家の美術品であって、政府の許可なくコピーを作るのは違法だということを、あなたはご存じですか？」

「はい、でも、そういう考えに反対している学者もいますよ。彼らは政府が湮滅《いんめつ》しようと……」

「ペルーは自国の考古学的な宝を管理する権利を持っているとは、思いませんか？　政府はあなたがここにいることを、知っていますか？」

私は何と言ってよいか、わからなかった。不安が波のように押しよせてきた。

「どうか私のことを悪く取らないで下さい」彼は笑いながら言った。「私はあなたの味方ですよ。もし、あなたが国外から、何らかの学術的な援助を受けているのでしたら、私に教えて下さい。しかし、私の感じでは、あなたはただ、このあたりをふらふらしているだけのようですね」

「そんなものです」と私は言った。

マージョリーの視線が、私からジャンセンに移ったのに、私は気がついた。「彼はどうすべきだと思う？」と彼女がたずねた。

ジャンセンは立ち上がって笑った。「たぶん、あなたにここですることを見つけてあげられると思います。私たちはもっと人が必要なのです。私たちがこれから行く所は、比較的安全だと思います。もしうまくゆかなければ、途中で帰国する方法も、見つかりますよ」

彼は私をじっと見た。「ただし、どんなことでも、私の言うとおりにしないといけません」

私はマージョリーを見た。彼女はまだジャンセンを見ていた。私は混乱していた。ジャンセンの申し出を考慮したほうがいいと、私は思った。もし彼が政府とよい関係にあれば、これは私が合法的にアメリカに帰れる唯一のチャンスかもしれなかった。たぶん、私は自分をだましていたのだ。きっとジャンセンが正しくて、私が間違っているのだ。

「ロバートの言うことを、考えてみるべきだと思うわ」とマージョリーが意見を言った。「一人でいるなんて、危険ですもの」

彼女は正しいかもしれないと思ったが、私はまだウィルのことも、自分たちがやっていることも信じていた。私はこの思いを口に出したかったが、しゃべろうとしても、言葉にすることができなかった。もはや、はっきりと物を考えることができなかった。

突然、さっきの大男が部屋に入って来て、窓から外を見た。ジャンセンも急いで窓のところへ行って外を見ると、マージョリーの方を向いて、何気ない調子で言った。「誰か来たらしい。ケニーにここへ来るように、言いなさい」

彼女はうなずくと、部屋を出て行った。窓から、トラックの明かりが近づいてくるのが見えた。車は十五メートルほど向こうの、フェンスの外側にとまった。

ジャンセンがドアを開けると、外で私の名を誰かが呼ぶのが聞こえた。

「誰ですか?」と私は聞いた。

ジャンセンは鋭い目付きで、私を見た。「静かに」と彼は言った。彼と大男は、外に出てドアを閉めた。窓を通して、一つの人影がトラックの明かりの向こうに見えた。最初、私はとっさに中にいようと思った。私のいる状況についてジャンセンが言った言葉が、私の心に不吉な予感を呼び起こした。しかし、トラックのそばの人を、私は知っているような気がした。私はドアを開けて外に歩いて行った。ジャンセンは私を見ると、すぐに向きを変えて私の方に歩いて来た。

「何をしているんだ？　中に戻りなさい」

発電機の音にまじって、私はまた自分の名が呼ばれたように思った。

「すぐに中へ戻れ！」とジャンセンが言った。「罠《わな》かもしれないぞ」彼は私の目の前に立ちはだかって、私から車が見えないようにした。「すぐに中へ戻りなさい！」

私はすっかり混乱してパニックに陥り、どうしていいかわからなかった。その時、明かりの向こうの人影が近づいてきた。そしてジャンセンの体の向こうに、彼の姿が見えた。「こっちに来なさい。話がある」という声を、私ははっきりと聞いた。そしてその人影が近づくに従って、私の頭もはっきりして、それがウィルだとわかった。私はジャンセンの向こうに飛んで行った。

「一体、どうしたんだ？」ウィルが早口でたずねた、「すぐここを出なければいけない」

「でも、マージョリーは？」と私が聞いた。

「彼女のことは今はどうすることもできない」とウィルが言った。「早く出た方がいい」

私たちが歩き始めた時、ジャンセンが叫んだ。「ここに居た方がいいぞ。成功しっこない」

私は振り返った。

ウィルは立ち止まって私を見た、そしてここに止《とど》まるか行くか、私に選択権を与えた。

「行こう」と私は言った。

私たちはウィルが乗って来たトラックの前を、通りすぎた。前の座席に二人の男が待っているのが見えた。ウィルのジープのところに来ると、彼は私からカギを受け取り、私たちは走り出した。ウィルの友達のトラックはあとについて来た。

ウィルはこちらを向いて私を見た。「ジャンセンは私に、あなたはグループに加わる決心をしたと、言いましたよ、何かあったの？」

「なぜ、彼の名前を知っているのですか？」と私はどもりながら言った。

「あの男のことを全部、さっき聞いたばかりなんだ」とウィルは言った。「彼はペルー政府のために働いているそうだよ。彼は本物の考古学者だが、写本を独占的に研究する権利を得るかわりに、写本のことを秘密にするということになっているのだ。ただ、彼は未発見の知恵を探してはいけないことになっている。明らかに、彼はその約束を破る気なんだな。噂《うわさ》によれば、彼は間もなく、第九の知恵を探しに出発するそうだよ。

マージョリーが一緒にいる男が彼だとわかったので、私はここに来た方がよいと思ったのさ。彼はあなたに何と言いましたか？」

「私はとても危険な状況にある、私は彼のグループに加わるべきだ、そしてもし私が望めば、この国を出る手伝いをすると、言いました」

ウィルは首を振った。「そう言って、あなたを餌《えさ》で釣っているんだ」

「どういう意味ですか？」

「自分のエネルギーの場が見えればよかったのに。あなたのエネルギーはほとんど全部、彼に流れ込んでいましたよ」

「よくわからないな」

「ビシエンテで、サラと学者の論争した時のことを考えてみなさい。どちらかが勝って相手に自分が正しいと信じさせると、負けた方のエネルギーは勝った方に流れ込みます。敗者は落ち込み、自分を弱く感じ混乱してしまいます。あのペルー人の一家の女の子がそうだったように、そして」と言って彼は笑った。「今のあなたのようにね」

「それが私に起こったと言うのですか?」

「そのとおり」と彼は答えた。「彼にコントロールされるのを止めて、自分自身を彼から引き離すのは、あなたにはとても難しかったんですよ。もうだめかと思ったほどだった」

「うーん」と私は言った。「本当に悪い奴なんだな」

「そうとも言えない」と彼は言った。「彼はおそらく、自分が何をやっているか、半分ぐらいしかわかっていないのだろう。そして状況をコントロールするのが正しいと思っているんだ。そしてずっと前に、ある戦術を使えば、うまくコントロールできるということを、学んでいますよ。彼はまず、あなたの友人らしく振る舞い、次にあなたのやっていることの問題点を発見する。あなたの場合は、あなたが危険の渦中にいるということです。そして秘《ひそ》かに自分の計画に対する自信を失わせ、あなたは彼と同じように考え始める。そうなった時は、あなたはもう彼のものです」

ウィルは私をまっすぐ見た。「これは人がよく使う、相手のエネルギーを抜き取る術の一つにすぎません。第六の知恵で、他の方法について、学びます」

私は上の空で聞いていた。マージョリーのことばかり考えていたのだ。あの場所にマージョリーを置いてきたくなかった。

「マージョリーを連れてくるべきだったと思いませんか?」と私がきいた。

「今はだめだ」と彼は言った。「彼女が危険な状況にあるとは思いません。明日出かける時に、彼女のところへ行って話し合おう」

　私たちは二、三分黙っていた。そしてウィルがたずねた。「ジャンセンは自分が何をしているかわかっていないと、私が言った意味がわかりますか？　彼は大部分の人と同じなのです。彼は、自分を最も力強く感じさせてくれることを、やっているだけです」

「いや、僕はわかっていないと思います」

　ウィルは考え込んでいる様子だった。「大部分の人は、まだこうしたことに気がついていません。我々が知っているのは、我々は無力感を感じていて、他人を支配している時は、気分がいいということだけです。この気分のよさは、他人を犠牲にした上のものだということを、私たちは気がついていないのです。私たちが盗むのは、他人のエネルギーです。大部分の人は、他人のエネルギーを追いかけて、一生をすごしています」

　彼はいたずらっぽい目で私を見た。「もちろん、時と場合によっては、違うように作用することもあるけれどね。少なくともしばらくの間は、自ら進んでエネルギーを私たちに送ってくれる人に、出会ったりもします」

「何を言っているのですか？」

「マージョリーとあなたが、町のレストランで一緒に食事をしていた時のことを考えなさい。ちょうど、私が入って行った時です」

「はい」

「二人が何を話していたのかは知らないが、明らかに彼女のエネルギーが、あなたに注ぎ込まれていました。私が入って行った時、はっきり見えましたよ。あの時、どんな気分でしたか？」

「とてもいい気持ちでした」と私は言った。「実は、自分の体験も考えも、水晶のようにはっきりしていました。自分のことを楽に表現できました。でも、どういう意味があるのですか？」

彼はにっこりした。「時々、マージョリーがあなたにしたように、誰かが、自分の状態を私たちに何とかしてもらいたくて、自分のエネルギーを私たちに与えることがあります。それで私たちは力を得たように感じますが、こうしたことは長くは続きません。マージョリーも含めて、大部分の人は、エネルギーを与え続けられるほど、強くありません。だから、ほとんどの男女関係は、最後は権力闘争になってしまうのです。人は互いのエネルギーを結合させ、そのあとすぐに、誰がそれをコントロールするか、戦い始めます。そして敗者が常に代価を払うのです」

彼は急に話をやめて私を見た。「第四の知恵がわかりましたか？　あなたに起きた出来事を考えて下さい。あなたは人と人の間のエネルギーを見た。それが何を意味しているのだろうと考えた。すると、ルノーに出会って、彼はあなたに、心理学者はすでに、人間が互いに相手を支配しようとする理由を探求し始めていると、教えてくれた。

そのすべてが、ペルー人の一家によって、目の前で演じられた。他人を支配することで支配者は自分が強力で有能だと感じるが、それは、被支配者から、大切なエネルギーを吸い取っているのだという事実を、あなたははっきりと見ました。相手の幸せのためにそうしているとか、自分の子供なんだから、いつも支配すべきだなどと自分に言い聞かせても、何ら違いはありません、被害は起こるのです。

次に、あなたはジャンセンに会い、支配されるとは実際にどんな感じか、味わいました。誰かに身体的に支配されると、実は心まで奪われるのを、あなたは見ました。あなたは、ジャンセンと知的な論争をして、負けたわけではありません。あなたには、議論するだけのエネルギーも知的な明晰《めいせき》さも、すでになかったのです。あなたの知的な力は、すべてジャンセンに行ってしまっていたのです。不幸なことに、こうした心理的な暴力は、人間の文明史を通して常に生じています。それもしばしば、善意の人々によって、起こったのです」

私はうなずいた、ウィルは私の体験を正確に要約したのだった。「あなたがすでに知っていることと、ぴったり合うでしょう。

「第四の知恵を一つにまとめてみなさい」とウィルが続けた。「あなたがすでに知っていることを、示しています。そして今、第四の知恵では、この物質世界は、大きなエネルギーシステムだということを、示しています。第三の知恵は、人類はずっと、無意識のうちに、このエネルギーの中で唯《ただ》一つ、自分たちに開かれている部分、つまり、私たちの間に流れているエネルギーを、争い合ってきたということを、伝えています。人間の闘争は、常にこのエネルギーをめぐる争いでした。家族間のささいな争いから、雇用関係から国家間の争いまで、すべてのレベルに、あてはまります。これは、不安と無力感のため、自分は大丈夫だと感じるためには、他の人のエネルギーを盗まねばならないということなのです」

「ちょっと待って下さい」と私は抗議した。「戦争の中には、戦わなければならないものもあります。戦うことが正しい場合もある」

「もちろん」とウィルが答えた。「しかし、どんな争いでもすぐに解決できないのは、どちらかが、エネルギーが欲しくて無理な立場にしがみついているからです」

ウィルは何かを思い出したようだった。旅行用の鞄《かばん》の中に手を入れると、一束の書類をひっぱり出した。

「もうちょっとで忘れるところだった」と彼は言った。「第四の知恵のコピーを見つけましたよ」

彼はそのコピーを私に渡すと、何も言わずに前をまっすぐ見て、運転し続けた。

私は床の上に置いてあった懐中電灯を拾いあげると、次の二十分間、その短い書類を読み続けた。第四の知恵を理解するということは、人間の世界を、エネルギーと権力を追い求める巨大な競技とみなすことだと、それには書いてあった。

しかし、一度自分たちの闘争を理解すれば、私たちはすぐにこの争いを超越し始めると、言っていた。私たちは人間のエネルギーだけを競い合う争いから自由になる……なぜなら、ついに、他のエネルギー源から私たちはエネルギーを受け取ることができるようになるからだ。

私はウィルを見た。「他のエネルギー源って何ですか？」と私は聞いた。

彼はにっこりしただけで、何も言わなかった。

第五章　神秘体験

次の朝、私はウィルが動き出した音で目が覚めた。私たちはその夜はウィルの友人の家に泊まっていた。ウィルは向こう側のベッドに起き上がると、素早く服を着た。外はまだ暗かった。

「荷物をまとめよう」と彼は囁《ささや》いた。

私たちは衣類をかき集め、ウィルが買った食料品などと一緒にジープに運んだ。町の中心からわずか二、三百メートルしか離れていなかったが、町の明かりはほとんど見えなかった。東の空がほんの一筋明るんで、夜明けの近いことを示していた。数羽の鳥が朝の到来を予告しているほかは、物音はしなかった。

準備が整うと、私はジープのそばでウィルを待った。彼は、ポーチのところに眠そうに立って、私たちの荷造りを見ていた友人と、話をしていた。突然、十字路の方で物音がした。町の中心まで来てとまった三台のトラックの光が、私たちのところから見えた。

「あれはジャンセンかもしれない」とウィルが言った。「あそこまで歩いて行って、連中が何をしているか、見てみよう。でも注意しないと」

私たちは通りをいくつか横切って、大通りのトラックから、百メートルほど離れた路地に入った。二台の車は給油中で、もう一台は店の前にとまっていた。近くに四、五人の男が立っていた。

マージョリーが店から出て来て、何かをトラックに乗せた。それから他の店の中をのぞきながら、私たちの方にぶらぶら歩いて来た。

「あそこまでいって、彼女をこちらに連れて来られるかどうか、やってみなさい」とウィルが囁いた。「私はここで待っているから」

私は角をそっと曲がり、彼女の方にゆきかけたとたん、ぞっとした。彼女の後ろの店の前に、ジャンセンの部下が何人か機関銃を持って立っていた。その直後、私の恐怖はさらに強くなった。道路の向こう側に武装した兵士が道に這《は》いつくばって、ゆっくりとジャンセンのグループに近づきつつあった。

マージョリーが私を見るのと同時に、ジャンセンの部下は兵士に気づいて逃げ出した。機関銃の音があたりに鳴り響いた。マージョリーは恐怖に満ちた目で、私を見た。私は彼女に走りよると、彼女をつかんだ。そして次の路地に逃げこんだ。スペイン語で怒鳴り合う声が聞こえ、さらに銃声が響いた。私たちは空のダンボールの山につまずいて、倒れ込んだ。二人の顔がもう少しで触れそうだった。

「行こう！」と言って私は勢いよく立ち上がった。彼女もやっと立ち上がったが、すぐに私を引っぱって伏せさせて、頭で路地の方を指し示した。武装した二人の男が私たちに背を向けて、向こうの通りをうかがっていた。私たちは凍りついたように動けなかった。すると、その二人の男は、通りを横切って向こうの森の方へ走って行ってしまった。

ウィルの友人の家に戻り、ジープのところへ行くべきだと私は判断した。ウィルもそこに戻っているに違いない。私たちは注意深く向こうの通りまで這って行った。右側からは怒鳴り声や銃声が聞こえたが、人影は見えなかった。左側を見ると、そこにも誰もいなかった。ウィルの姿もなかった。彼は先に逃げたのだろう。

「森まで走ろう」と私はマージョリーに言った。彼女は周囲を警戒し、決然とした様子だった。

「それから森に沿って、左に進もう。ジープがその方向にあるから」

「わかったわ」と彼女は言った。

私たちは通りを素早く横切ると、家々が立ち並ぶ中を三十メートルほど進んだ。ジープはまだそこにあったが、どこにも人の動く気配はなかった。その家へ行く最後の通りを横切ろうとした時、一台の軍の車が左側から現れて、ゆっくりとその家に進んで行った。その時、ウィルが庭を横切ってジープに駆けより、素早くジープを発車させて向こうの方角に走り去った。軍の車が追跡した。

「畜生！」と私は叫んだ。

「どうしましょう？」とマージョリーが言った。彼女はまた、パニックに陥っていた。

後ろの通りから、さらに銃声が聞こえた。今度はもっと近かった。前方には深い森林が広がり、南北に走る町にのしかかるように尾根の上まで続いていた。ここへ来る途中、山の上から見た尾根だった。

「頂上まで登ろう」と私は言った。「急げ！」

私たちは尾根の斜面を数百メートル登った。見晴らしのきく場所で立ちどまって、町を振り返った。軍の車が何台も四ツ辻《つじ》のあたりに出動し、大勢の兵士が一軒一軒しらみ潰《つぶ》しに、家々を捜索していた。尾根の麓《ふもと》で、くぐもった人声が聞こえた。

私たちは大急ぎで山を登っていった。今できることは、逃げることだけだった。

私たちは午前中ずっと、尾根を北へと辿《たど》った。左側を走っている尾根道を車が通った時に、しゃがみ込むために足を止めるだけだった。ほとんどの車は、前に見たのと同じ灰色の軍隊のジープだったが、時たま民間の車も通って行った。皮肉なことに、この道路は唯一の目印《めじるし》となって、原野での私たちの安全を守ってくれた。

前方で二つの尾根が近づいて合流し、斜面はもっと急になっていた。のこぎりの歯のように鋭く露出した岩が、その間の谷底をおおっていた。突然、北の方から、ウィルのジープに似た車が近づいて来るのが見えた。その車はすぐに、谷へ曲がりくねって下っている脇道《わきみち》へと入った。

「あれはウィルみたいだ」と目をこらしながら私は言った。

「あそこまで下りてゆきましょう」とマージョリーが言った。

「ちょっと待って。ワナだったらどうする？　奴らがウィルをつかまえて、我々をおびき出すためにあのジープを使っているのかもしれない」

彼女はがっかりして顔を伏せた。

「君はここで待っていなさい」と私は言った。「僕があそこまで降りて行くから、見ていて下さい。もしすべてうまくいったら、来るように合図するから」

彼女はいやいやながら同意し、私は急な坂をジープがとまっているところへと、下って行った。小さな灌木《かんぼく》や木の繁みを通して、誰かが車から降りるのが見えたが、誰だかわからなかった。私は岩や木につかまって、ときどき腐葉土の上を滑りながら、岩の間を下っていった。

ついに、百メートルほど離れた反対側の斜面に、自動車が見えるところまで来た。運転していた男は車の後ろ側によりかかっていたが、まだ誰かわからなかった。私はもっとよく見えるように、右に移動した。ウィルだった。さらに右に移動したとたん、私は滑り落ちそうになった。間一髪で、私は木の幹につかまり、自分の体を上に引っ張り上げた。恐怖で胃が縮み上がった。私の真下は、十メートル以上の切りたった崖《がけ》になっていた。すんでのところで、死ぬところだった。

私は木につかまって立ち上がると、ウィルの注意を引こうとした。彼は私のいるところより上の山の方を捜していたが、その視線が下に移ると私を見つけた。彼はぱっと飛び上がると、藪《やぶ》の中を私の方に歩いて来た。私は切りたった谷間を指さした。

彼は谷の底を見渡してから、私に呼びかけた。「ここは渡れない。谷をずっと下って下の方で渡るしかないな」

私はうなずいて、マージョリーに合図をしようとした。その時、遠くの方から車が近づく音がした。ウィルはジープに飛び乗ると、幹線道路の方へ走り去った。私は急いで丘を登った。マージョリーが私の方へ下りてくるのが、木の繁みの間から見えた。

突然、彼女の背後でスペイン語の叫び声と人の走る足音がした。マージョリーはつき出ている岩の陰に身を隠した。私は方向を変えて、左の方へできるだけ音をたてないように走った。走りながら、木の間を通してマージョリーを探した。彼女の姿をやっと見つけた時、二人の兵士が彼女の腕をとらえて立たせようとしていた。彼女は大きな悲鳴をあげた。

私は体を低くして、坂をかけ登り続けた。彼女の恐怖に満ちた顔が、心の中に焼きついていた。尾根の頂上に登りつめると、私はまた北へ向かった。恐怖とパニックで、心臓が早鐘を打っていた。

一キロ半以上走ってから、私は立ち止まって耳をすませた。後ろからは物音も人の話し声も聞こえなかった。あお向けに横になると、リラックスして考えをまとめようとした。しかし、マージョリーが捕まった時の恐ろしい場面がちらついて、どうしようもなかった。上で一人で待っているように、なぜ言ったのだろう？　これから、どうすればいいのだろうか？

私は上半身を起こして深呼吸をした。そして向こう側の尾根を走っている道路をながめた。走っていた間、車の往来は見なかった。もう一度耳をすませた。普段の森の音のほかは何も聞こえなかった。私は徐々に落ち着きを取り戻し始めた。結局、マージョリーは捕まっただけなのだ。彼女はただ銃撃戦から避難しただけで、罪を犯したわけではない。ちゃんとした科学者であると判明するまで、拘束されるだけだろう。

私は再び、北に向かった。背中が少し痛かった。泥だらけで疲れていた。そして空腹で胃が痛んだ。それから二時間、何も考えず、誰にも会わずに歩いた。

その時、右側の斜面で、人が走って来る音が聞こえた。私はじっとして耳をそばだてたが、音は止んでしまった。このあたりの木は大きくて地上に太陽の光が届かず、下生えはまばらだった。十五メートルか二十メートルは見通すことができた。何も動かなかった。右にある大きな岩と何本かの木のそばを、私はできるだけそっと歩いていった。行く手には三つの大きな岩があり、私はそのうちの二つを通りすぎた。まだ、何の動きもなかった。三つ目の岩をまわり込んだ。後ろで、小枝の折れる音がした。私はゆっくり振り返った。

岩のすぐそばに、ジャンセンの農場で見かけた髭《ひげ》の男がいた。彼の目は血ばしり、パニックに陥っていた。私の腹に銃口を向けて自動小銃を構えた手は、ぶるぶると震えていた。彼は私が誰か、思い出そうとしているようだった。

「ちょ、ちょっと待て」私はどもりながら言った。「私はジャンセンを知っている」

彼は私をもっとよく見て、銃を下におろした。その時、私たちの背後の森から、人の動く音がした。髭の男は銃を片手に持つと、私の前を北の方へと走り出した。とっさに私もあとを追った。二人とも死にもの狂いで、木の枝や岩をよけ、ときどき後ろを振り返りながら走った。

数百メートル走ったところで、彼がつまずいて倒れ、私は彼を追い越した。私は二つの岩の間に倒れ込むと、そこで一休みし、後ろを見てどうなっているか確かめた。五十メートルほど向こうに兵士が一人見えた。彼は起き上がろうともがいている大男に向かって、ライフルを構えた。私が「危ない！」と叫ぶ間もなく、兵士が発砲した。後ろから弾丸が貫通して、男の胸が破裂し、血が飛び散った。ライフルの銃声がこだましてあたりに響きわたった。

一瞬、男は動きを止め、目がどんよりすると、その体が前方にどさりと折れるように倒れた。私は盲目的に反応して、兵士から逃げ出そうとまた北に向かって走り出した。銃弾が飛んで来た所から身を隠すために、木に隠れるようにして進んだ。尾根は次第にごつごつと岩だらけになり、急にけわしくなり始めた。

岩の間をよじ登っている間、疲れと恐怖で体全体ががたがたと震えた。あるところで私は足を滑らせ、後ろをチラッと見てしまった。例の兵士が死体に近づいた。私が岩のまわりをずるずる滑ったちょうどその時、兵士が見上げた。私をまっすぐ見たように思えた。私は地面に低く伏せて、いくつかの岩の横を這《は》っていった。すると尾根の斜面が平らになって、兵士から見えなくなった。私はまた立ち上がると、全速力で岩と木の間をぬって走った。何も考えられなかった。ただ逃げのびることだけしか考えていなかった。とても振り返る勇気はなかったが、兵士が私を追ってくる音を確かに聞いたと思った。

登りはまだ続き、私は力を振りしぼって登って行ったが、さすがに力も尽き始めた。登りつめた所には平らな土地が広がっていて、背の高い木と下草が青々と生い繁っていた。その後ろの登りは、一枚岩になっていて、前へ進むために、どこに手や足をかけるか、注意深く調べなければならなかった。やっと頂上にたどり着いたものの、私は目の前の情景にがっくりしてしまった。そこは三十メートル以上の崖《がけ》になっていて、行く手をはばんでいた。これ以上、進むことはできなかった。

万事休す、もう終わりだった。私の後ろの大きな岩の上を、石が落ちていった。兵士が近づいてきたしるしだった。私は膝《ひざ》をついた。疲れ果て、弱り果て、最後のため息とともに、私は戦うのをやめ、自分の運命を受け入れた。すぐに銃弾が飛んでくると、わかっていた。面白いことに、恐怖がなくなると、死でさえも歓迎すべきことのように思えた。待っている間、子供の頃の日曜学校と、無邪気な神様へのお祈りのことが、心に浮かんだ。死とは、どんなだろうか？　私は死の体験に自分をゆだねようと努めた。

時間の観念を失っていた長い時間がすぎた。そして突然、私は何も起きなかったことに気がついた。あたりを見まわすと、山の一番高い所にいることを発見した。他の尾根や崖はここよりずっと低い所にあり、私は四方を見渡すことができた。

動くものが目に入った。南へ下る斜面のずっと下をぶらぶらと向こうへ歩いてゆくのは、例の兵士だった。彼はジャンセンの部下の銃を腋《わき》の下に抱えていた。

その姿を見ると体中が暖かくなり、声にならない笑いの波が私を満たした。何とか生きのびたのだ。私は前に向き直ると、あぐらをかいてすわり、うっとりするほどの喜びを味わっていた。ここに永遠にいたかった。太陽が輝き、空があくまで青いすばらしい日だった。

そこにすわっていると、遠くの紫色の山々の近さにびっくりした。というより、とても近くに感じられてびっくりした。頭の上に浮かんでいる白いふわふわな雲にも、同じように感じた。手を伸ばせば触われるような気がした。

空に向かって手を伸ばした時、自分の体の感じが今までとまるで違うことに気がついた。腕は信じられないほど楽々と上にあがり、背中、首、頭を努力しなくても完全にまっすぐにすることができた。あぐらの姿勢から、腕の力を使わずに立ち上がって、体を伸ばすこともできた。それは完全な軽やかさの感覚だった。

遠くの山々を眺めていると、昼の月がちょうど沈もうとしているのに気がついた。鎌のように細い月で、地平線におわんを伏せたような形でかかっていた。一瞬のうちに、なぜ月がその形をしているのか、私には理解できた。何億キロも離れたところにある太陽が、沈みつつある月の上の部分だけを、照らしているのだった。私は太陽と月の表面を結んでいる線を、はっきりと認識することができた。そしてこれは、私の意識をなぜか、もっと外側に拡大していった。

私は、地平線に沈んだ月が、もっと西の方に住んでいる人々にどんなふうに見えるか、想像することができた。さらに、もし、今、月が私の真下の地球の裏側にあったとしたら、どう見えるか、想像してみた。地球の裏側に住む人にとっては、月は丸く見えるだろう。私の頭上にある太陽が、地球を越えて真正面から、月に光を当てるからだ。

このイメージが浮かんだ時、私の背骨を下の方から感動が貫いた。そして、私の頭上にいつもあると感じている空間が、自分の足の下の地球の反対側にも、同じだけあると認識した、というより体験したのだった。その時、私の背中はさらにまっすぐになったように思えた。生まれて初めて、私は地球が丸いという事実を、知的な概念としてではなく、実際の感覚として知ったのだった。

ある意識面では、この気づきに私は興奮したが、もう一つの意識のレベルでは、これはまったく自然なことのように思えた。今はただ、四方に広がる空間の真ん中にポッカリと浮かんでいる感覚に、身をまかせていたかった。そこに立っていても、地球の引力に抵抗して自分の足で地球から自分を引き離すのではなく、体の中の浮力で持ち上げられているような感じだった。それはちょうど、足が地面に着くか着かないかぐらいに浮き上がるだけのヘリウムをつめた気球になったような気分だった。一年間集中的な鍛練を積んだあとの、完璧《かんぺき》な運動選手の状態にも似ていた。ただ、それよりもずっと調和がとれて軽やかだった。

私は岩の上に再びすわった。すると、またしてもすべてのものが身近に見えた。私がすわっている岩も、斜面のずっと下にある大きな木々も、地平線の山々も、みなすぐ近くに感じられた。そよ風に揺れている木々の梢《こずえ》を見ていると、目で認識するだけでなく、まるで自分のうぶ毛がそよ風に揺れているような感じがした。

すべてのものが自分の一部であるように、私は感じていた。山の頂上にすわって四方に広がる風景を眺めていると、自分の体だと普段思っていたものが、自分に見えるすべてのものから成る大きな体の頭の部分にすぎないと、感じられた。宇宙全体が私の目を通して、それ自身を見ていた。

そう思ったとたん、記憶が過去にさかのぼっていった。私の心は、ペルーの旅に出た時のこと、子供時代のこと、生まれた時のことへと、どんどん戻って行った。自分の人生はこの惑星上で受胎して誕生した時に始まったわけではないという事実に、はっと気がついた。それはずっと以前、私の残りの部分、私の本当の体である宇宙そのものが形成された時に、始まっていた。

進化の科学はずっと私には退屈な学問だったが、今、私の心はどんどん時間をさかのぼり続け、今まで進化について学んだことを思い出し始めていた。ルノーに似た友人とした会話もその一つだった。彼が一番興味を持っていたのはこの分野だった。

知識と実際の思い出が、一体となったように思えた。なぜか私は過去に宇宙に起きたことを、思い出し、それは私に進化を新しい角度から見せてくれた。

私は最初の物質が爆発して宇宙となる様子を見ていた。そして第三の知恵に書かれているように、本当の意味の固体は存在しないということに気がついた。物質はある特定のレベルで振動しているエネルギーにすぎず、最初は、最も単純な振動体の形で存在していた。水素と呼ばれるものである。それが宇宙にあるすべてだった。水素だけだった。私は水素原子が自然に一つに引きつけられてゆく様子を見ていた。それはまるで、このエネルギーの支配主、衝動が、より複雑な状態への移行を始めようとしているかのようだった。そして、この水素の固まりが十分な密度に達すると、それは熱を出して燃え、私たちが星と呼んでいるものになった。燃えている間に、水素は融合して、次に高い振動数を持つ物質、私たちがヘリウムと呼ぶものになった。

私がさらに見ていると、この最初に出来た星は年をとり、ついに爆発して、残りの水素と新しくできたヘリウムを、宇宙に放出した。そして、同じプロセスが再び始まった。今度は水素とヘリウムが自然に一つに引きつけられてゆき、十分高温になると星を形成し、今度はヘリウムが融合して、次に高いレベルの振動数を持つリチウムになった。

そして次々に同じことが繰り返され、新しい星が生まれるたびに、今まで存在しなかった物質が作り出された。こうして基本的な化学元素が完成し、四方八方にばらまかれた。物質は最も単純なエネルギーの振動である水素から、非常に高い振動数を持つ炭素に、進化した。こうして、次の進化への準備が整ったのだった。

私たちの太陽ができると、物質の固まりは太陽のまわりの軌道に乗った。その中の一つが地球だった。地球は炭素を含む、新たに作られたすべての元素を含んでいた。地球が冷え始めると、溶けた物質の中に取りこまれていたガスが表面に浮き出し、化合して水蒸気となって大雨を降らせ、不毛の地に海を作った。水が地球の表面の大部分をおおうと、空が晴れ、太陽が赤々と燃えて、光と熱と放射線を新しい世界に浴びせかけた。

そして浅い水たまりや湖の中で、周期的に地球を襲う激しい雷雨のもとに、物質は炭素の振動レベルを越えて、さらに複雑な状態へと飛躍した。アミノ酸に代表される振動である。しかし、この新しい振動レベルは、それ自身では安定を維持できない、最初の物質であった。その振動を保つためには、こうした物質は常に他の物質を自らの中に、取り入れなければならなかった。食べなければならなかったのだ。進化の新段階である、生命が出現したのだった。

まだ水の中にしか住めなかったが、この生命は二つの形に分化していった。一つは植物で、無機類を取り入れ、原初の大気中にあった炭酸ガスを利用して、無機類を食物に変えていった。その副産物として、植物は遊離した酸素を初めて世界に放出した。植物生命体は急速に海中に広がり、ついには陸上にも広がり始めた。

もう一つの形は動物で、その振動を保つために、有機生命体のみを吸収した。私が見ているうちに、動物は海にみち、魚類の大時代を作った。そして植物が大気中に十分な酸素を放出すると、動物も陸地に進出し始めた。

体半分が魚で半分はそれ以外のものという両棲類《りょうせいるい》が出現し、初めて肺で新しい空気を吸った。次に物質はさらに進化して、爬虫類《はちゅうるい》が地上をおおい、恐竜の大時代が出現した。その後、温血動物である哺乳類《ほにゅうるい》が出現し、またもや地球上をおおった。新しい種が出現するごとに、それはそれまでより一段高い波動を持つ生命、つまり物質となった。ついに、進化は終わった。その頂上に、人類が立った。

人類。そこでビジョンは終わった。私は一瞬の間に、進化の全物語を見たのだった。それはあたかも計画されていたかのように、物質が生物になり、より高い振動のものへと、そのための条件を創造しながら進化し、ついに人間が出現するという物語だった。それは、個人としての私たち一人ひとりが出現するための、進化の歴史だった。

私は山の上にすわっている間に、この進化が人間の生命の中で、さらにどのように発展してゆくか、おおかたは理解できた。これから先の進化は、人生で偶然の一致を体験するということと、関係していた。こうした同時に起こる出来事が、私たちの人生を前進させ、同時により高い振動を創《つく》り出して、進化を推し進めてゆくのだ。しかしいくら考えても、完全に理解することはできなかった。

長い時間、私は平和と充実感に満たされて、その岩の上にすわっていた。すると突然、太陽が西に沈み始めているのに気がついた。それと同時に、北西へ二キロほど行ったところに、町のような場所があるのにも気がついた。尾根のてっぺんが見えた。西側の尾根の上の道が、そこへ曲がりくねって続いているようだった。

私は立ち上がると、岩山を下り始めた。私は大声で笑った。私はまだ風景と一つになっていたので、自分の体に沿って歩いているような気がした。さらに、自分の体の一部を探検しているようにも感じた。すばらしい感覚だった。

私は切りたった崖《がけ》を下り、森の中へと入って行った。午後の光が森の地面に長い影を落としていた。半分ほど下ってくると、特に大きな木が繁っている場所に出た。そこに入ると、私の体が変化したのに気がついた。前よりももっと軽く、調和がとれている感じがした。私は立ち止まると、木や下生えをじっと見て、その形と美しさに集中した。一つひとつの植物のまわりに、白い光とピンクがかった輝きがちかちかしているのが見えた。

私は歩き続け、青白い光を放つ小川にやって来た。その水は私を安らかさで満たし、眠気を誘うほどだった。谷間を越え、次の尾根をよじ登って、私はついに道路に出た。砂利道まで這《は》い上がると、道路わきを歩いて北へ進んだ。

ずっと前方の道がくねったところに、僧服を着た男の姿が見えた。その姿を見て、私は心が躍った。まったく恐怖を感じずに、その男に話をするために、私は駆け出した。何と言えばよいか、どう振る舞えばよいか、完全に知っている気がした。私は完全な幸福感の中にいた。しかし驚いたことに、男は消えていた。右手に、もう一本の道が、後戻りするような形で谷間の方へ下っていたが、その方向には誰も見えなかった。私は太い道をそのまま駆けて行ったが、やはり誰も見えなかった。今来た道を戻って、通りすぎた小道を辿《たど》ろうかと考えたが、町はこの先にあるとわかっていたので、そのまま先へ進むことにした。それでも何回も、私はもう一つの道のことを考えていた。

百メートルほど進んでもう一つ、カーブをまわった時、車の音が聞こえた。木の間から軍のトラックの一団が、フルスピードで近づいて来るのが見えた。一瞬、そのままそこに立っていようかと思ったが、山での銃撃の恐怖を思い出した。

間一髪で、私は道路の右側に飛び降りて身を伏せた。十台のジープが私の前を通りすぎて行った。私が飛び下りた場所には、身を隠すものが何もなかった。できることは、誰も私に気づかずに通りすぎるように、祈ることだけだった。ジープは私から六メートルほどのところを通っていった。私は排気ガスを吸い、一人ひとりの表情まで見ることができた。

幸運にも、誰も気がつかなかった。彼らが完全に通りすぎてから、私は大きな木の後ろに這《は》っていった。手がブルブル震え、平和ですべてのものと一つになった感覚は、完全に失われていた。いつもの不安のかたまりが、胃のあたりに巣食っていた。私はやっと道路ににじり寄った。また車の音がして、私は斜面をあわてて滑り降りた。ジープがもう二台、通りすぎて行った。私は吐き気を感じた。

今度はずっと道路から離れて、私はもと来た道を注意深く戻り始めた。しばらくして、さっき通りすぎた小道のところに、戻って来た。注意深く物音や動きを調べてから、私はその道に沿った森の中を、谷間の方へと歩いて行くことにした。体がまた重く感じられた。自分は一体、何をしていたのだろうかと自問した。どうして道路を歩いたのだろう？　銃撃戦のショックと至福感に浸ったせいで、気がおかしくなっていたに違いなかった。現実に戻れと、私は自分に言いきかせた。注意しなければいけない。ほんのちょっとでも失敗したら、ここにはお前を殺そうとしている連中が沢山いるんだぞ。

私はさっと身を硬くした。前方、約三メートルほど先に、あの僧侶《そうりよ》がいた。彼は大きな木の下にすわっていた。その木は沢山の大きな石で囲まれていた。私が彼をじっと見ていると、彼は目をあけて、まっすぐに私を見た。私は後ずさりしたが、彼はほほ笑むと、自分の方に来るようにと、私に合図した。

私は用心しながら彼に近づいて行った。彼はじっとそのまま動かなかった。五十歳ぐらいの痩《や》せた背の高い男だった。短く刈られた髪の色は、目の色と同じ濃い茶色だった。

「どうなさったのですか？」と彼は完璧《かんぺき》な英語で言った。

「あなたは誰ですか？」と私は聞いた。

「私はサンチェス神父です。あなたは？」

私は自分が誰で、どこから来たか説明しながら、めまいがして片方の膝《ひざ》をつき、次にお尻《しり》を地面について転んでしまった。

「クラで起こった騒ぎに巻き込まれたのですね？」と彼が聞いた。

「そのことで、何かご存じですか？」彼を信用してよいかどうか用心しながら、私はたずねた。

「政府の人たちが、非常に怒っているそうです」と彼が言った。「彼らは写本が公表されるのを好まないのです」

「どうしてですか？」と私は聞いた。

彼は立ち上がって私を見おろした。「私と一緒にいらっしゃい。私たちの本部まで、八百メートルしかありません。私たちと一緒にいれば安全ですよ」

私は力を振りしぼって立ち上がった。もう選択の余地はなかった。私はうなずいた。彼はゆっくりと私を連れて行った。彼の物腰は丁寧で落ち着いていた。そして一言ずつ、慎重に話した。

「兵隊たちはまだ、あなたを捜しているのですか？」

「わかりません」

彼はしばらく何も言わなかった。やがて、「あなたは写本を探しているのですか？」とたずねた。

「もう止めました」と私は言った。「今は何とか生きのびて、アメリカに帰りたいだけです」

彼は安心させるようにうなずいた。私は彼を信頼し始めている自分に気がついた。彼の親切な態度と暖かさが、私の気持ちを動かした。私はウィルを思い出していた。教会の本部に着いた。小さないくつかの家が、中庭と小さな教会に面して建っていた。私たちが歩いて行くと、彼は他の僧服を着た男たちにスペイン語で何か命じ、彼らは走り去って行った。彼らがどこへ行くのか見極めようとしたが、すでに疲れ果てていた。僧侶は一軒の家に私を連れて行った。

家の中には、小さな居間と二つの寝室があった。暖炉には火が燃えていた。私たちが家の中に入るとすぐ、もう一人の僧侶がお盆の上にパンとスープをのせて入って来た。疲れきってのろのろと私が食べている間、サンチェスは私の横の椅子《いす》に、きちんと腰かけていた。食べ終えると、彼がすすめるままに、私はベッドに横になって深い眠りに落ちて行った。

中庭に出たとたん、私はそこが非常に清潔に保たれているのに気がついた。小石が敷きつめられた歩道は、きちんと配置された小さな木と生垣《いけがき》でふち取られていた。一つひとつの植物はその自然な姿を十分に生かすように、植えられていた。枝を刈りとられた木は一本もなかった。

私はのびをした。着ている糊《のり》のきいたシャツが快かった。それは粗《あら》い木綿でできていて、首筋を軽くくすぐった。きれいに洗濯してアイロンがかけてあった。その朝、私が目を覚ますと、二人の僧侶《そうりょ》がバスタブに湯を注ぎ、新しい服を用意してくれた。風呂《ふろ》に入って新しい服を着てから他の部屋に行くと、テーブルの上にマフィンと乾した果物が載っていた。私がガツガツと食べている間、横に僧侶が立っていた。私が食べ終わると僧侶は行ってしまったので、私は外に出て来たのだった。

私は中庭に向かって置かれた石のベンチの方に歩いて行き、そこに腰を下ろした。太陽がちょうど木の梢《こずえ》から顔を出して、私の顔を暖かく照らした。

「よく眠れましたか?」という声が後ろから聞こえた。振り向くと、サンチェス神父がすくっと立ち、ほほ笑みながら私を見下ろしていた。

「とてもよく眠りました」と私は答えた。

「ここにかけてもよろしいですか?」

「もちろんですとも」

私たちは数分間、黙ったままそこにすわっていた。あまり長かったので、私は居心地が悪くなった。何回か、しゃべろうとして彼の方を見たが、その都度、彼は太陽を見ていたり、後ろを振り返って他のものを見ていたりした。

ついに、彼が口を開いた。「とてもよい場所を見つけましたね」彼は明らかに、朝のこの時間のベンチのことを言っていた。

「お願いです。あなたの助言が必要なのです」と私が言った。「アメリカへ帰る最も安全な方法は何でしょうか？」

彼は私を真剣な表情で見た。「私にはわかりません。それは、この国の政府があなたをどれぐらい危険人物とみなしているかに、よります。なぜ、クラにいらっしゃったのですか？」

私は初めて写本について聞いた時からのことを、全部彼に話した。山の上で体験した至福感は、今になってみると夢みたいで仰々しく思えたので、そのことについては、ほんの少し触れただけだった。しかし、サンチェスはすぐに、そのことについて質問してきた。

「兵士があなたを見失って行ってしまってから、あなたは何をしたのですか？」と彼はたずねた。

「二、三時間、そこにすわっていただけです」と私は答えた。「ほっとしたんだと思います」

「そのほか、どんな気持ちがしましたか？」と彼がたずねた。

私は少しもじもじしていたが、やがてその時のことを言い表してみることにした。「口で言い表すのはとても難しいのですが」と私は言った。「すべてのものとつながっている至福感と、完全に安全で信頼できるという感覚を味わいました。疲れもどこかへ吹っ飛んでしまいました」

彼はにっこりした。「あなたは神秘体験をしたのです。山の近くの森の中で、沢山の人が経験したと報告しています」

私はとりあえず、うなずいた。

彼はベンチの上で向きを変えて、私と正面から向き合った。「それは、すべての宗教の神秘家たちが述べている体験です。そのような体験について、何か読んだことはありますか？」

「ええ、いくつかは。何年も前のことですけど」と私は言った。

「でも昨日までは、ただの知的な概念にすぎなかったでしょう？」

「ええ、そうだと思います」

若い僧侶が歩いて来て、私の方に目顔で挨拶《あいさつ》してから、サンチェスに何か囁《ささや》いた。サンチェスがうなずくと、その若い男は向こうに立ち去った。彼は中庭を横切って、三十メートルほど離れたところにある、公園のような場所に入って行った。そこもとても清潔に掃除され、さまざまな植物で一杯だった。その若い男は何かを探しているかのように一ヵ所ずつ立ち止まりながら、何ヵ所か歩きまわった。それからある場所にすわった。彼は何かの練習をしているみたいだった。

サンチェスは嬉《うれ》しそうにほほ笑み、それから私に注意を向けた。

「今すぐ帰国するのは、おそらく危険だと思います」と彼は言った。「しかし、どんな情況か調べてみます。あなたの友達について、噂《うわさ》があるかどうかも」彼は立ち上がると、顔を私の方に向けた。「私は今から用事があります。できる限り、あなたを助けたいと思っています。今は、ここでゆっくりして下さい。のんびりして、体力を回復して下さい」

私はうなずいた。

彼はポケットに手を入れると、書類を取り出して私に渡した。「これは第五の知恵です。あなたが体験したことについて、書いてあります。きっと、興味がおありだと思いますよ」

私はしぶしぶ受け取った。彼はさらに続けた。「第四の知恵を読んで、どのように理解しましたか？」と彼は聞いた。

私はためらった。もう、写本のことも知恵のことも考えたくなかった。でも、私は話し始めた。

「人間は、互いに相手のエネルギーを求める、一種の競争にはまり込んでいます。他の人たちを私たちの意見に従わせることができると、彼らのエネルギーが私たちに流れ込んで、私たちは自分が強くなったように感じます」

彼はにっこりした。「だから問題は、私たちはエネルギーが足りないと感じて、みんなが他の人のエネルギーを盗むために、相手を支配し自分の思うとおりに動かそうとしている、ということですね？」

「そのとおりです」

「でも解決法がある。他のエネルギー源があるということですね？」

「それが第四の知恵が言っていることです」

彼はうなずくと、ゆっくりと教会の中へ入って行った。

しばらくの間、私は前かがみになって、肘《ひじ》を膝《ひざ》の上に乗せていた。翻訳は見もしなかった。読むのは嫌だった。この二日間の出来事は、私の熱意をすっかり冷ましてしまった。それよりも、どうすればアメリカに帰れるか、考えたかった。その時、道の向こう側の森の中で、さきほどの若い僧侶《そうりょ》が立ち上がって、今いたところから六メートルほど離れた所まで、ゆっくりと歩いて行ったのに気がついた。彼は私の方を向くと、そこにすわった。

彼が何をしているのか、私は興味を持った。その時、もしかして彼は写本に書いてあることを実行しているのかもしれないと、はっと思いついた。私は一ページ目を開いて、読み始めた。

そこには、神秘的意識状態と呼ばれてきた状態について、説明されていた。それによれば、二十世紀の最後の数十年間に、この意識状態は、実際に到達可能なものであり、多くの宗教の神秘家たちがすでに経験したものであると、一般に知られるようになるとのことだった。ほとんどの人にとって、この意識はただ話したり議論したりするための、知的な概念のままに止まるだろう。しかし、次第に多くの人々にとって、この意識は現実のものとなってゆく。彼らは自分の人生の中で、こうした心の状態を一瞬、かいま見る体験をするからである。そして、この体験こそ、世界中の人類の争いに終止符を打つための鍵《かぎ》だと、写本は述べていた。それはこの体験をしている間は、私たちは他の源からエネルギーを受け取っているからである。そして最終的には、私たちはこの源から、自由にエネルギーを汲《く》み出すことを学ぶのだ。

私は読むのを止めて、若い僧侶の方を見た。彼は目をあけて、私をじっと見ているようだった。彼の表情ははっきりとは見えなかったが、私はうなずいた。驚いたことに、彼は私にうなずき返して、かすかにほほ笑んだ。それから彼は立ち上がり、私の左側を通って家の方へ歩いて行った。私が見ていると、彼は私の目を避け、中庭を横切って家の中へ入って行った。

後ろから足音がしたので振り返ると、サンチェスが教会から出て来るところだった。彼はにっこりして、私に近づいて来た。

「あまり長くかからずにすみました」と彼は言った。「もっとここをご覧になりますか？」

「ええ、あそこの瞑想《めいそう》する場所のことを教えてくれますか？」私は若い僧侶がいた場所を指さして言った。

「では、あそこに行ってみましょう」と彼は言った。

中庭を横切りながら、サンチェスは次のように話した。この教団はすでに四百年以上続いており、最初はスペインから派遣された個性的な宣教師によって、創設された。彼は土地のインディオを改宗させるためには、剣でおどすのではなく、心を通して行うべきだと信じていた。このやり方は功を奏した。そして、ひとつにはこの成功によって、もうひとつにはここが遠く離れていたために、その宣教師は勝手に自分のやり方を実行することができた。

「私たちは自分のうちに真実を探すという伝統を、今も受けついでいるのです」とサンチェスは言った。

瞑想をする場所は、非常に美しく造園されていた。六百坪《つぼ》ほどの深い森が切り開かれ、下草の藪《やぶ》や花の咲く植物が、玉石をしきつめた歩道によって区切られていた。中庭と同じように、こうした植物には十分な空間が与えられ、それぞれの本来の姿のまま育っていた。

「どこにすわりたいですか?」とサンチェスが聞いた。

私はどこがよいか、見まわした。私たちの前に、いくつかそのために手を加えた場所があった。どれも、瞑想にぴったりの隠れ場所だった。みんな、さまざまな形の美しい植物と岩と大きめの木に囲まれたスペースになっていた。私たちの左手にある、さっきまで若い僧侶がすわっていた場所は、他の場所よりも岩が多かった。

「あそこはどうでしょう?」と私は言った。

彼はうなずいた。私たちはそこへ行ってすわった。サンチェスは数分間、深く呼吸をしてから、私を見た。

「山の頂上でのあなたの経験を、もっと話して下さい」と彼が言った。

私は気が進まなかった。「他に何を話せばいいのか、わかりません。長くは続きませんでしたから」

神父は厳しい表情で私を見た。「その体験が終わってしまったからと言って、その重要性がなくなるわけではありませんよ。きっと、再び体験できるものなのです」

「おそらく」と私は言った。「でも、人が私を殺そうとしている時に、宇宙的な感覚を味わうために意識を集中するのは、むつかしいです」

彼はにっこりして、暖かく私を見た。

「この教団では、写本を研究しているのですか？」と私はたずねた。

「ええ」と彼は答えた。「あなたが山で経験したようなことを、どうすれば経験できるか、私たちは教えています。あの感覚が戻ってきても構わないでしょう？」

中庭の方から声がして、私たちの会話は中断した。一人の僧侶がサンチェスを呼んだ。彼は失礼と言って中庭に歩いて行くと、その僧侶と話をした。私は後ろにもたれかかってすわると、近くの植物や岩を見て、少し目の焦点をずらしてみた。すぐそばの灌木《かんぼく》のまわりに光の層が見えたが、岩のまわりには何も見えなかった。

しばらくしてサンチェスが戻って来た。

「しばらく出かけなければなりません」と彼は私に近づきながら言った。「これから町へ、ある会合に出席するために行きます。おそらくあなたの友達について、何か情報を得ることができるでしょう。少なくとも、あなたが安全に旅ができるかどうかわかると思います」

「お願いします」と私は言った。「今日じゅうにお帰りですか？」

「いいえ、明日の朝になると思います」と彼は答えた。

私が不安そうな顔をしたに違いなかった。彼は近よると私の肩に手を置いた。「心配しないで下さい。ここにいれば安全です。どうぞ、ゆっくりくつろいで下さい。まわりを見て下さい。どの僧侶と話して下さっても大丈夫です。ただ、その人の成長の度合によって、話が合う人と合わない人がいることは、わかっていて下さい」

私はうなずいた。

彼はほほ笑むと、教会の後ろの方に歩いて行き、古いトラックに乗り込んだ。私はそのトラックに初めて気がついた。何回か試してからやっとエンジンがかかると、彼は教会の後ろから、尾根に通じている道路へと入って行った。

私は数時間、そのままそこにいて、マージョリーは大丈夫だろうか、ウィルは逃げおおせただろうかと、いろいろと考えていた。何回もジャンセンの部下が殺された場面が私の心をよぎったが、その思い出を振り払って平静でいるように努力した。

正午頃になると、僧侶たちが中庭の真ん中に長いテーブルを持ち出し、食べ物を盛った皿を並べ始めた。用意ができると、さらに十二、三人の僧侶がやって来て、各自の皿に料理をとって自由にベンチにすわって食べ始めた。みんなお互いに愛想よくほほ笑みを交わしていたが、話し声はほとんど聞こえなかった。一人の僧侶が私を見て食物を指さした。

私はうなずいて中庭へ歩いて行き、皿にとうもろこしと豆を取った。僧侶たちはみな、私のことがかなり気になる様子だったが、誰も私に話しかけなかった。私は料理について、何度か感想を述べたが、それに対して彼らは、笑顔と仕草で答えるだけだった。私がじかに目を合わせようとすると、彼らは下を向いてしまった。

私はベンチに一人ですわって食べ始めた。野菜と豆には塩味がついていなかったが、スパイスが効いていた。昼食が終わり、僧侶たちがテーブルに皿を重ねていると、もう一人の僧侶が教会から出て来て、あわてて自分の皿に料理を取り始めた。それがすむと、彼はすわる場所を探して、まわりを見まわした。私たちの目が合った。彼はにっこりした。それは瞑想《めいそう》場から私の方を見ていた僧侶だった。私も笑顔をかえした。すると彼は私の所に歩いて来て、片言の英語で話しかけた。

「このベンチにあなたと一緒にすわっていいですか？」と彼はたずねた。

「はい、どうぞ」と私は答えた。

彼はベンチにすわると、非常にゆっくりと食べ始めた。食物を何十回もかみながら、ときどき私を見てにっこりした。彼は背が低くて小柄だったが、筋肉質の頑丈な体をしていて、髪は真っ黒だった。そして目は明るい茶色だった。

「食事は気に入りましたか？」と彼が聞いた。

私は膝《ひざ》の上に皿を置いていた。まだとうもろこしが残っていた。

「ええ、とても」と私は言って、そのとうもろこしを口に入れた。彼がとてもゆっくりとていねいにかんでいるのに気がついて、私も同じようにやってみた。その時、他の僧侶もみな、同じように食べていたことに気がついた。

「野菜はここで作っているのですか？」と私はたずねた。彼はゆっくりと食べ物をのみこんでから、やっと答えた。

「はい、食物はとても大切です」

「あなた方は植物と一緒に瞑想をしていますか？」と私はたずねた。

彼はすっかり驚いて私を見た。「あなたは写本を読んだことがあるのですか？」と彼は聞いた。

「はい、最初の四つの知恵を」

「あなたは植物を育てたことがありますか？」と彼は聞いた。

「いいえ、私はただ、写本を勉強しているだけです」

「エネルギーの場は見えますか？」

「はい、ときどき」

私たちは黙ったまま、しばらくすわっていた。その間、彼は何回か食物を口に入れて、注意深く食べた。

「食物はエネルギーを得る第一の方法です」と彼が言った。

私はうなずいた。

「しかし、食物のエネルギーを全部吸収するためには、食物に感謝して、えーと……」彼は正しい英語の単語を探そうと、苦労しているようだった。「よく味わわなければなりません」とやっと彼は言った。「味は入口です。あなたは味に感謝しなければいけません。食べる前にお祈りをするのは、そのためです。それもただ感謝するだけではなく、食事を聖なる体験にするためです。そうすれば、食物のエネルギーがあなたの体に入るようになります」

彼は私をじっと見た。私が理解したかどうか見ているようだった。

私は何も言わずにうなずいた。彼は考え込んでいるようだった。

彼の言っていることは、感謝の祈りを捧《ささ》げるというごく普通の宗教的慣習の背後には、食物に深く感謝するという本当の目的が秘められており、それによって、食物のエネルギーをより多く吸収できるようになる、ということだろうと私は思った。

「しかし、食物をとるのは、第一歩にすぎません」と彼は言った。「この方法で個人のエネルギーが増すと、あなたはすべての物の中にあるエネルギーに敏感になります。そうすると、食べずにこのエネルギーを自分の中に取り込むことを、学びます」

私は同意してうなずいた。

「私たちのまわりにあるものは、すべてエネルギーを持っています」と彼は続けた。「しかし、それぞれ、特別の種類のエネルギーを持っています。これは、ある場所が他の場所よりも、エネルギーをより高めてくれる理由です。あなたがそこのエネルギーに合うかどうかによるのです」

「あなたがさっき、あそこでやっていたのはそれですか？」と私はたずねた。「あなたのエネルギーを増していたのですか？」

「はい」と彼は嬉《うれ》しそうに答えた。

「どうするのですか？」と私は聞いた。

「心を開き、天とつながり、感謝の気持ちを持たなければなりません。エネルギーの場を見るのと同じですが、さらに一歩すすめて、自分がエネルギーに満たされた感覚を得ます」

「ちょっとよくわかりませんが」

彼は私のにぶさに眉《まゆ》をひそめた。「あのすわる場所に戻りましょうか？　私がやってお見せします」

「いいですよ」と私は言った。

私は彼の後ろから、中庭を横切って瞑想をする場所に行った。そこにつくと彼は立ち止まり、何かを調べるようにあたりを見まわした。

「あそこがいい」そう言って、彼は森との境い目の場所を指さした。

私たちは木や灌木《かんぼく》の間を曲がりくねっている小道を歩いて行った。彼は岩だらけの小山に生えた大木の前の場所を選んだ。木の太い幹はまるで岩の上に腰かけているように見えた。根は岩山を包み込むようにして、やっと地面に達していた。その木の前には、花をつけた灌木が半円形に繁り、その黄色い花からは不思議な甘い香りが漂っていた。森は背後に、緑一色の幕のように広がっていた。

若い僧侶は私に、その節くれだった木に向かって、灌木にかこまれた空地《あきち》にすわるように指示した。彼は私の隣りにすわった。

「木が美しいと思いませんか?」と彼は聞いた。

「はい」

「では、えーと、そう感じて下さい。えーと」彼はまた、言葉を探して四苦八苦していた。しばらく考えてから、彼は言った。「サンチェス神父が、あなたが山頂で体験したと言っていました。その時、どう感じたか思い出せますか?」

「とても軽やかで安全で、つながった感覚でした」

「どうつながったのですか?」

「言い表すのは難しいですね」と私は言った。「まるで風景全体が私の一部のようでした」

「でも、その感覚は何でしたか？」

私はしばらく考えた。あの感覚は何だったのだろう？　すると、答えがひらめいた。

「愛です」と私は言った。「すべてのものに対して、愛を感じたのだと思います」

「そうです」と彼は言った。「まさにそれなのです。木に対して、それを感じて下さい」

「でも、ちょっと待って下さい」と私は抗議した。「愛はただ自然に出てくるものですよ。意識して何かを愛そうとするなんて、できません」

「意識して愛そうとするのではありません」と彼は言った。「愛があなたの中に入ってくるのを許すのです。そのためには、あの時どう感じたか思い出すことによって心を落ち着かせ、もう一度それを感じようとすればいいのです」

私は木を見つめ、山頂で味わった感情を思い出そうとした。少しずつ、私は木の形や存在をすばらしいと思い始めた。その気持ちは次第に高まってゆき、ついに実際に愛を感じるほどになった。その気持ちはまさに、子供の時、母に感じた思いや、十代の頃の幼い恋の対象だった少女に感じた思いと同じものだった。しかも、この愛は木に対してだけではなく、全体的な深い感情として存在していた。私はすべてを愛していた。

僧侶はそっと数メートル私から離れると、私をじっと見つめた。「大丈夫。うまくいっている」と彼は言った。「あなたはエネルギーを受け取っています」

彼の目は少し焦点がずれていた。

「どうしてわかるのですか？」と私はたずねた。

「あなたのエネルギーの場が、どんどん大きくなっているのが見えるからです」

私は目を閉じて、山の上で得た強烈な感覚に到達しようとしたが、どうしてもあの体験を再現できなかった。私が感じているものは同じ種類の感覚だったが、前のように強烈ではなかった。うまくゆかずに私はあせり始めた。

「どうしました？」と彼が聞いた。「エネルギーが落ちましたよ」

「わかりません」と私は言った。「前のように強烈に感じられません」

彼は私を見た。最初は笑っていたが、やがてもどかしそうになった。

「山の上で体験したのは、神様の贈り物だったのです。ひとつの悟りであり、新しく物が見え始めたのです。今、あなたはその体験を自分自身で作り出すことを、学ばなければなりません。一度に少しずつね」

彼はさらに三十センチほど後ろにさがって、もう一度私をながめた。「さあ、もう一度やってみて下さい」

私は目を閉じて深く感じようとした。やっとその感情が私に戻ってきた。少しずつその感覚を強めようとしながら、その感情とともにいた。そして、木に気持ちを集中した。

「とてもいいですよ」と突然彼が言った。「あなたは木からエネルギーを受け取り、同時に木にエネルギーを与えています」

私は彼をまっすぐに見た。「僕が木にエネルギーをかえしているんですか？」

「あなたが物の美しさと個性を感じると、あなたはエネルギーを受け取ります」と彼は言った。「そしてあなたの気持ちが愛にまで高まると、あなたはそうしたいと思っただけで、エネルギーを送り返すことができるのです」しばらくずっと、私はそこで木とともにすわっていた。木に意識を集中し、その形や色を賞讃《しょうさん》すればするほど、沢山の愛を受け取るように感じた。不思議な体験だった。私のエネルギーが流れ出して木を満たしていく様子を想像したが、それを見ることはできなかった。木を見つめたまま、私は、僧侶が立ち上がって歩き出したのに気がついた。

「僕が木にエネルギーを与えている時、どんな風に見えますか？」と私はたずねた。

彼は詳しく説明してくれた。それは、ビシエンテでサラがポトスにエネルギーを注いでいた時に、私が見た情景と同じだった。しかし、サラは、そうした放射が起こるためには愛の状態が必要だということには、気がついていなかった。彼女は自分でも知らずに、自然に愛の状態になっていたに違いなかった。

僧侶は中庭の方に歩み去ってゆき、私の視界から消えた。私は暗くなるまで、そこにすわっていた。

私が家に入ると、二人の僧侶が礼儀正しく挨拶《あいさつ》した。音をたてて燃えている火が、夜の寒さを防ぎ、いくつかの石油ランプが居間を照らしていた。部屋じゅうに野菜スープか、ポテトスープの匂《にお》いがたちこめていた。テーブルの上には陶器のスープ皿と何本かのスプーンとパンが四切れのった皿が置いてあった。

一人の僧侶は私を見ずに出て行った。もう一人は目を伏せて、囲炉裏の上の大きな鋳物の鍋《なべ》の方を、顎《あご》で示した。鍋のふたの下から、柄がつき出ていた。私が鍋の方を見るとすぐに、その僧侶が聞いた。「何か他に必要なものはありますか？」

「ないと思います。ありがとう」と私は言った。

彼はうなずくと、私を一人残して家を出て行った。私は鍋のふたをとった。ポテトスープだった。濃厚でおいしそうな匂いがした。スープ皿にたっぷりとスープを入れてから、私はテーブルについた。次に、ポケットからサンチェスがくれた写本のコピーを取り出すと、読むつもりで皿の横に置いた。しかし、スープがとてもおいしかったので、食べることに専念した。食べ終わると、大鍋の中に皿を入れ、炎が小さくなるまで、催眠状態でじっと火を見つめていた。それからランプを消してベッドに入った。

次の朝、夜明けとともにすっかり元気になって、目をさました。外では朝霧が中庭をゆっくりと這《は》っていた。私は火をかきまわし、石炭の上に何本か薪《まき》をのせて、火がつくまであおいだ。食事はどうなっているのか、台所の方を見ようとした時、サンチェスのトラックの近づく音が聞こえた。

私が外に出ると、彼が教会の裏手から現れた。片手にリュックを持ち、もう一方の手には荷物をいくつか持っていた。

「ニュースがありますよ」と彼はついて来るように合図をして、家へ入って行った。

何人かの他の僧侶《そうりょ》が、コーンケーキとひきわり小麦と干した果物を持って来た。サンチェスは彼らに挨拶《あいさつ》してから、私と一緒にテーブルにすわった。僧侶たちは足早に出て行った。

「私は南部評議会に属する一部の僧侶の集まりに出席して来ました」と彼が言った。「写本について話し合うためで、議題は政府の攻撃的な態度についてでした。僧侶のグループが公的に写本支持の会議を開いたのは、これが初めてです。私たちが議論を始めようとした時、政府の代表がドアをノックして、入れてくれと言ったのです」

彼は話を中断して、自分の皿に食物をとってから口に入れ、十分にかんだ。「その代表は、政府の目的は、写本が外国の勢力によって利用されるのを防ぐことだけだと主張しました。彼はペルー国民が所有している写本のコピーはすべて、政府の許可を得なくてはならないと言いました。そして、我々が心配するのはわかるが、この法律に従って我々の所有しているコピーを提出しろと、要求しました。その代わり、政府はすぐに控えを発行すると約束したのです」

「あなた方は提出したのですか？」と私はたずねた。

「もちろん、しませんでしたよ」

私たちは二、三分、食事に集中した。私は味わうためによくかむように心がけた。

「私たちはクラでの暴力行為について質問しました」と彼は続けた。「あれはジャンセンという男に対して、必要な反撃であったと彼は説明しました。彼の部下の一部は外国の手先で、武装していたそうです。彼らは写本の未発見の部分を見つけて盗み出し、ペルーから奪ってしまおうと計画していたので、政府としては彼らを逮捕するしかなかったと、言っていました。あなたのことも、あなたの友達のことも、何も言いませんでした」

「あなた方は政府の役人を信じたのですか？」

「いや、信じませんよ。彼が出て行ったあとも、私たちは集会を続けました。そして静かに抵抗するという方策を取ることにしました。これからもコピーを作って、注意深く配るつもりです」

「教会の指導者たちは、それを許すのでしょうか？」と私はたずねた。

「わかりません」とサンチェスは言った。「教会の長老たちは写本を認めていませんが、今のところ、誰がそれに参加しているか、真剣に調べてはいません。私たちが一番心配しているのは、もっと北にいる枢機卿《すうききょう》のセバスチャンのことです。彼は写本に対する反対を最も強く表明していますし、大きな影響力を持っています。強力な禁止令を出すように彼が指導層を説得したら、我々は思いきった決心をするでしょう」

「なぜ彼はそんなに写本に反対するのですか？」

「彼はこわがっているのです」

「なぜ？」

「彼とは長いこと話をしていませんが、私たちはずっと、写本のことを話題にするのを避けていました。しかし、彼は人間の役割は霊的な知識を持たずに、信仰のみによって、この宇宙に関わることだと思っているのです。そして写本は現在の世界の権威体系を乱すと思っているのです」

「どのように乱すのですか？」

彼はにっこりして、頭を軽くそらせた。

「真実は人を自由にしますからね」

私は皿の上の最後のパンと果物を食べながら、彼が言ったことを理解しようとして、彼を見つめた。彼はさらに二口三口食べると、椅子《いす》を後ろにずらした。

「あなたはずっと元気に見えますよ」と彼は言った。「誰かと話しましたか？」

「ええ」と私は答えた。「僧侶の方から、エネルギーとつながる方法を学びました。名前は聞かなかったのですが。昨日の朝、私たちが中庭で話していた時、瞑想《めいそう》していた人です。憶《おぼ》えていらっしゃいますか？　あとで彼と話をした時、どのようにエネルギーを吸収し、そのあと返せばいいか、彼が見せてくれました」

「彼はジョンと言います」とサンチェスは言って、話を続けるようにと私を促した。

「びっくりするような体験でした。愛を思い出すことによって、自分の心を開くことができると感じたのです。私は一日じゅうそこにいました。山の上の体験には及びませんでしたが、それに近いところまでゆきました」

サンチェスはもっと真剣になった。「愛の役割はずっと誤解されていました。愛とは善人になるために何かするとか、道徳的義務感から世界をもっとよい場所にするとか、あるいは快楽を諦《あきら》めるべきだというようなことではありません。エネルギーとつながると興奮し、至福感を感じ、それから愛を感じます。この愛の状態を維持するために、十分なエネルギーを見つけることは確かに世界を助けますが、それよりもまず第一に、自分のためになります。それは私たちにできる最も気持ちのよいことなのです」

私は彼の意見にまったく賛成だった。彼は椅子をさらに一メートルほど下げると、そこから私をじっと見た。彼の目の焦点は合っていなかった。

「私のエネルギーの場はどのように見えますか？」と私は聞いた。

「ずっと大きくなりましたよ」と彼は言った。「気分がいいでしょう？」

「はい、とても」

「それはよかった。ここで私たちがやっているのは、それなのです」

「詳しく話して下さいませんか？」と私は言った。

「私たちは僧侶を山奥まで送りこみ、インディオと生活するための訓練をしています。これはとても孤独な仕事ですから、僧侶は非常に強くなければなりません。ここにいる人たちは十分に選び抜かれた人たちですが、一つだけ全員に共通することがあります。みんな、一度は神秘的な体験をしているということです。

私はこうした神秘体験について、長年研究を続けてきました。写本が見つかるずっと前からです。神秘体験とすでに出逢《であ》ったことのある人は、その状態に戻ることも自分のエネルギーレベルを上げることも、ずっと容易にできると私は信じています。他の人もつながることはできますが、ずっと時間がかかります。あなたが学んだように、その体験の強烈な記憶が、再体験を容易にしてくれるのです」

「神秘体験が起こると、その人のエネルギーの場はどのように見えるのですか?」

「外側に大きく広がって、少し色が変わります」

「何色ですか?」

「普通はぼんやりした白から、緑や青に変化します。でも一番大切なことは、それが広がるということです。例えば、あなたが山の上で神秘体験をした時、あなたのエネルギーは宇宙全体に流れ出しました。要するに、あなたはつながって、すべてのもの、全宇宙からエネルギーを引き寄せ、今度はあなたのエネルギーが大きく広がって、すべての場所を包み込んだのです。その時、どんな気持ちがしたか、思い出せますか?」

「はい」と私は答えた。「まるで、全宇宙が私の体のように感じました。私はその頭というか、もっと正確に言えば、目になったような気がしました」

「そうです」と彼は言った。「そしてその時、あなたのエネルギーの場と宇宙のエネルギーの場が、一つになったのです。宇宙があなたの体になったのです」

「その時の不思議な記憶が残っています」と私は言った。「この宇宙という大きな体がどのように進化したか、思い出したのです。私がそれに立ち会っていたのです。最初の星が単純な水素からできるのを見ました。そしてこうした星が生まれるたびに、もっと複雑な物質に進化してゆきました。ただ、私に物質が見えたわけではありません。物質は、整然とより複雑で高次な状態へと進化してゆくエネルギーの波動として、見えたのです。そして……生命が始まり、進化を続けて人間が誕生しました……」

私は急に話をやめた。彼は私の気分が変わったのに気がついた。

「どうしました？」と彼が聞いた。

「人間になったところで、進化の記憶がとまってしまったのです」と私は説明した。「物語はまだ続いているように感じるのに、それがはっきりと摑《つか》めなかったのです」

「物語は続いているのですよ」と彼が言った。「人間は宇宙の進化をどんどん高い波動の複雑なものへと、進めてゆくのです」

「どのようにですか？」と私は質問した。

彼はほほ笑んだだけで答えなかった。

「そのことはあとでお話しましょう。二、三、調べることがあります。一時間ぐらいたったら、会いましょう」

私はうなずいた。彼はりんごを一つ取って、出て行った。私も彼のあとから外に出た。その時、第五の知恵のコピーを思い出して、寝室に取りに戻った。サンチェスと初めて会った時、彼がすわっていた森のことを、さっきから考えていた。あの時、私は疲れ切ってパニック状態だったのに、そこが特別に美しい場所だと気がついていた。そこで、私は道を西の方へその場所まで歩いてゆき、そこへすわってみた。

木によりかかって腰を下ろし、私は心を澄ませてあたりを見渡した。その朝は晴れ渡ってそよ風が吹いていた。私は風が頭上の木の枝をゆらしてゆくのを見ていた。深呼吸を何回かすると、空気が新鮮に感じられた。風が静まったので私は写本を取り出し、この前読み終わったところを探した。そこを見つけ出さないうちに、トラックのエンジンの音が聞こえた。

私は木の横に伏せて、音はどの方向から来たのか探った。それは教団の方から来た。音が近づいてくると、それはサンチェスの古いトラックだった。そして彼が運転していた。

「ここだろうと思いましたよ」と私の近くで車をとめて、彼が言った。「乗って下さい。ここを出てゆかなければなりません」

「何が起こったのですか？」私は座席に体をすべり込ませながらたずねた。

彼は幹線道路へと車を走らせた。「僧侶の一人が、村で耳にしたことを教えてくれたのです。政府の役人が町に来て、私と教団のことを聞きまわっているそうです」

「彼らは何をしようとしているのですか？」

彼は安心させるように私を見た。「わかりません。でも、彼らが私たちのことを放っておくと、以前ほど確信が持てないのです。用心のために、山の奥へ行った方がよいと思ったのです。私の弟子の一人がマチュピチュに住んでいます。カール神父といいます。事態が判明するまで、彼の家にいた方が安全です」彼はにっこりしてつけ加えた。「いずれにせよ、あなたにマチュピチュを見て欲しいのです」

急に、彼が取り引きをして、私をどこかへ連れて行って引き渡すのではないかと、私は疑い始めた。確かなことがわかるまで、用心深く十分に警戒して、このまま行くことにした。

「コピーを読みましたか？」と彼が聞いた。

「ええ、ほとんど読みました」と私は言った。

「人間の進化について、質問しましたね。その部分はもう読みましたか？」

「いいえ」

彼は道路から目を離して、私をじっと見た。私は気がつかない振りをした。

「何か心配でもあるのですか？」と彼が聞いた。

「いや何も」と私は言った。「マチュピチュまで、どのくらいかかりますか？」

「約四時間です」

私はなるべく口をきかずに、サンチェスに話をさせようとした。どこかで彼は正体を現すかもしれない。しかし、私は進化についてもっと知りたくて、黙っていることができなかった。

「で、人間はどうすればもっと進化できるのですか？」と私は聞いた。

彼は私をちらっと見た。「あなたはどう思いますか？」

「わかりません」と私は言った。「ただ、私が山の上にいた時、第一の知恵が述べている偶然の一致と、何か関係があるかもしれないと思いました」

「そのとおりですよ」と彼は言った。「それは他の知恵とも一致するでしょう？」

私は混乱していた。ほとんどわかりかけているのに、はっきり把握できなかった。私は黙っていた。

「写本の知恵が、どんな順序になっているか、考えてみて下さい」と彼が言った。「第一の知恵は、私たちが偶然の一致をまじめに考えた時に実現します。こうした偶然の一致は、何か他のもの、霊的なものが私たちのすべての行動の下に隠れていると、私たちに感じさせます。

第二の知恵は、私たちの気づきを現実のものにします。自分たちが物質的なものだけに心を奪われ、身の安全のために、自分のまわりの状況を支配しようと一生懸命だったことに、我々は気がつくのです。そして、心を開くということは、何が本当に起こっているかに目覚めることだと悟ります。

第三の知恵で、生命の新しい見方を知ります。物質的な宇宙は純粋エネルギーであり、そのエネルギーは、我々がどう考えるかに反応します。

第四の知恵は、他人を支配し、他人の思考を奪うことによって、彼らからエネルギーを盗むという、人間のくせを明らかにします。これは、エネルギーが不足し、どこからも入って来ないと感じるために、私たちが犯している犯罪なのです。こうしたエネルギーの不足は、より高次の源につながることによって、当然解消されるものです。もし私たちが心を開きさえすれば、宇宙は私たちが必要とするもののすべてを、与えてくれます。これが第四の知恵の啓示です」

「あなたの場合」と彼は続けた。「神秘的な体験をして、ほんの一瞬ではあっても、人が得ることができるエネルギーの大きさを見たわけです。これは、みんなより先に飛び出して、未来をかいま見たようなものです。そう長くこの状態を続けられはしません。普通の意識状態の人と話したり、対立のある世界に住んだりすると、この進んだ状態からたたき出されて、元の状態に戻ってしまいます」

「そして」と彼は続けた。「今度はゆっくりと、かいま見たものを少しずつ取り戻し、究極の意識へと前進し始めるのです。しかしそのためには、意識的にエネルギーを満たす方法を、学ばなければなりません。このエネルギーが偶然の一致をもたらし、この偶然の一致が、新しいレベルを永久的なものにする手助けとなるからです」

私が途方に暮れているように見えたからだろう。彼は次のようにつけ加えた。「考えてみて下さい。人生で私たちを導いてゆく出来事が、偶然をこえて起こるようになると、私たちはより活性化した人間になります。そして、運命が私たちを導いていくように感じます。それが起こると、最初に偶然の一致をもたらしたレベルのエネルギーが、私たちに授けられます。恐れがある時、私たちは打ち負かされ、エネルギーを失いますが、このエネルギーレベルが新しい限界となっているので、そこまでは簡単に取り戻すことができます。私たちは新しい人間に生れ変って、より高いエネルギーレベルの中に生き、より高い波動レベルに存在しています。

このプロセスがわかりますか？　私たちは満たし、成長し、満たし、また成長するのです。こうして人間は、より高い波動へと宇宙の進化を続けているのです」

彼はしばらく黙って、何かつけ加えることを考えているようだった。「この進化は、人類の歴史上、ずっと無意識のうちに行われていました。なぜ文明が進歩し、人類がより大きくなり、長命になったか、これで説明がつきます。しかし今、私たちはこのプロセス全体を意識的なものにしています。これが写本が私たちに伝えていることなのです。人類が世界中で霊的な目覚めに向っているというのはこのことです」

私は一生懸命聞いていた。サンチェスの話にすっかり心を奪われていた。「すると、私たちがしなければならないことは、私がジョンから学んだようにエネルギーを満たすということなのですね。そうすれば、偶然の一致がもっとどんどん起こり始めるのですね？」

「ええ、そうです。でもあなたの思うほど、簡単ではありません。エネルギーと永久的につながるようになる前に、もう一つ越えなければならないハードルがあります。次の知恵、第六の知恵はこの問題を扱っています」

「それは何ですか？」

彼はまっすぐ私を見た。「私たちは他人をコントロールする時の、自分の特別なやり方を正面から見すえなくてはなりません。覚えていますか？　第四の知恵は、人はいつもエネルギーが不足していると感じて、他人をコントロールして相手のエネルギーを奪おうとしていると言っています。第五の知恵では、もっと他のエネルギーの源があると言っていますが、私たちはこの源とずっとつながっていることはできません。それができるようになるには、自分が他人をコントロールするために使う特別なやり方に気がつき、それをやめなければなりません。なぜなら、このくせに陥ると、私たちは必ず源から切り離されてしまうからです。

このくせを断ち切るのは容易なことではありません。最初はいつも無意識だからです。そのくせを捨てるための鍵《かぎ》は、そのくせを完全に認識することです。他人をコントロールする型とは、私たちが子供の頃、人の注意を引き、エネルギーを自分に引きよせようとして学び取ったもので、私たちはそこから抜け出せなくなっています。その事実を見ることによって、私たちは自分のくせに完全に気づくことができるのです。この型を私たちは何回も何回もくり返します。私はこれを無意識のコントロールドラマと呼んでいます。

　私がこれをコントロールドラマと呼ぶのは、それが映画の一シーンのような、私たちが子供の頃にシナリオを書いた見慣れた一つのシーンだからです。私たちはそのシーンを無意識に日常生活の中で、くり返し演じています。自分でわかっているのは、同じ出来事が何回も自分に起こるということだけです。問題なのは、ある一つのシーンを何回もくり返していると、私たちの人生映画の他の場面、つまり、偶然の一致によって始まる冒険物語が、先に進めないということです。エネルギーを人から盗むためにこの同じドラマをくり返して、映画の進行を止めてしまうのです」

　サンチェスは車のスピードをゆるめ、道路の深い轍《わだち》の中を、注意深く前進した。私は自分がいらいらしているのに気がついた。コントロールドラマとは何か、さっぱりわからなかったからだ。サンチェスに自分の気持ちをぶつけたかったが、それはできなかった。彼にまだ距離を感じていて、自分の気持ちを打ちあける気にはなれなかった。

「わかりましたか？」と彼がたずねた。

「わかりません」私はそっけなく答えた。「私はコントロールドラマを持っているとは、思いません」

　今までにないほどのやさしさをこめて、彼は私を見た。そして大声で笑った。「そうですか？」と彼は言った。「ではなぜ、あなたはいつもそんなによそよそしいのですか？」

第六章　過去の清算

前方で道路が狭くなり、切り立った岩壁に沿って急角度に曲がっていた。トラックは大きな岩の上をバウンドしながら、カーブを曲がった。眼下には、真っ白な雲の上に、アンデスの巨大な灰色の峰《みね》がそびえ立っていた。

私はサンチェスを見た。彼は緊張して、ハンドルにおおいかぶさっていた。ほとんど一日中、私たちはけわしい斜面を登り、上からくずれ落ちた岩でさらに狭くなった道を、慎重に進んで来た。私はコントロールドラマのことを話したかったが、今は話す時ではないようだった。サンチェスはエネルギーのすべてを、運転に集中させなければならなかった。その上、私は何について質問したいのか、よくわかっていなかった。第五の知恵は全部読んでしまった。それにはサンチェスが私に話してくれたことが、そのまま書かれていた。もしそれで進化が加速されるのならば、私のコントロールドラマを取り除いた方が、よさそうだった。しかしまだ、コントロールドラマがどう働くのか、私にはわからなかった。

「何を考えているのですか？」とサンチェスが聞いた。

「第五の知恵を読み終わりました」と私は答えた。「今、そのドラマについて、考えていたところです。あなたの話からすると、私のドラマは私のよそよそしさと関係があるということですか？」

彼は返事をしなかった。ただじっと道路を見ていた。三十メートルほど先に、大型の四輪駆動車が止まって、道をふさいでいた。男と女が、車から十五メートルほど離れた岩の崖《がけ》のふちに立っていた。彼らも私たちの方を見た。

サンチェスはトラックを止め、二人を見るとすぐににっこりした。「あの女性とは知り合いです」と彼は言った。「ジュリアですよ。大丈夫、話して行きましょう」

男も女も褐色の肌をしていて、ペルー人のように見えた。女の方が年上で五十歳ぐらいに見えた。一方、男は三十歳ほどに見えた。私たちがトラックから降りると、女が近づいて来た。

「サンチェス神父様！」と彼女は近づきながら言った。

「こんにちは、ジュリア」とサンチェスが答えた。二人は抱き合い、それからサンチェスは私をジュリアに紹介した。ジュリアは彼女の連れのローランドを紹介した。

ほかには何も言わずに、ジュリアとサンチェスは私に背を向けて、さっきまでジュリアとローランドが立っていた岩の方に歩いて行った。ローランドが私をじっと見ていた。私は本能的に彼に背を向けると、二人のいる方へ歩き出した。ローランドは、物欲しげにまだ私を見ながら、あとをついて来た。彼の髪の毛や顔付きは若々しかったが、肌は赤茶けていた。何となく、私は不安になった。

崖の方に歩いて行く間、彼は何回か私に話しかけようとしたが、そのたびに私は目をそらし足を早めた。彼は黙ってしまった。崖の所まで来ると、私は彼が隣りにすわらないように、崖の上に突き出した岩にすわった。ジュリアとサンチェスは八メートルほど上の大きな岩の上に、並んですわっていた。

ローランドはできるだけ私に近いところにすわった。彼がずっと私を見ているのでわずらわしかったが、私は彼に少し興味もあった。

私の視線を捕らえると、彼は質問した。「あなたは写本を探しに来たのですか？」

私はわざとゆっくり答えた。「その話は聞いたことはありますよ」

彼はちょっととまどった様子だった。「見たことはありますか？」

「いくつかはね」と私は言った。「君はそれに何か関係しているの？」

「興味を持っています」と彼は言った。「でも、コピーはまだ見たことはありません」しばらく沈黙が続いた。

「あなたはアメリカから来たのですか？」と彼が聞いた。

その質問がわずらわしかったので、私は答えないことにした。

そのかわりに私の方から質問した。「写本はマチュピチュの遺跡と何か関係があるの？」

「そうは思いません」と彼は答えた。「ただ、写本は遺跡が作られたのと同じ頃に、書かれています」

私は黙ったまま、アンデスのすばらしい風景を眺めていた。私が黙っていれば、そのうち彼がジュリアと二人でここで何をしていたのか、それが写本とどう関係しているのか、話し出すだろう。私たちは一言もしゃべらずに、二十分もそこにすわっていた。とうとうローランドは立ち上がって、他の二人が話をしている場所へ歩いて行った。

私はどうしてよいか、困ってしまった。私がサンチェスとジュリアに加わらなかったのは、彼らが二人だけで話したがっているという印象を、受けたからだった。さらに三十分ほども、私はそこにすわったまま、山を眺めたり、頭上の会話に聞き耳をたてたりしていた。誰も、私に少しも注目してくれなかった。ついに、私は仲間に入る決心をしたが、私が動く前に三人は立ち上がって、ジュリアの車の方へ歩き出した。私は岩の間をぬって、彼らのところへ行った。

「もう出発するそうですよ」私が近づくとサンチェスが言った。

「お話する時間がなくて、残念だったわ」とジュリアが言った。「またお会いしましょう」彼女はサンチェスがときどき見せるのと同じ暖かさで、私を見た。私がうなずくと、彼女はちょっと首をかしげて言った。「またすぐにお目にかかるような気がするわ」

　岩だらけの道を歩いて行く間、私は何か返事をしなくてはと思ったが、何も思いつかなかった。彼女の車のところに来ると、ジュリアは軽く頭をさげ、さよならと言っただけだった。彼女とローランドは車に乗り込み、サンチェスと私が来た道を、北の方へと去って行った。私はこの出来事の全体の意味が、まだよくわからなかった。

　車に乗り込むと、サンチェスが私にたずねた。「ローランドからウィルのことを聞きましたか？」

「いいえ！」と私は言った。「あの二人は彼と会ったのですか？」

　サンチェスは面食った様子だった。「そうですよ。二人はここから六十キロほど東にある村で、彼に会ったのです」

「ウィルは何か私のことを言っていましたか？」

「ウィルはあなたとはぐれてしまったと、ジュリアに言っていたそうです。でも、ウィルはほとんどローランドと話していたそうですよ。ローランドに、あなたは自分は誰か、話さなかったのですか?」

「ええ、彼が信用できる人間かどうか、わからなかったので」

サンチェスはあきれ果てた顔で私を見た。「彼らとは話しても大丈夫だと、さっき言ったでしょう。ジュリアとはもう何年来の知り合いなのです。彼女はリマで商売をしていたが、写本が発見されて以来、第九の知恵を探し続けています。ジュリアは信用できない人とは旅をしませんよ。危険はなかったのに。重要な情報を逃したかもしれませんね」

サンチェスは真剣な表情で私を見た。「これはコントロールドラマが邪魔した完璧《かんぺき》な例ですよ」と彼は言った。「あなたがあまりにもそっけなくしたので、大切な偶然の一致を起こらせなくしてしまったのです」

私が言い訳しそうに見えたのだろう。「でもいいですよ」と彼は言った。「誰でも一つや二つ、ドラマを演じていますよ。少なくとも、あなたは今、自分のドラマがどう働くか、わかったのですからね」と彼は言った。

「わかってなんかいませんよ」と私は言った。「私が何をしたというんです?」

「まわりの人や状況をコントロールする時のあなたのやり方は」と彼は説明し始めた。「自分の方にエネルギーを取りこむために、心の中でドラマを創作し、その間、自分の内に引きこもり、神秘的で秘密めいて見せるのです。自分には、自分は用心しているのだと言い聞かせますが、あなたがやっていることは、誰かがこのドラマに引っ張り込まれて、あなたに何が起こっているのか探り出してくれないかと、待ち望んでいるのです。誰かがそうしてくれても、あなたははっきりしないので、その人はあなたの本当の気持ちをわかろうとして、大変な苦労をします。

そうなると、彼はあなたにかかりきりになり、その結果、彼のエネルギーはあなたの方にゆきます。長い時間、彼らを引きつけ、困らせておけばおくほど、あなたはエネルギーを沢山受け取るのです。残念なことに、あなたがよそよそしく振る舞っていると、あなたの人生はなかなか展開しません。あなたはこの同じシーンを、何回もくり返しているだけだからです。もしローランドに心を開いていれば、あなたの人生の映画は、新たな意味深い方向へ進んでいたでしょうね」

私は落ち込んでしまった。これはみな、私がルノーに情報を与えたがらなかった時に、ウィルが指摘したことと、まったく同じだった。それは本当だった。私には、自分が思っていることを、人に隠す傾向があった。私は窓の外を見た。道は山に向かって登っていた。サンチェスは崖《がけ》から落ちないように、運転に全神経を集中していた。道路が直線になった時、彼は私を見て言った。

「誰にとっても、自分を明らかにする道程の第一歩は、自分のコントロールドラマに気づくことです。自分自身をよく見て、エネルギーを操作するために自分が何をしているか発見しなければ、何も進展しません。今あなたに起こったのは、まさにこれなのですよ」

「次の一歩は何ですか？」と私はたずねた。

「過去を振り返って、子供の頃の家族生活を思い出し、このようなくせがどのように形成されたか、見なければなりません。そのきっかけがわかると、自分のコントロールの型をはっきり意識できます。覚えていて下さい。家族のほとんど全員が、自分のドラマを演じていて、子供からエネルギーを吸い取ろうとしています。これが、私たちがコントロールドラマを作らざるを得ない、そもそもの原因です。私たちは、エネルギーを取り返す戦略を持たなければならなかったのです。自分の特定のドラマを作り出すのは、常に自分の家族との関係からです。しかし、こうした家族の間のエネルギーの動きに気がつくと、私たちはこのコントロール戦略から抜け出して、本当に起こっていることがわかるようになります」

「本当に起こっていることとは、一体どういう意味ですか？」

「私たちはみな、自分の家族の体験を進化の観点から、そして霊的な観点から解釈し直して、自分が本当に誰なのか、発見しなければなりません。一度それをすれば、コントロールドラマは消滅し、本当の人生が始まるのです」

「では、どう始めればいいのですか？」

「まず、あなたのドラマがどのように形成されたか、理解するのです。あなたのお父さんについて、話してくれますか？」

「彼はよい人でした。楽しいことが好きで、有能でもありました。でも……」父に対する感謝が足りないと思われたくなかったので、私は口ごもった。

「でも、何ですか？」とサンチェスが聞いた。

「つまり」と私は言った。「彼はいつも批判的でした。私は何事もちゃんとできたことがありませんでした」

「どう、あなたを批判したのですか？」とサンチェスが質問した。

若くて元気だった父の姿が、心に浮かんだ。「彼は僕に質問をしては、答えに何か間違いを見つけ出しました」

「するとあなたのエネルギーはどうなりましたか？」

「消耗したように感じて。だから彼には何も言わないようにしたんじゃないかと思います」

「あなたははっきりせず、距離を置いて、父親の関心は引いても、彼に批判されるようなことは何も言わないようにした、ということですね。彼は尋問者で、あなたはそのよそよそしさで、彼のまわりを逃げまわっていた、というわけですか？」

「ええ、そう思います。でも、尋問者って何ですか？」

「尋問者も別の種類のドラマです。この方法でエネルギーを取る人は、何か誤りを見つけ出すという特定の目的をもって、質問をしては他人の世界に介入します。誤りを見つけると、尋問者は相手のその点を批判します。この戦略が成功すると、批判された人はそのドラマに引き込まれます。そして、尋問者のまわりにいると、自分のことが急に気になるようになったのに気がつきます。そして、尋問者の言動に注意を払い、何か間違ったことをして尋問者に見つからないように、気をつけるのです。この精神的な防御が、尋問者に望みどおりのエネルギーを与えてしまうのです。

　こんな風な人のそばにいた時のことを、思い出して下さい。尋問者のドラマに巻き込まれてしまうと、あなたはその人に批判されないように、行動しがちではありませんか？　彼はあなたに自分を失わせて、あなたのエネルギーを吸い取るのです。それはあなたが、相手がどう思うかによって、自分自身を判断しているからなのです」

　私はその感覚をまざまざと思い出した。私が思い出した相手はジャンセンだった。

「そして、私の父は尋問者なのですね？」と私は聞いた。

「そのようですね」

一瞬、私の母のドラマは何だったのだろうかと思った。もし私の父が尋問者だとしたら、母は何だったのだろうか？

サンチェスは私に、何を考えているのか聞いた。

「母のコントロールドラマを考えていたのです」と私は言った。「何種類ぐらい、あるのですか？」

「写本に書かれている分類について、説明しましょう」とサンチェスが言った。「人は誰でも、攻撃的にむりやり人の注意を自分に向けさせるか、受け身的に人の同情や好奇心に働きかけて注意を引くかして、エネルギーを得ようとします。例えば、もし誰かに言葉や暴力でおどかされると、あなたは自分に何か悪いことが起こるのではないかと恐れて、相手に注意を払わざるを得なくなります。その結果、エネルギーを相手に与えてしまいます。あなたをおどかしている人は、あなたを最も攻撃的なドラマに引っ張り込むのです。これを第六の知恵では、脅迫者と呼んでいます。

一方、もし誰かがあなたに、自分に起きたひどい出来事を話し、それもいかにもあなたに責任があるように匂《にお》わせておいて、もし助けてくれなければ、このひどい出来事はずっと続くと訴えたとしたら、この人は最も受け身なレベルで、コントロールしようとしています。これを写本は被害者のドラマと呼んでいます。このドラマについて、少し考えてみて下さい。一緒にいると何も理由はないのに、あなたに罪悪感を感じさせるような人はいませんでしたか？」

「いました」

「それは、あなたが被害者のドラマに巻き込まれたからです。彼らの言動のすべてが、自分はこの人のために十分尽くしていないという思いを弁護しなければならない立場に、あなたを追い込みます。だから、ただ一緒にいるだけで、あなたは罪悪感を感じるのです」

私はうなずいた。

「どの人のドラマも、攻撃的なものから受け身的なものまで、この分類のどこかにあてはまります。あまり攻撃的には見えなくても、エネルギーを取るために、人の欠点を見つけ出しては、ゆっくりとあなたの世界を侵害してゆく、あなたのお父さんのような人は、尋問者です。被害者よりは受け身の度合が少ないものが、あなたの演じているよそよそしい傍観者のドラマです。ドラマは順番に、脅迫者、尋問者、傍観者、被害者となります。筋が通っているでしょう？」

「そうですね。誰でもこの四つの型のどれかにあてはまるのですか？」

「そうです。場合によって、使い分ける人もいます。しかし、ほとんどの人は、何回でもくり返す支配的なドラマを一つ、持っているものです。それは、子供時代に家族に対してどれが一番効果的だったかによって、決まります」

突然、私はわかった。母も父とまったく同じことを私にやっていた。私はサンチェスを見た。

「母が何だったか、わかりました。彼女も尋問者だったのです」

「つまり、二服も盛られたんだ」とサンチェスは言った。「あなたがそんなによそよそしいのも、不思議はないわけですね。でも、少なくとも両親はあなたを脅迫しはしなかったのですね。少なくとも、あなたは身の安全をおびやかされはしなかったのですね」

「もしそうだったら、どうなっていましたか？」

「きっと被害者のドラマから、抜け出せなくなっていたでしょう。どうしてかわかりますか？もしあなたが子供で、誰かがあなたの体を傷つけておどし、エネルギーを奪い取ろうとしていたら、よそよそしくしているだけではうまくいきません。内気なふりをしても、相手からエネルギーを取り戻すことはできません。あなたが心の中で何を考えているかなんて、彼らの知ったことではないからです。彼らは強く出てくるだけです。ですから、あなたはもっと受け身になって、被害者のドラマを演じざるを得なくなります。相手の情けに訴え、彼らがしたことに対して罪悪感を感じさせようとするのです。

それもうまくゆかないと、子供の間はじっとがまんし、十分に大きくなると暴力に反抗し、自分も暴力で応戦するようになります」彼は少し間をあけた。「あなたが話していた女の子のようにね。あなた方に夕食を出したペルー人の一家の娘のことです。

そういう子供は、家族の注目を得るために必要な極限までゆきます。その後、この戦略は他のみんなからエネルギーを奪うための重要な方法となり、彼が常にくり返すドラマとなります」

「脅迫者のことはわかりました」と私は言った。「でも、尋問者はどうしてできるのですか？」

「あなたが子供だとします。そして家族はみな仕事か何かで忙しく、家にいなかったり、あなたを無視したりするとします。あなたはどうしますか？」

「わかりません」

「よそよそしく振る舞っても、家族の関心を引くことはできません。彼らは気がつかないでしょう。注目とエネルギーを強要するには、しつこく質問し詮索《せんさく》して、こうした冷淡な人の欠点を見つけ出す方法に訴えざるを得なくなります。これは尋問者がやっていることです」

私はわかり始めた。「傍観者が尋問者を作るのですね」

「そのとおりです」

「そして逆に、尋問者は傍観者を作るんだ！　脅迫者は被害者を作り、それでもうまくゆかないと、もう一人の脅迫者が生まれる」

「そうです。こうして、コントロールドラマはどこまでも続いてゆくのです。でも他人の演じているドラマは見えても、自分はそんなものとは関係ないと思いがちです。先へ進むためには、この錯覚から抜け出さなければなりません。私たちはほとんど全員、少なくとも一時期はこうしたドラマにはまり込んでいます。一歩さがって自分自身をじっくり眺めて、それが何のドラマか発見しなければならないのです」

私はしばらく黙っていた。それからサンチェスを見ると、質問した。「自分のドラマがわかると、次にどうなるのですか？」

サンチェスはトラックのスピードを落として、私の目を見つめた。「無意識的な行動から抜け出して、ずっと自由になります。前にも言ったように、人生の深い意味を発見することができます。つまり、私たちがその家族に生まれた霊的な理由がわかります。自分が本当は何者なのか、明らかになり始めるのです」

「間もなく着きますよ」とサンチェスが言った。道路は両側の山の間を登って行った。右側に地層が大きく露出している所を通りすぎると、前の方に小さな家が見えた。その家の後ろには、大きな岩がもう一つ、塔のように突き出ていた。

「彼のトラックが見えないな」とサンチェスが言った。

車をとめて、私たちは家の方へ歩いて行った。サンチェスはドアを開けて中へ入った。私は外で待っていた。何回か深呼吸をすると、空気は冷んやりとして薄かった。空は暗い灰色で、厚い雲でおおわれていた。今にも雨になりそうだった。

サンチェスが戸口に戻って来た。「中には誰もいない。彼は遺跡に行っているんでしょう」

「どう行けばいいのですか？」

彼は急に疲れ切った様子になった。「ここから一キロほど先ですよ」と言って私にトラックの鍵《かぎ》を渡した。「トラックを運転して行って下さい。この道をずっと行って峠を越えると、下に見えます。私はここで瞑想《めいそう》をしていますから」

「ええ、行ってみます」と言うと、私は車に乗り込んだ。

私は小さな谷間に下り、また次の峠へ登って行った。どんな風景が現れるか楽しみだった。上からの眺めは期待を裏切らなかった。峠に登ってゆくと、マチュピチュの遺跡全体が見えてきた。それは巨大な神殿で、山の頂きに、何トンという重さの石が一つずつ丹念に積み上げられていた。曇り空の暗い光の中でさえ、それは圧倒されるほど美しかった。

私はトラックを止めると、十五分ほど、エネルギーを全身に浴びた。いくつかのグループが遺跡の中を歩いていた。僧侶《そうりょ》のカラーをつけた男が、廃墟《はいきょ》となった建物から出て、近くにとめてある車へと歩いて行くのが見えた。距離が離れていた上に、その男が僧服ではなく皮ジャケットを着ていたので、それがカール神父かどうかはわからなかった。

私はその近くまで、トラックを運転して行った。彼は車の音に気がつくと、私の方を見上げてにっこりした。サンチェスの車だとわかったのだろう。中に私がいるのを見て、彼は興味ありげに近づいて来た。彼は背が低くて頑丈そうな体つきをしていた。つやのない茶色の髪と深い青色の目、それにぽっちゃりした顔の持ち主だった。年齢は三十歳ぐらいに見えた。「私はサンチェス神父と一緒にいる者です」車から降りて私は自己紹介した。「彼があなたの家で待っています」

彼は手を差し出して言った。「私はカール神父です」

私は遺跡に目をやった。近くから見ると、積みあげられた石はもっと迫力があった。

「ここは初めてですか？」と彼が聞いた。

「はい」と私は答えた。「何年もずっと、話には聞いていましたが、ここに来られるとは思ってもいませんでした」

「ここは、世界で最も高いエネルギーセンターの一つです」と彼は言った。

私は彼をじっと見た。明らかに彼は、エネルギーという言葉を写本の中で使われているのと同じ意味で使っていた。私はうなずいてから言った。「私は今、意識的にエネルギーを強め、私のコントロールドラマを処理するところまで、来ています」こんなことを言うのはうぬぼれているかなと少し思ったが、正直になれて気持ちがよかった。

「あなたはそれほど、よそよそしくは見えませんね」と彼が言った。

私はびっくりした。「どうして私のドラマがわかったのですか？」と私はたずねた。

「それをかぎ分ける本能を発達させたのです。そのために、私はここにいるのです」

「あなたは、人が自分のコントロールの仕方を見つけ出すための、手助けをしているのですか？」

「ええ、それと本当の自分を見るためのね」彼の目は誠実そのものだった。彼は率直きわまりなく、知らない人に自分のことを話しても、まったく平気な様子だった。

私が黙ったままだったので、彼が口を開いた。「最初の五つの知恵はわかっていますか？」

「大部分は読んでいます」と私は言った。「それに何人かと話し合いました」

そう言ったとたん、私は自分が曖昧《あいまい》すぎたのに気がついた。「最初の五つはわかっていると思います」と私はつけ加えた。「まだはっきりわかっていないのは、第六の知恵です」

彼はうなずいて言った。「私が話をする人たちの大部分は、写本のことを聞いたこともありません。彼らはここに来て、エネルギーを受けて高揚します。それだけで、自分の人生を考え直し始めるのです」

「どうやって、そういう人たちと会うのですか？」

わかっているでしょうというように、彼は私を見た。「彼らが私を見つけるみたいです」

「本当の自分自身を見つける手伝いをするとおっしゃいましたね。どうするのですか？」

彼は大きく息を吸ってから言った。「やり方は一つしかありません。それぞれに自分が子供だった頃の家族の中での体験を思い出し、そこで起きたことを見直さなければなりません。一度自分のコントロールドラマに気がつけば、エネルギーの争奪戦の向こうにある家族の真理、いわば『明るい希望』に焦点をあてることができます。この真実を見つけさえすれば、人生は活性化します。この真理は本当の自分を明らかにし、自分がどこに進み、何をしているかを、私たちに教えてくれるからです」

「サンチェスが私に話してくれたことと同じですね」と私は言った。「どうすればその真理を発見できるか、もっと知りたいのですが」

彼はコートのジッパーをあげた。日が暮れ始めて寒くなってきた。「あとでお話しましょう。今はサンチェス神父に挨拶《あいさつ》したいと思います」と彼は言った。

私が遺跡の方を見ると、彼はつけ加えた。

「お好きなだけ、遺跡を見まわって下さい。あとで私の家で会いましょう」

私は一時間半、古代遺跡を歩きまわった。ある場所では、他の場所よりも体が軽く感じられて、立ち去りがたかった。このような寺院を作りあげた文明に私は驚嘆した。どのようにして、彼らはここまで石を運び、このように石を積み重ねたのだろうか？　とても人間わざとは思えなかった。

遺跡に対する私の強い興味がおさまりかけると、私の思いは自分の置かれた状況へと移って行った。状況はまったく変わっていなかったが、今はもう、以前のようにこわくなかった。サンチェスの自信が私に安心感を与えてくれていた。彼を疑った私は馬鹿だった。そして会ったばかりのカール神父を、もう好きになっていた。

暗くなって来たので、私はトラックに戻ってカール神父の家へ向かった。車が近づくと、家の中に、二人が並んで立っているのが見えた。私が家に入ると、笑い声が聞こえた。二人は台所で忙しく夕食の準備をしていた。カール神父が私を迎え入れ、椅子《いす》のところに連れて行った。私は暖炉の前にゆっくりとすわると、あたりを眺めまわした。

その部屋は大きくて、壁は少ししみのある幅の広い板で張ってあった。他に二部屋見えたが、かすかそれは明らかに寝室で、狭い廊下でつながっていた。小さなワット数の電球がともされ、かすかに発電機の音が聞こえるような気がした。

食事の用意ができると、私は荒削りの厚い板でできたテーブルにつくように言われた。サンチェスが短い祈りの言葉を唱えてから、私たちは食べ始めた。二人はずっと話をしていた。食事のあと、私たちは火のそばにすわった。

「カール神父はウィルと話をしたそうですよ」とサンチェスが言った。

「いつですか？」私はすぐに興奮して聞いた。

「ウィルは数日前、ここに来ました」とカール神父が言った。「彼には一年前にはじめて会ったのですが、今回は私に情報を伝えに来たのです。写本に対する政府の弾圧の背後にいる人物が誰か、自分は知っていると言っていました」

「誰ですか？」と私は聞いた。

「セバスチャン枢機卿《すうききよう》ですよ」とサンチェスが口をはさんだ。

「彼は何をしているのですか？」と私がたずねた。

「明らかに」とサンチェスが言った。「彼は自分の影響力を利用して、政府に軍の弾圧を強化させたのです。彼は教会の中を分裂させるよりも、政府を使って陰でこっそり動く方が好きなのです。今、彼は圧力を強めています。残念ながら、それは功を奏しているようです」

「それはどういうことですか？」と私が聞いた。

「北部評議会の二、三の僧侶とジュリアとウィルのような少数の人々を除くと、誰ももう、コピーを持っていないようです」

「ビシエンテの科学者たちは？」と私は聞いた。

　二人はしばらく無言だった。やがてカール神父が口を開いた。「ウィルの話では、政府はビシエンテを閉鎖しました。学者は全員逮捕され、彼らの研究データも没収されました」

「学者たちはそれでいいんですか？」と私は聞いた。

「彼らにどんな手があるというのですか？」とサンチェスが言った。「それに、その研究はどうせ、ほとんどの学者から認められていません。政府は、この人たちが法律を破ったという噂《うわさ》を、流しているようです」

「政府にそんなことができるとは、信じられませんね」

「でも、明らかに彼らはやっているのです」とカール神父が言った。「何人かに電話で確認したのですが、みな同じ話をしていました。大っぴらにしてはいないものの、政府は取締りを厳しくしています」

「これからどうなるのですか？」と私は二人に質問した。

　カール神父は肩をすくめた。そしてサンチェス神父が言った。「わかりません。ウィルが何を見つけるかによります」

「なぜですか？」と私は聞いた。

「彼はまだ見つかっていない第九の知恵を、もう少しで発見しそうなのです。もし彼が見つければ、国際的な注目を浴びて世界中が介入してくるでしょう」

「彼はどこへ行くか言っていましたか？」と私はカール神父にたずねた。

「彼自身もはっきりとはわかっていないようでした。しかし、直感が彼をもっと北に導いていくと言っていました。コロンビアの近くだそうです」

「直感が導いていく？」

「そうです。あなたが自分は誰か、はっきりとわかり、第七の知恵に進んだあとで、わかりますよ」

私は二人を見た。二人とも、信じられないほど、穏やかに見えた。「どうしてそんなに落ち着いていられるのですか？」と私はたずねた。「もし彼らがここに踏み込んで来て、私たちを逮捕したら、どうするのですか？」

二人は私をじっと見つめ、それからサンチェス神父が口を開いた。「落ち着きと不注意を混同してはいけません。私たちの平和な落ち着きは、どれぐらいエネルギーにつながっているかの尺度です。どんな状況にあろうとも、エネルギーにつながっていることが、私たちにとって最上のことだからこそ、そうしているのです。それはわかりますね」

「ええ、もちろん」と私は言った。「私はエネルギーとつながっていられないみたいです」

二人はにっこりした。

「自分が何者かはっきりすれば、エネルギーとつながっているのは簡単になりますよ」

サンチェス神父は立ち上がると、皿を洗いに行くと言って、向こうへ行ってしまった。

私はカール神父を見た。「わかりました」と私は言った。「自分自身を知るには、どう始めればよいのですか？」

「サンチェス神父は、あなたはすでに、両親のコントロールドラマを理解したと言っていましたよ」と彼は言った。

「ええ、父も母も二人とも尋問者で、私を傍観者に育てあげました」

「なるほど。次は家族の間のエネルギー競争を振り返って、あなたがそこに生まれた本当の理由を探さなければなりません」

私はぽかんとして彼を見た。

「本当の霊的なあなた自身を見つけるためには、あなたの人生全体を一つの長い物語としてながめ、高次の意味を発見しなければなりません。自分自身に次の質問をすることから始めて下さい。私はなぜ、特にこの家族の一員として生まれたのだろうか？　その目的は何だったのだろうか？」

「わかりません」と私は言った。

「あなたのお父さんは尋問者でしたね。他に彼はどんな人でしたか？」

「彼が何を信条としていたか、という意味ですか？」

「はい」

私はしばらく考えてから言った。「父は、生活を楽しむべし、誠実に生き、しかも人生が与えてくれるものを最大限に利用すべしと、心の底から信じていました。つまり、人生を十分に生きるということです」

「彼はそうできましたか？」

「ある程度は。でもなぜか、父は最も人生を楽しめるなと思ったとたん、いつも不運に見まわれているみたいでした」

カール神父は目を細めて考え込んだ。「彼は人生は面白おかしく楽しむものだと思っていた。しかし彼はそうできなかったのですね？」

「はい」

「なぜなのか、考えたことはありますか？」

「あまり考えたことはありません。いつも彼は運が悪かったのだと思っていました」

「おそらく、彼はまだ、それを実現する方法を見つけていないのでしょうね？」

「ええ、そうでしょう」

「ではあなたのお母さんはどうですか？」

「母はもう亡くなりました」

「彼女の人生はどんなだったか、わかりますか？」

「母の人生は教会でした。母はキリスト教の教えを信じていました」

「母は地域の奉仕活動と神の法に従うことが大切だと、信じていました」

「どのように？」

「彼女は神の法に従っていましたか？」

「はい。一字一句。少なくとも、教会で教えたことは」

「彼女はあなたのお父さんを、同じことをするように説得できましたか？」

私は笑った。「いや、全然。母は父に、毎週教会に行き、地域活動に参加してもらいたがっていました。でもさっき言ったように、父はもっと自由な精神の持ち主でした」

「それで、それはあなたにどう影響しましたか？」

私は彼を見た。「そんなこと、考えたこともありません」

「二人とも、あなたに忠誠を求めたのではありませんか？　だから、あなたが相手側の価値観に味方してはいないかどうか確かめるために、あなたを尋問したのではないでしょうか？　二人とも、自分のやり方が一番良いと、あなたに思わせたがっていませんでしたか？」

「ええ、そのとおりです」

「あなたはどう対応しましたか？」

「どちらの側につくのも、避けようとしたのだと思います」

「二人とも、あなたが自分の考え方に賛成するかどうか、監視していた。あなたは両方を喜ばせることができず、傍観者になった」

「そのとおりです」と私は言った。

「お母さんはどうなりましたか？」と彼は聞いた。

「母はパーキンソン氏病になり、長いことわずらったあと、亡くなりました」

「彼女はずっと信仰に忠実でしたか？」

「完全に」と私は言った。「死ぬまでです」

「彼女はあなたにどんな意味を残しましたか？」

「何ですって？」

「彼女の人生があなたにとって、どんな意味があるか、探すのです。あなたが彼女の子供として生まれた理由と、何を学ぶためにそこにいたかを探るのです。人はみな、意識しようがしまいが、人間の生き方について自分がどう考えているか、自分自身の人生にそのまま表現しています。彼女があなたに何を教えたか、あなたは発見しなければなりません。それと同時に、どうすれば彼女の人生をもっとよくできたか、考えて下さい。あなたがお母さんをどう変えられたか考えることは、今、あなたがやっている作業の一部なのです」

「なぜ一部なのですか？」

「お父さんの人生をどうしたら改善できるかが、残りの一部だからです」

私はまだよくわからなかった。

彼は手を私の肩に置いた。「私たちは両親から肉体をもらっただけではありません。霊的なものも受けついでいます。あなたはこの二人の間に生まれましたが、両親の人生はあなたが何者かということについて消しがたい影響力を持っています。本当のあなた自身を発見するためには、本当の自分は両親の真実の間から始まっていることを、認めなくてはなりません。それがあなたが二人の間に生まれた理由なのです。彼らがどんな生き方をしたか、高い視点から見ることです。あなたのゆくべき道は、両親の信念をより高い次元で統合した真実を探究してゆくことなのです」

私はうなずいた。

「両親があなたに教えたことを、どう言い表せますか？」

「よくわかりません」と私は答えた。

「あなたは両親をどう思いますか？」

「私の父は、人生とは最大限、自分の活力を発揮し、自分自身を楽しむことだと考え、それを追求しようとしました。母は、自分自身を否定して、自分の時間は他の人への奉仕に使うべきだと信じていました。彼女はこれこそ、聖書の命じていることだと感じていたのです」

「あなたは、それをどう思いますか？」

「よくわかりません」

「あなたは、自分だったらどちらを選びますか？　お母さんの方ですか？　お父さんの方ですか？」

「どちらでもありません。つまり、人生はそんなに単純ではないでしょう」

彼は笑った。「はっきりしませんね」

「よくわからないのだと思います」

「でも、どちらかを選ばなければならないとしたら？」

私は決めかねていた。でも、正直に考えようとした。すると、急に答えが浮かんだ。

「二人とも正しくて、しかも正しくなかったんです」と私は言った。

彼の目が輝いた。「どのように？」

「はっきりとはわかりません。でも、正しい人生は両方の見方を含んでいなくてはならないと、思います」

「あなたに対する質問は」とカール神父が言った。「どのように？　です。どのように、その両方の人生を生きるのですか？　あなたはお母さんから、人生は霊性の問題だという知識を受け取りました。お父さんからは人生とは自分を向上させ楽しみ冒険することだと、教えられました」

「つまり、私の人生はその二つのやり方を、何とか統合することなのですか？」

「そうです。あなたにとっては、霊性が問題なのです。あなたの全人生は、自分自身を成長させる道を見つけ出すためのものなのです。これはご両親が達成できずに、あなたに遺《のこ》した問題です。これはあなたの進化のテーマであり、あなたの今生《こんじょう》の探求なのです」

このカール神父の話に、私は考え込んでしまった。彼は何か他のことも話したが、彼が言っていることに集中できなかった。小さくなった火が、私の心を静めてくれた。私は自分が疲れているのに気がついた。

カール神父は椅子《いす》の上で背をまっすぐに伸ばして言った。「今晩はもうエネルギーを使い果たしましたね。でも、一つだけ言わせて下さい。あなたは今晩眠って、私たちが今、話し合ったことを二度と考えないこともできます。あなたの昔のドラマにそのまま戻ることもできれば、明日目を覚まして、この新しい考え方を探求することもできます。もしそうするならば、あなたはこのプロセスの次の段階に進むことができます。それは、誕生してからあなたに起こったすべての出来事を、よく見るということです。誕生から現在までのあなたの人生を、一つの物語として見てみると、自分がずっとこの問題を追求してきたことが、はっきりと見えてきます。なぜあなたがペルーに来たかも、この先何をすべきかも、見えてくるでしょう」

私はうなずいて彼をじっと見た。彼のまなざしは暖かくて愛情がこもっていた。ウィルやサンチェスの顔にも、何回もそれと同じ表情を見たことがあった。

「おやすみ」とカール神父は言って、寝室へ入るとドアを閉めた。私は寝袋を床に広げてもぐり込むと、すぐ眠りに落ちていった。

私はウィルのことを思いながら、目を覚ました。カール神父に、ウィルの計画についてもっとほかに知っているかどうか、たずねたかった。私が寝袋のジッパーを閉めたまま横になって考えていると、カール神父が静かに入って来て、火をおこし始めた。

私は寝袋のジッパーを下ろした。その音にびっくりして彼は私の方を見た。

「おはよう」と彼は言った。「よく眠れましたか？」

「よく寝ました」と答えて私は立ち上がった。

彼は新しい薪《まき》を石炭の上にのせ、さらに大きな薪をのせた。

「ウィルはこれからどうすると言っていましたか？」と私は聞いた。

カール神父は立ち上がって私の顔を見た。「彼は友達の家に行って、第九の知恵に関する情報を待つと言っていました」

「ほかに何か言っていましたか？」

「セバスチャン卿も最後の知恵を探していて、かなり近くまでいっているようだと、言っていました。写本が広く流布《るふ》され理解されるようになるかどうかは、誰が最後の知恵を手に入れるかによることになるだろうと、ウィルは考えています」

「なぜですか？」

「私にはよくわかりません。ウィルは一番最初に写本を集めて学んだ人たちの一人です。彼は誰よりもよく、写本を理解しています。最後の知恵によって、他のすべての知恵がもっと明確になり、受け入れられるようになるだろうと、彼は感じているのだと思います」

「彼は正しいと思いますか？」と私は聞いた。

「わかりません」と彼は答えた。「私は彼ほどにはわかっていません。私にわかっているのは、自分のすべきことは何かだけです」

「それは何ですか？」

彼は少し口をつぐみ、しばらく考えてから答えた。「前にも言ったように、私の使命は、人が本当の自分を発見するのを助けるということです。写本を読んだ時、この使命が明らかになりました。第六の知恵は、私にとって特別の知恵です。私の真実は、他の人がこの知恵を理解するのを助けることです。私も同じ道を歩んで来ましたから、私は役に立てるのです」

「あなたのコントロールドラマは何でしたか？」と私はたずねた。

彼は楽しそうに私を見た。「私は尋問者です」

「あなたは人の生き方の間違いを見つけて、人を支配したのですか？」

「そうです。私の父は被害者で、母は傍観者でした。二人とも、私を完全に無視していました。私が注目を得るためにできる唯一《ゆいつ》の方法は、彼らがやっていることに頭をつっこみ、何か間違いを指摘することでした」

「それで、いつ、そのドラマから脱け出したのですか？」

「十八ヵ月ほど前です。サンチェス神父に会って、写本のことを学び始めた時です。両親をよくよく見たあと、両親との体験が私のすべきことを準備してくれたことに、気がつきました。私の父は、何かを達成することが大切だと信じていました。父は目標達成主義者だったのです。彼は自分の時間を分きざみで計画し、どれだけ実行できたかで自分を判断していました。私の母は非常に直感的で神秘的な人でした。母は、私たちはみな霊的なガイダンスを受け取っていて、人生はその指示に従うことだと信じていました」

「お父さんはそれをどう思っていましたか？」

「馬鹿げていると思っていました」

私はほほ笑んだだけで、何も言わなかった。

「それで私はどうなったと思いますか？」とカール神父がたずねた。

私は首を振った。よくわからなかったのだ。

「父のおかげで、人生は何かを成し遂げることだと、心に焼きつけられました。つまり、重要な仕事を持って、それを達成するということです。しかし同時に、母は私に、人生とは内なる指針、一種の本能的な導きに従うことだと教えました。私の人生はこの二つの統合だと気がつきました。私はどのようにして、内なる指針によって、自分にしかできない使命に導かれるのか、発見しようとしました。そして、私たちが幸福で充足するためには、この使命の遂行が最も重要なことであることも、知っていました」

私はうなずいた。

「そして」と彼は続けた。「第六の知恵を知って、なぜ私が興奮したか、おわかりでしょう。それを読むやいなや、自分の仕事は、人々がこの目的意識を開発できるように、自分自身を明確化する手助けをすることだと、わかったのです」

「ウィルがどうして今のようになったか、知っていますか？」

「ええ、彼は私に話してくれました。ウィルのドラマはあなたと同じ傍観者です。やはりあなたと同じように、両親は二人とも尋問者で、それぞれにウィルに受け継がせたい確固とした哲学を、持っていました。ウィルの父親はドイツ人の作家で、人類の究極の使命は、人類の完全を目ざすことだと主張しました。彼は人類愛の視点からそれを主張したのですが、ナチは彼の人類完成という基本的な考えを盗用し、アーリア系人種以外の殺害と根絶の正統化に利用しました。

自分のテーマが悪用されて、この老人は打ちのめされ、妻とウィルを連れて南米へ移住しました。彼の妻はアメリカで育ち、教育を受けたペルー人でした。彼女も作家でしたが、その基本に東洋的な哲学を持っていました。彼女は、人生とは内なる悟りに達すること、すなわち、心の平和と俗事からの脱却を特徴とする高次の意識に到達することだと、考えていました。彼女によれば、人生は完全を目ざすことではなかったのです。むしろ、何かを完全にする必要や、何かを目ざすことは、忘れてしまうことでした。……その結果、ウィルはどうなったと思いますか？」

私は首を横に振った。

「彼はとても難しい立場に置かれました」と彼は続けた。「父親は進歩と完成のために働くという西洋的な考え方を擁護し、母親は人生とは心の平和を達成することであり、それ以外のものではないという、東洋的な信念を持っていたわけですからね。

この二人は、ウィルが東洋と西洋の文化の間の、思想的な相違を統合するという仕事をするための、基礎となりました。しかし、どうやってよいのかわかりませんでした。彼は最初、技術者になって技術進歩に貢献しました。次に、この国の美しい感動的な場所に人々を案内する、心の平和を求める素朴なガイドになりました。

しかし、写本を探し求めるうちに、彼の中ですべてが目覚めました。写本は彼の主な疑問に直接答えてくれました。東洋と西洋の考え方を一つの高次の真理に統合することができることを、明らかにしていたのです。写本は、西洋は、人生は進歩であり、より高いものへの進化であると言っている点では正しいと、語っています。しかし、東洋の哲学も、私たちがエゴの支配を捨てなければならないと強調している点では、正しいのです。理論だけでは、進歩できません。私たちは意識を拡大し、神との内なるつながりを達成しなければなりません。そうなって初めて、自分の中の高次な部分によって、より高いものへと、導かれるようになります。

知恵を発見し始めると、ウィルの人生全体がスムースに流れ始めました。彼は、写本を最初に発見して翻訳を作ったホセという僧侶《そうりょ》に、出会いました。そのすぐあと、彼はビシエンテの所有者に会い、そこで研究を始める手助けをしました。また同じ頃、ジュリアに会いました。彼女は商売をしていましたが、原始林に人々を案内する仕事もやっていました。

ウィルと最も気が合ったのは、ジュリアでした。二人は同じ問題を追求していたので、すぐに意気投合しました。彼女の母親は大学のスピーチの教師で、気まぐれに軽薄な調子で霊的な話をする父親の下で育ちました。彼女の母親は大学のスピーチの教師で、理路整然とした考え方を要求する、議論好きの女性でした。当然ながら、ジュリアは霊性に関する情報を欲しがっていましたが、それがわかりやすくて正確であることを求めていました。

ウィルは人間の霊性を説明する東洋と西洋の統合を欲していました。一方、ジュリアは、この説明が完全に明確であることを、望んでいました。写本はそのどちらをも充たしたのです」

「朝食の用意ができましたよ」とサンチェスが台所から声をかけた。

私はびっくりして振り返った。サンチェスが起きていたのに気がつかなかったのだ。それ以上話を進めるのは止めて、カール神父と私は立ち上がって、サンチェスと一緒に果物とシリアルの食事をした。食事のあと、カール神父は遺跡に散歩に行こうと、私を誘った。もう一度遺跡へ行きたいと思っていたので、私は一緒に行くことにした。私たちはサンチェスの方を見たが、彼は山を降りて何本か電話をしなければならないと言って、私たちの誘いを断った。

外は空が水晶のように澄みわたり、太陽が明るく山々を照らしていた。私たちは足どりも軽く歩いて行った。

「ウィルに連絡する方法はありませんか？」と私はたずねた。

「いいえ、彼は友達の名前を言いませんでした。北の国境近くのイキトスの町に車で行くのが唯一の方法ですが、今行くのは危険だと思います」

「どうしてそこへ行ったのですか？」と私はたずねた。

「調べているうちに、その町へ導かれてゆきそうな気がすると言っていました。そのあたりには沢山遺跡があります。それに、セバスチャン卿もその近くに伝道所を持っています」

「ウィルは最後の知恵を発見できると思いますか？」

「私にはわかりません」

私たちは黙ったまま、しばらく歩いた。それからカール神父がたずねた。「あなた自身、どうするか決めましたか？」

「どういう意味ですか？」

「サンチェス神父は、あなたは初め、アメリカへ一刻も早く帰りたがっていたと、言っていました。でも今は、知恵を探すことに興味があるようですね。今の気持ちはいかがですか？」

「まだ決めかねています」と私は言った。「でもなぜか、知恵を探し続けたいと思っています」

「あなたのすぐ横で人が殺されたそうですね？」

「はい」

「それでもまだ、この国にいたいですか？」

「いいえ」と私は言った。「逃げて、命拾いしたいです。……でも、私はここにいる」

「なぜだと思いますか？」と彼が聞いた。

私は彼の表情をうかがった。「わかりません。あなたは？」

「昨夜、どこまで話したか覚えていますか？」

私は正確に覚えていた。「私の両親が私に残した問題を見つけたところまでです。自己を高め、冒険心と充実感を与える霊性を見つけ出すことです。そして、私が自分の人生全体をもっとよく見つめれば、私の人生の展望が開け、今私に起こっていることがはっきりするだろうと、あなたが言いました」

彼は謎《なぞ》めいた笑顔を見せた。「写本によればそのとおりです」

「それはどのように起こるのですか？」

「私たちはみな、自分の人生の重要な転換点を思い出し、自己の進化という観点から、もう一度それを解釈しなおさなければなりません」

私は理解できずに首を振った。

「これまでの人生の中の、あなたの興味や大切な友人や偶然の一致の連続に気がついて下さい。それはあなたを一つの方向へと、導いていませんか？」

私は子供時代からの自分の人生を振り返ってみた。しかし、何も発見できなかった。

「子供の頃、何をして時間をすごしましたか？」と彼が聞いた。

「わかりません。私は普通の子供だったと思います。本を沢山読みました」

「どんな本ですか？」

「ミステリーが大部分で、ＳＦとか、幽霊の話なんかです」

「そのあと、どんなことが起こりましたか？」

私は祖父が私に与えた影響を思い出したので、カール神父に祖父の湖と山のことを話した。彼はうなずいた。「大人になってから、何がありましたか？」

「大学へ行きました。家を離れている間に、祖父が亡くなりました」

「大学では、何を勉強しましたか？」

「社会学です」

「なぜ？」

「好きな教授と出会ったからです。人間性に関する彼の知識に興味を持ちました。それで彼のところで勉強することに決めました」

「それからどうなりました？」

「卒業して、就職しました」

「仕事は楽しかったですか？」

「ええ、ずっと」

「それから、何が変わりましたか？」

「自分のやっていることが完全ではないと、感じたのです。私は情緒障害を持つ若者を相手の仕事をしていました。彼らがどうすれば過去を脱却して、自滅的な行動をやめることができるか、自分はわかっていると思っていました。彼らがうまく生きていけるように、助けてあげられると思っていたのです。でも、私のやり方には何かが欠けていると、気がついたのです」

「それでどうしました？」

「やめました」

「そして？」

「その時、昔の友達が電話をしてきて、写本のことを話しました」

「あなたがペルーに来ることにしたのは、その時ですか？」

「ええ」

「ここでの体験をどう思いますか？」

「私は、自分は気がおかしくなっていると思います」と私は言った。「自分をどんどん危険な目にあわせているような気がします」

「でも、あなたの体験の進み方については、どう思いますか？」

「わかりません」

「ペルーに来てから、あなたに起きたことをサンチェス神父が話してくれた時、偶然の一致が次々に起こって、あなたがその時に必要としていた知恵に出会っていった事実に、驚かされました」

「それは何を意味しているのですか？」と私はたずねた。

彼は歩みをとめて、私の方に向き直った。「あなたに用意ができていたということです。あなたも私たちと同じです。あなたの人生の進化を続けるために、写本が必要となるところに、来ていたのです。

あなたの人生の出来事が、どのように一つにまとまるか、考えてみて下さい。あなたは初めから不思議な話題に興味を持っていました。そしてその興味が、あなたに人間性を学ばせました。あなたがその教授と出会ったのは、なぜだと思いますか？　彼はあなたの興味を具体化し、この世の最大の神秘へと、あなたを導きました。それは、この惑星の人間の状態であり、人生とは何かという問いです。その時どこかのレベルで、あなたは人生の意味とは、過去の条件づけから脱却し、人生を前進させることと関連しているのを、知っていたのです。だからこそ、あなたは、そういう子供たちの面倒を見ていたのです。

しかし、あなたもすでにおわかりのように、こうした若者に対するあなたのテクニックに何が欠けていたか発見するためには、写本の知恵が必要だったのです。情緒障害を持つ子供の場合も、成長するためには、他のみんなと同じことをする必要があります。つまり、十分にエネルギーとつながって、彼らの強烈なコントロールドラマを見極めるのです。そして、さらにあなたがこれまでずっと理解しようと努力してきた霊的なプロセスへと、進まなければならないのです。

こうした出来事を高い視点から見て下さい。過去にあなたを導いてきた興味や、こうした成長のすべての段階は、あなたが今、ここへ来て写本の知恵を探求するための準備だったのです。あなたはこれまでずっと、自分の霊性を高め進化するために、いろいろやってきました。そして、あなたが育った場所の自然から得たエネルギー、すなわち、お祖父《じい》さんがあなたに教えようとしたエネルギーが、ついにあなたに、ペルーへ来させる勇気を与えたのです。あなたがここにいるのは、あなたが進化を続けるために必要な場所だからです。あなたの人生は、この瞬間へまっすぐに通じる長い道だったのです」

彼はにっこりした。「このように人生をはっきりと統合できた時、あなたは写本が霊的な道の自覚と呼んでいるものを、達成します。写本によると、自分の過去を清算するプロセスに、十分必要な時間をかけなければなりません。私たちのほとんどは、乗り越えなければならないコントロールドラマを持っていますが、一度それを乗り越えると、なぜ自分がその両親の間に生まれたのか、自分の人生の紆余曲折《うよきよくせつ》が何のための準備であったのか、高い次元で理解できるのです。私たちはみな、自覚せずにずっと追求し続けてきた霊的な目的と使命を持っています。しかし一度それを十分に意識すると、私たちの人生は動き始めます。

あなたはこの目的を発見しました。今まさに、あなたは先へ進まなければなりません。そして偶然の一致が、これから先、この使命をどう遂行してゆくか、ここで何をすればいいのか、明確な答えをあなたに与えてくれます。ペルーに来てから、あなたはウィルのエネルギーとサンチェス神父のエネルギーに乗って、ここまで来ました。しかし、今、自分で意識して進むことを学ぶ時が来ています」

彼がもっと何か言おうとした時、後ろからサンチェスのトラックが追いついて来た。彼は私たちの横で車をとめて、窓ガラスを下げた。

「どうかしましたか？」とカール神父がたずねた。

「荷造りをして、すぐに伝道本部へ帰らなければならない」とサンチェスが言った。「政府の軍隊が本部を占拠したのです。それにセバスチャン卿も」

私たちはすぐトラックに飛び乗り、サンチェスが運転してカール神父の家に向かった。途中サンチェスは、軍隊が伝道本部に来てコピーを全部没収し、おそらく伝道本部は閉鎖されるだろうと話した。カール神父の家に着くと、私たちは大急ぎで家に駆け込んだ。サンチェス神父はすぐに自分の荷物を詰めはじめた。私はそこに立って、何をすればいいか考えていた。私が見ていると、カール神父がサンチェスに近づき、「私もあなたと一緒に行った方がいいと思います」と言った。

サンチェスは振り向いた。「本気ですか？」

「はい、行くべきだと確信しています」

「何のために？」

「私にもまだわかりません」

サンチェスは彼をしばらくじっと見つめた。それからまた、荷造りに取りかかった。「もしあなたがそれが一番いいと思うなら」

私はドアの枠に寄りかかっていた。「私はどうしたらいいでしょう？」と私はたずねた。

二人は私の方を見た。

「あなた次第です」とカール神父が言った。

私は目を丸くした。

「あなたは自分で決めなければいけません」とサンチェスが口をはさんだ。

私の選択に二人が何も言わないのは信じられない気がした。彼らと一緒に行けば、ペルーの軍隊に捕らえられることは確実だった。しかし、ここに一人で残ることなど、どうしてできようか。

「あのう」と私は言った。「どうすればいいか、わかりません。私を助けて下さい。誰かほかに、私を匿《かく》まってくれる人はいませんか？」

二人は互いに顔を見合わせた。

「いないと思います」とカール神父が言った。

私は二人を見た。不安のかたまりが、胃のあたりに突き上げてきた。

カール神父は笑顔で私に言った。「心を落ち着けなさい。自分が何者か、思い出しなさい」

サンチェスは鞄《かばん》のところへ行くと、中から書類を取り出した。「これは第六の知恵のコピーです。きっと、何をすべきか決めるのに、役に立ちますよ」

私がコピーを受け取ると、サンチェスがカール神父を見てたずねた。「出発できるようになるには、どれぐらいかかりますか？」

「何人かに連絡しなければならないので、あと一時間ぐらいでしょう」とカール神父は言った。

サンチェスは私を見た。「それを読んで、しばらく考えなさい。それから話し合いましょう」

二人はまた準備にとりかかった。私は外に出て大きな岩の上にすわると、写本を開いた。それは、サンチェス神父とカール神父の言葉とまったく同じだった。過去を清算することは、子供時代に学んだコントロールの方法に気づくプロセスそのものだった。そして、いったんこのくせから脱け出せれば、私たちは自分の大いなる自己と進化の本質を発見すると、写本は言っていた。

私は三十分たらずで全部を読み終えた。そして読み終わった時、やっと基本的な内容を理解したのだった。すなわち、多くの人々が垣間見《かいまみ》ている特別な心の状態——神秘的な偶然の一致に導かれて、自分の人生が進んでゆく体験——に完全になる前に、私たちは自分が何者であるかに、目覚めなければならないのだった。

その時、カール神父が家のまわりを歩いて来て私を見つけると、私がすわっているところにやって来た。

「読み終わりましたか？」と彼が聞いた。彼の物腰はいつものように暖かく親しげだった。

「ええ」

「ここにちょっとすわってもいいですか？」

「もちろんです」

彼は私の横にすわった。しばらく無言だったが、やがて私にたずねた。「ご自分が発見の途上にいるということが、わかりましたか？」

「わかったと思います。でも次は何ですか？」

「今度はそれを本当に信じることですね」

「できませんよ。こんなにこわがっているのに、どうやってできるのですか？」

「何のためにやるのか、理解しなくてはなりません。あなたの追求している真理は、宇宙それ自体の進化と同じだけ重要です。そうすることで、進化が続いてゆくからです。

わかりませんか？　サンチェス神父は、山の上であなたが見た進化のヴィジョンのことを、私に話してくれました。あなたは、物質が簡単な水素原子の振動からすべての過程を通って、人間に進化するまで見たそうですね。その時、これから先、人間がどう進化してゆくのか、疑問を持ちました。そして今、その答えを見つけました。人々は今この歴史的状況に生まれ、存在理由を見つけます。そして、同じ目的を発見した他の人と結ばれます。

この二人の間に生まれた子供たちは、偶然の一致に導かれて高次の統合を追求し、両親の二つの立場を調和させます。あなたが第五の知恵から学んだように、私たちが自分をエネルギーで充たし、偶然の一致が起きて人生を前進させるたびに、私たちはそのレベルのエネルギーを自分の内に取り入れ、より高い振動で存在できるようになります。私たちの子供はその振動のレベルを引き継ぎ、それをさらに高めてゆきます。これが私たちが人類として、進化し続ける方法なのです。

両親の世代と今との違いは、私たちはそれを意識的に行って、このプロセスを加速化させる準備ができているということです。あなたがどんなにこわがろうと、もうあなたには選択の余地はありません。一度人生とは何かを学んでしまうと、その知識を消すことはできません。何か他のことをやろうとしても、いつも何かが足りないと感じてしまうのです」

「でも今、私はどうすればいいのですか？」

「私にはわかりません。あなたにしか、わからないことです。しかし、まず、エネルギーを取り入れた方がいいと思いますよ」

サンチェス神父が家の角をまわって、こちらへやって来た。私たちの邪魔をしないためかどうか、彼は注意深く私たちの視線をさけ、音をたてないようにしていた。私は自分に意識を集中し、家を取り囲んでいる岩山の頂上を見つめた。一つ、大きく深呼吸をした。すると、家の外に出てから、自分の考えだけに没頭していて、まるでトンネルの中に入ったように、周囲の景色が目に入っていなかったことに気がついた。山々の美しさや荘厳さから、自分を完全に切り離していた。

まわりをもう一度見わたして、見ているものを意識的に賞讃《しょうさん》しているうちに、あの懐かしい親近感を体験し始めた。突然、すべてのものがその存在を主張し、かすかに輝きを増したように見えた。私は軽やかに体が浮き上がるように感じ始めた。

私はサンチェス神父、次にカール神父を見た。二人はじっと私を見ていた。二人は私のエネルギーの場を観察していた。

「どう見えますか？」と私が聞いた。

「気分がよくなったように見えます」とサンチェスが言った。「ここにいて、できるだけあなたのエネルギーを増して下さい。荷造りにあと二十分ほどかかるから」

彼は意味ありげにほほ笑んだ。「そうすれば」と彼は続けた。「あなたは始める準備ができるでしょう」

第七章　流れに乗る

二人の神父は家の中に戻って行った。私は数分間、もっとエネルギーを得るために、山の美しさを見ていた。すると知らない間に私は集中力を失い、ウィルのことを考え始めた。彼はどこにいるのだろう？　もうすぐ、第九の知恵を発見できるのだろうか？

私は、彼がジャングルの中を第九の知恵を手に、逃げまわっている様子を想像した。軍隊が四方八方から彼を追っていた。セバスチャンが軍隊を指揮していた。しかし私の白昼夢の中では、セバスチャンは権力を持ってはいたが、間違っているのは明らかだった。彼は、写本が人々に与える影響を誤解しているのだ。写本のどの部分を彼が恐れているのかわかりさえすれば、誰かがセバスチャンを説得し、意見を変えさせることができると私は感じた。

私がこんな思いにふけっていると、マージョリーのことが心に浮かんだ。彼女は今、どこにいるのだろう？　私は彼女と再会する場面を心に描いた。どうすれば、それは実現するのだろうか？

戸を閉める音で、私は現実に引き戻された。私はまた、弱気で神経質になっていた。サンチェスが家の角をまわって、私がすわっている場所に来た。彼は何か目的があるらしく、早足で歩いて来た。

彼は私の横にすわって、私にたずねた。「どうするか決めましたか?」

私は首を振った。

「あなたはあまり強く見えませんね」と彼が言った。

「強く感じていませんから」

「多分、エネルギーを取り入れる方法が、体系的ではないのでしょう」

「それはどういう意味ですか?」

「私が個人的にやっているエネルギーを取り入れる方法を、教えてあげましょう。あなた独自のやり方を編み出す参考になりますからね」

私は彼に続けるようにうなずいた。

「最初にやることは」と彼は言った。「自分の周囲に焦点をあてることです。これはあなたもやっていると思います。次に、エネルギーに充たされている時、すべてのものがどう見えるか、思い出します。この時私は、すべてのもの、特に植物の示す存在感、それぞれの美しさや形、色が輝き、明るさを増す様子などを思い起こすのです。わかりますか?」

「ええ、私も同じことをやっています」

「その次に、それがすぐ近くにある感覚を味わおうと努力します。それがどんなに遠くにあろうとも、手でさわれ、それにつながっているという感覚です。そして、それを吸い込むのです」

「それを吸い込む?」

「ジョン神父があなたに説明しませんでしたか?」

「いいえ、してもらっていません」

サンチェスは面食った様子だった。「たぶん、彼はあとで戻ってきて、あなたに説明するつもりだったのでしょう。彼はときどき、とても勿体《もったい》ぶるんですよ。生徒を一人で残して行ってしまい、教えたことを考えさせておいて、あとで次の指示を与えるために、うまいタイミングでまた現れたりするのです。彼はもう一度あなたと話すつもりだったのに、私たちが急に出発してしまったんだと思います」

「ぜひ教えて下さい」と私は言った。

「山の上であなたが体験した浮いているような感覚を覚えていますか？」と彼は聞いた。

「はい」と私は答えた。

「その浮いているような感覚を取り戻すために、私はつながったばかりのエネルギーを、吸い込みます」とサンチェスは説明した。

私は彼の言うとおりに、やってみた。彼のやり方を聞いているだけで、私はまわりのものと強くつながっていった。周囲のすべてのものがますます存在感と美しさを増していた。岩でさえ、白い輝きを放っているように見え、サンチェスのエネルギーの場は大きく青くなった。彼は今、深い意識的な呼吸をし、息を五秒間とめてから吐き出していた。私は彼のやり方に従った。

「一回息を吸うごとにエネルギーを取り入れて、風船のように自分がふくらんでゆく様子を想像します。すると、私たちはエネルギーに充たされ、ずっと軽く浮いているように感じるようになります」と彼が言った。

何回かこの呼吸をくり返していると、私はまさしくそのとおりに感じ始めた。

「エネルギーを吸い込んだら」と彼が言った。「自分が正しい感情を持っているかどうか、チェックします。前に話したように、私はこれを、自分が本当につながっているかどうか知るための、尺度だと思っています」

「あなたは愛のことを言っているのですか？」

「そうです。私たちが伝道本部で話し合ったように、愛は頭で考えるものでも、道徳的な教えでもありません。それは宇宙のエネルギーにつながった時の、基盤となる感情なのです。そして、宇宙のエネルギーとは、もちろん神のエネルギーなのです」

サンチェス神父は私をじっと見つめた。彼の目の焦点が少しずれていた。「ほら」と彼は言った。「あなたはうまくいっています。あなたがつながる必要のあるレベルのエネルギーとつながっています。私も少し助けてあげていますが、あなたはもう、自分でそのレベルを維持できますよ」

「あなたが助けている、とはどういうことですか？」

サンチェスは首を振った。「今は気にしないで下さい。第八の知恵で学ぶことだから」

カール神父が家の角をまわって歩いて来て、私たちを嬉《うれ》しそうに見た。彼は近づきながら私を見た。「もう決めましたか？」

その質問が私をいらいらさせた。そのせいでエネルギーを失わないように、私は頑張った。

「またもとの傍観者のドラマに戻らないで下さい」とカール神父が言った。「あなたはここで決めるしかないのです。何をしなければならないと考えていますか？」

「私は何も考えていません。それが問題なんです」と私は言った。

「確かですか？　一度エネルギーとつながると、考えは前とは違うように感じますよ」

私は何のことかわからずに、彼を見た。

「あなたがコントロールドラマをやめると、習慣的に頭の中で組み立てていた言葉は、止んでしまいます。内なるエネルギーに充たされると、あなたのより高い部分から、今までとは違う種類の考えが、心に流れ込みます。これがあなたの直観です。これは今までとは違う感覚です。それはあなたの心の後ろ側に現れ、時には白昼夢や小さなヴィジョンとなって現れることもあります。それはあなたを指示し、導くためにやって来るのです」

私はまだ何のことやらわからなかった。

「さっき私たちがあなたを一人にして行ってしまった時、何を考えていたか、話して下さい」とカール神父が言った。

「全部覚えているかどうか、わかりません」と私が言った。

「努力して思い出して下さい」

私は集中しようと努めた。「ウィルのことを考えていました。彼はもうすぐ第九の知恵を発見するだろうかとか、セバスチャンがやっている写本の弾圧のことです」

「ほかには？」

「マージョリーのことも心配しました。彼女はどうなったのだろうかと。でも、こうしたことが、なぜ、私が何をすべきかを知るために役に立つのか、わかりません」

「私に説明させて下さい」とサンチェス神父が言った。「あなたが十分にエネルギーを得ると、あなたは準備が整って、進化に意識的に取り組み、流れ始め、あなたを前へと導いてゆく偶然の一致を起こすようになります。あなたは自分自身の進化に、特別の方法で取り組みます。まず第一に、あなたは十分なエネルギーを蓄積します。すると、あなたは自分の基本的な人生の課題、あなたの両親が与えた課題に気がつきます。この課題が、あなたの進化のための全体的な背景となっているからです。次に、今あなたが直面しているさし迫った小さな問題を発見することによって、あなたは自分の道の中心に進みます。こうした問題は必ず大きな問題へとつながってゆき、あなたが今、一生の探求のどのあたりにいるか、教えてくれます。

今直面している問題に気がつきさえすれば、あなたはどうすべきか、どこへ行くべきか、一種の直感的な指示を必ず得ることができます。つまり、次のステップについて勘が働くようになります。これが起きない唯一の場合は、あなたが誤った問題を心に持っている時です。人生で難しいことは、答えを得ることではありません。あなたの現在の問題を認識することです。何が問題か正しくわかりさえすれば、答えは必ず出て来ます」

「次に何が起こるか直感を得たあと」と彼は続けた。「次のステップは、非常に注意深く用心することです。遅かれ早かれ偶然の一致が起こり、直感が示した方向へあなたを動かしてゆきます。私の話がわかりますか？」

「わかっていると思います」

「では」と彼は続けた。「ウィルやセバスチャンやマージョリーのことを思ったというのは、重要なことだとは思いませんか？　あなたの人生の物語を考慮して、なぜこうした思いが浮かんできたのか考えて下さい。あなたは、霊的な生活を自分の内面を高めるための冒険にするにはどうすればよいか、発見したいと思っている家族に生まれましたね」

「はい」

「そして、成長すると神秘的なことに興味を持ち、社会学を勉強して、人とかかわる仕事につきました。しかしまだ、なぜ自分がこうしたことをするのか、わかりませんでした。そして、目覚めかけた時、あなたは写本のことを聞いてペルーに来て、ひとつずつ順番に知恵を見つけ、しかもその一つひとつが、あなたが求めていた霊性に関する何かを教えました。ここまで明らかになったのですから、あなたは現在の問題をはっきりさせて、答えがやって来るのを見守っていれば、この進化を非常にはっきりと意識できるようになります」

私はただ、聞いているだけだった。

「あなたが今持っている問題は何ですか？」と彼はたずねた。

「他の知恵について、私は知りたいのだと思います」と私は言った。「特に、ウィルが第九の知恵を発見するかどうか、知りたいのです。そしてマージョリーがどうなったかも知りたいし、セバスチャンについても知りたいのです」

「あなたの直感は、こうした問題に対して何と言っていますか？」

「わかりません。マージョリーとの再会のことは考えていました。それと、ウィルが軍隊に追いかけられて逃げていました。どういう意味なんだろう？」

「ウィルはどんな場所で逃げまわっていましたか？」

「ジャングルの中です」

「たぶん、ジャングルへ行けということでしょう。イキトスはジャングルの中にあります。マージョリーについては？」

「私が彼女と再会している場面を見ました」

「セバスチャンは？」

「彼が写本に反対しているのは、彼が何かを誤解しているからで、彼が何を考えているか、写本のどの部分を恐れているかがわかれば、彼の心を変えられると、思いました」

二人はびっくりして顔を見合わせた。

「どうしたのですか？」と私が聞いた。

カール神父はまた別の質問という形で答えた。「あなたはどう思いますか？」

山の上で体験して以来初めて、エネルギーが体中に充ち、自信がわいてくるのを感じた。私は二人を見て言った。「私はジャングルに行き、写本のどんなところを教会が嫌っているのか、見つけろということだと思います」

カール神父はにっこりした。「そのとおりですよ。私のトラックを使って下さい」

私はうなずくと、家の前をまわってトラックのところまで歩いて行った。私の荷物は食料や水と一緒に、すでにカール神父のトラックに積みこまれていた。サンチェス神父のトラックにも、荷物が積みこんであった。

「一つだけ、言っておきたいことがあります」とサンチェスが言った。「エネルギーとつながるために、必要な時はいつも車を止めなさい。エネルギーに常に充たされ、愛の状態にいなさい。一度この愛の状態に達すれば、何もそして誰も、あなたが補充できる以上のエネルギーを、あなたから奪い取ることはできません。あなたから流れ出るエネルギーが流れを作り出し、同じ速さでエネルギーをあなたの中へと引き入れます。あなたのエネルギーが枯渇することはありません。しかし、そのためには、常にこのプロセスを意識している必要があります。人と接する時、これは特に重要です」

彼は話をやめた。まるで合図したかのようにカール神父が近づいて来て言った。「第七と第八の二つを除いて、全部の知恵をもう読みましたね。第七の知恵は、意識的に自分を進化させ、偶然の一致と宇宙があなたに与えるすべての答えに、常に注意することについて、書いてあります」

彼は私に小さな書類挟《ばさ》みを渡した。「これが第七の知恵です。非常に短くて一般的です」と彼は続けた。「物が私たちに飛び込んできたり、ある考えが道案内として浮かんでくることなどが、書いてあります。第八の知恵については、その時が来れば、あなたは自分で見つけるでしょう。それは、私たちが求めている答えをもたらしてくれる人が現れた時、その人をどのように助けてその答えを得るか、説明しています。さらに、新しい倫理観、つまり、お互いの成長を容易にするためには、人間はお互いにどう接すればいいか、その法則も書かれています」

「第八の知恵を、なぜいま下さらないのですか？」と私は聞いた。

カール神父はにっこりして、私の肩に手を置いた。「いま、お渡しすべきではないと感じるからです。私たちも直感に従わなくてはなりませんからね。正しい疑問につきあたれば、すぐに第八の知恵は手に入るようになるでしょう」

私はわかったと彼に伝えた。二人の神父は私を抱きしめ、無事を祈ってくれた。カール神父は、私たちはすぐに再会するだろう、私がここに来て受けとることになっている答えは、きっと見つかりますと強調した。

それぞれの車に乗ろうとした時、サンチェスが突然、私の方を向いて言った。「いま、ふと心に浮かんだことを言っておきます。あとでもっとよく、わかると思います。あなたの美に対する感覚で、あなたの行くべき方向を決めなさい。あなたに答えをくれる場所や人は、他よりもずっと輝いて魅力的に見えます」

私はうなずくと、カール神父のトラックに乗った。岩だらけの道を何キロか二人の車のあとから走ってゆき、別れ道まで来た。サンチェスは後ろの窓から手を振って別れを告げ、彼とカール神父は東の方に走って行った。私はしばらく見送っていたが、やがて北のアマゾン川の流れる盆地へと、トラックを向けた。

いらいらした思いが、自分の中にわき起こっていた。三時間以上も良い調子で来たのに、私は今、交叉点《こうさ》を前にして、どの方向に進むか決心しかねていた。

左に進むのが一つの可能性だった。地図を見ると、この道は山脈に沿って北の方へ百五十キロほどゆき、そこから直角に東に折れてイキトスに通じていた。もう一つは右に進んで、ジャングルの中を東寄りに進み、同じ所に通じていた。

私は深呼吸をして気持ちを落ち着かせようとした。それからバックミラーをちらっと見た。誰も見えなかった。実のところ、私は一時間以上も誰にも会っていなかった。他の車も見なければ、現地の人が歩いているのも見なかった。不安がつのるのを振り払おうとした。正しい選択をするためには、リラックスしてエネルギーとつながらなければならない。

私は目の前の景色をじっと見た。右側のジャングルに通じる道は、大きな木々の間を進んでいた。大きな岩がいくつか、まわりの地面に散らばっていた。その岩の周囲を、大きな熱帯植物が取り囲んでいた。もう一方の山を抜けてゆく道は、木や植物が少なかった。その方向には木が一本生えているだけで、他は岩だらけで植物はほとんどなかった。

私はもう一度右の方をながめ、愛の状態に自分を導こうとした。木も藪《やぶ》も鮮やかな緑色をしていた。次に左を見て、同じようにした。すぐに、道を縁どっている花をつけた草に気がついた。草の葉は色が薄くて斑《まだら》があったが、白い花は固まって咲き、遠くの方まで不思議な模様を作っていた。さっきまでどうしてこの花に気がつかなかったのか、不思議だった。今、その花はほとんど輝いているように見えた。私はその方向にあるすべてのものに、焦点を広げた。すると小さな岩や茶色の小石が、いつもよりもずっと色鮮やかに浮き上がって見えた。琥珀《こはく》色、紫色、暗赤色などが、全体に散りばめられていた。

私は再び、右手の木や藪に目を向けた。そちらもなかなか美しかったが、もう一方の道と比べると色褪《いろあ》せていた。でも、どうしてこんなことがあるのだろうか？　最初は、右の道の方がずっと魅力的に見えた。左の道をもう一度見ると、私はこちらの方向に行くべきだと強く感じた。岩や石の形や色彩の美しさは、驚くばかりだった。

私は確信した。トラックのエンジンをかけると、左の道へ向かった。自分の決定に間違いないと確信した。道路は岩や轍《わだち》ででこぼこだった。でこぼこ道を進むうちに、私の体が軽く感じられるようになった。自分の体重がお尻《しり》の真ん中にかかり、背骨と首がまっすぐに伸びるように感じた。腕はハンドルを握ってはいたが、ハンドルによりかかってはいなかった。

二時間の間、カール神父がつめてくれた食物の入った籠《かご》から少しずつつまみながら、私は何事もなく運転を続けた。やはり誰とも出会わなかった。道路は曲がりくねり、小さな丘をいくつも、登ったり降りたりした。一つの丘の頂上で、二台の古い自動車が右側にとまっているのが見えた。その車は、道路からずっと離れた、数本の小さな木が生えているところにとまっていた。誰も乗っていなかったので、乗り捨ててあるのだろうと思った。道路の前方は左へ急に曲がって、広大な谷間へと下っていた。丘の上からは何キロも先まで見渡せた。

私はトラックをあわててとめた。谷間を半分行ったところに、三、四台の軍の自動車が道路の両側にとまっていた。何人か兵隊が立っていた。ぞっとして冷たいものが背筋を走った。道路封鎖だった。トラックの間に何人か兵隊が立っていた。私は山頂から後戻りすると、二つの大きな岩の後ろにトラックをとめた。そして車を降りると、前方が見渡せるところまで歩いて行き、谷間で何が行われているか、もう一度観察した。一台の車が反対の方向へ走り去っていった。

その時、後ろで何か物音がした。私は素早く後ろを振り返った。それは、ビシエンテで会った環境学者のフィルだった。

彼も同じぐらいびっくりしたようだった。

「ここで何をしているんです？」と彼は私のところにとんで来て言った。

「イキトスへ行こうとしているんですよ」と私は言った。

彼の顔は不安で一杯だった。「僕たちもです。でも、政府が写本のことで躍起になっていてね。あの道路封鎖を通り抜ける危険を冒すかどうか、決めかねているんです。僕たち、四人いるのですが」彼は左の方を顎《あご》で示した。男が数人、木の間から見えた。

「なぜイキトスに行くんですか？」と彼がたずねた。

「ウィルを捜しているんですよ。クラではぐれたままなんです。でも、写本の残りを探しに、ウィルがイキトスに向かったらしいと、聞いたので」

彼は恐怖にかられたようだった。「そんなことをしたら、大変ですよ。軍が写本のコピーを持つことを禁じています。ビシエンテで起こったことを知らないんですか？」

「少しは知っています。でも、どんなことを聞きましたか？」

「僕はその場にはいなかったけれど、当局が押し入って、コピーを持っていた者は全員逮捕されました。また、泊まり客全員が尋問のために拘留され、ほとんどの科学者は連れ去られました。誰も彼らがどうなったのかわからないんです」

「政府がなぜ、写本をそんなに恐れているのか、知っていますか？」と私は聞いた。

「いいえ、知りません。でも、どんどん危険になっていると聞いたので、研究データを取りにイキトスに戻ってから、この国を出ることにしたんです」

私は、ビシエンテを発《た》ってからウィルと自分に起こったこと、特に山の上でおきた銃撃戦について、詳しく話した。

「ひどい奴らですね」と彼は言った。「そんな目にあっても、あなたはまだこんな国にいるのですか？」

彼の言葉に私の自信はゆらいだが、私は言った。「もし、僕たちが何もしなければ、政府は完全に写本を弾圧しますよ。世界じゅうがそれを知ることができなくなるんです。この写本はどうしても守る必要がありますよ」

「命をかけるほど大切ですか？」と彼がたずねた。

車の音が私たちの注意を引いた。トラックが谷の向こうからこちらの方へ進んで来た。

「畜生！」と彼が言った。「こっちに来るぞ」

私たちが動く前に、別の方向からも車の近づく音が聞こえた。

「しまった！　囲まれてしまった」とフィルが叫んだ。彼はパニックに陥っていた。

私は自分のトラックに走ってゆくと、食物の籠《かご》を小さな袋の中へ突っ込んだ。写本の書類挟《ばさ》みを取り出すと、それも袋に入れたが、もう一度考えてから、それを座席の下に押し込んだ。

車の音が大きくなってきた。私は右手の道路を横切って、フィルが逃げた方向へ走って行った。坂の下の方に、彼は仲間と一緒に岩の後ろに隠れていた。私も一緒に隠れた。軍のトラックがそのまま通りすぎていくように願った。私のトラックは彼らからは見えないところにあった。彼らが私と同じように、他の二台の自動車は捨てられたものだと思うようにと祈るだけだった。

南から近づいてきたトラックが初めに着くと、二台の車は並んでとまった。

「動くな！　警察だ！」という叫び声がした。私たちがじっとしていると、何人かの兵士が私たちの背後から近づいてきた。全員が完全武装をして、非常に緊張していた。兵士は私たちをくまなく調べ、持ち物をすべて取り上げると、道路の方へ強制的に歩いて行かせた。そこでは何十人もの兵士が、車の中を調べていた。フィルと彼の仲間は、一台の軍用トラックに乗せられて、どこかへ連れ去られた。車が私の前を通りすぎる時、彼の姿が見えた。彼は真っ青でぼんやりしていた。

私は反対の方向へ歩いて連れて行かれ、山頂の近くにすわるように命令された。兵士が何人か、肩にそれぞれ自動小銃をかけて、私のそばに立っていた。やがて一人の将校が歩いて来ると、写本のコピーをはさんだ書類入れを、私の足もとに投げつけた。その上に彼はカール神父の車の鍵《かぎ》を投げた。

「このコピーはお前のものか？」と彼が聞いた。

私は答えずに彼の顔を見た。

「この鍵はお前が持っていたものだ」と彼は言った。

「車の中から、このコピーが見つかった。もう一度聞くが、これはお前のものか？」

「弁護士に会うまでは、答えません」と私はどもりながら言った。この発言に、将校は皮肉な笑みを浮かべた。二人の兵士が後ろの席に武器を構えてすわった。兵士たちは私を一台のジープの助手席にすわらせた。彼は兵士に何か言って立ち去った。しばらく待ってから、二台の車は北の谷間へと向かった。後ろの二台目のトラックに、兵士が何人も乗り込んだ。

私は不安で一杯だった。彼らは私をどこに連れて行くのだろう？私はどうして自分をこんな立場に追い込んでしまったのだろう？二人の神父が準備万端整えてくれたのに、私は一日しかもたなかった。あの十字路で、正しい道を選んだとあんなに確信していたのに。ここに来る道は一番魅力的だった。それは確かだった。どこで私は間違ったのだろうか？

次に何が起こるのだろうかと思いながら、私は深呼吸をしてリラックスしようとした。何も知らないと主張しよう、そして悪意のない道に迷った旅行者だということにしようと、私は考えた。ただ、悪い人に会ってしまったと言えばいい。そして、国に帰してもらおう。

私の手は膝《ひざ》の上で少しふるえていた。後ろにすわっていた兵士が、私に水筒を渡した。受け取ってはみたものの、飲む気にはなれなかった。その兵士は若かった。私が水筒を返すと、悪意のひとかけらもなく、彼はにっこり笑った。フィルがパニックになった時の場面が、私の心にちらっと浮かんだ。彼らはフィルをどうするのだろうか？

あの丘の上でフィルに出会ったのは、何か意味があったのだろうかと私はふと思った。どんな意味なのだろう？　もし途中で邪魔が入らなかったら、私たちは何を話したのだろうか？　私は写本の重要性を強調しただけだった。彼はここは危険だと警告し、捕まる前に逃げろと私に助言しただけだった。不幸にも、彼の忠告は間に合わなかった。

私たちは何時間も、一言も話さずに走り続けた。車の外は次第に平坦《へいたん》になってきた。空気が暖かくなった。途中で、あの若い兵士が、細切れの牛肉を煮こんだ軍隊用の缶詰を渡してくれたが、今度も何も呑《の》み込むことができなかった。夕日が沈むと、あっという間に暗くなった。

私は何も考えずに、トラックのヘッドライトに照らされた道をじっと見つめて、車に揺られていた。やがて眠りに落ち、恐怖にかられている夢を見た。私は何百という巨大なかがり火の中を、誰かわからない敵から必死で逃げていた。そして、どこかに知識と安全への道を開く秘密の鍵があると、確信していた。一つの巨大な火の真ん中に、その鍵があるのを見つけた。私は思い切って火の中に飛び込んだ！

私はガクッとして目をさました。びっしょり汗をかいていた。兵士たちが私を神経質そうに見た。私は首を振ってトラックのドアによりかかった。それからずっと、私は窓の外の風景の黒い輪郭をながめていた。パニックになりそうなのを、必死でこらえていた。私は一人ぼっちで見張られながら、暗闇《くらやみ》に向かって進んでいた。そして私の悪夢に関心を持つ人は誰もいなかった。

夜中の十二時頃、私たちは大きな二階建ての石造りの建物の前にとまった。私たちは歩道を歩いて正面玄関を通りすぎ、横のドアから中に入った。階段を下りてゆくと、狭いホールに出た。

中側の壁も石造りで、天井は太い材木と荒削りの板でできていた。裸電球が天井から吊《つ》るされて、通路を照らしていた。もう一つドアを通り抜けると、独房が並んでいるところに出た。さっき見えなくなった兵士が私たちに追いつくと、独房のドアをあけ、私に中に入れと合図した。

牢《ろう》の中には、三つの簡易ベッドと木のテーブルと花瓶があった。驚いたことに、部屋の中はとても清潔だった。私が中に入ると、十八歳か十九歳ぐらいの若いペルー人が、ドアの後ろからそっと私を見た。兵士は私の後ろでドアに鍵をかけて行ってしまった。私がベッドの一つに腰を下ろすと、その若い男が手を伸ばして石油ランプに火をつけた。

光が彼の顔を照らした。私は彼がインディオであることに気がついた。

「英語を話しますか？」と私は聞いた。

「はい、少し」と彼は言った。

「ここはどこですか？」

「プルクパの近くです」

「ここは監獄ですか？」

「いいえ、ここでみんな、写本について、尋問を受けています」

「君はここにどのぐらいいるの？」と私は聞いた。

彼は茶色の目で恥ずかしそうに私を見た。「二ヵ月です」

「彼らは、君にどんなことをしたの？」

「写本を僕に信じさせないようにしています。そして、コピーを持っている人の名前を言わせようとするのです」

「どうやって？」

「私に話をして」

「話すだけで、脅したりはしない？」

「話すだけです」と彼はくり返した。

「いつ君を釈放するか、彼らは言ったの？」

「いいえ」

私はしばらく黙っていた。彼は何か物問いたげに私を見た。「写本のコピーを持っていて、捕まったのですか？」と彼は聞いた。

「そうです。君もそう？」

「ええ、僕はこの近くに住んでいます。孤児院です。そこの院長が、写本を使って教えていました。彼は僕に子供に教えていいと、許してくれました。院長は逃げたけれど、僕は捕まってしまいました」

「いくつぐらい、写本の知恵を見たことがあるの？」と私は聞いた。

「見つかっているもの全部です」と彼は言った。「あなたは？」

「えーと、第七と第八の知恵はまだです。第七の知恵は持っていたのだけれど、まだ読まないうちに、兵士が来てしまったんだ」

若者はあくびをしながら言った。「もう寝ましょうか？」

「そうしよう」と私はぼんやり答えた。

私はベッドに横になって目を閉じた。私はあれこれ考えていた。これからどうすればいいのだろう？　どうして、捕まったりしたんだろう？　逃げ出せるだろうか？　私はいろいろと計画をたて筋書を作っていたが、やがて眠ってしまった。

私ははっきりした夢を見た。夢の中で私は同じ鍵《かぎ》を探していたが、今度は深い森の中で迷っていた。長い間あてもなくさ迷い歩き、何か道標《みちしるべ》になるものはないか、探し求めていた。しばらくすると大嵐《おおあらし》がきて、あたりは大洪水になった。豪雨の中で私は深い峡谷から川へと押し流されて行った。その川は間違った方向に流れていて、私は溺《おぼ》れそうになった。私は力をふりしぼって流れに逆らい、数日間と思えるほどの間、もがき続けた。ついに、川岸の岩にしがみついて急流から脱出することができた。私は岩をよじ登り、絶壁を上へ上へと登って行ったが、状況はひどくなるばかりだった。意志の力と技をすべて奮い起こして何とかその崖《がけ》を切り抜けようとしたが、ある地点で岩にぴったりとはりついたまま、それ以上どうしても前に進めなくなってしまった。私は自分の下の地形を見下ろした。驚いたことに、私が戦っていた川は、森から流れ出てゆるやかに美しい岸辺と牧場に流れこんでいた。その牧場の中に花に囲まれて、鍵があった。私は手を離すと、叫び声をあげて滑り落ちてゆき、川の中に墜落して沈んでしまった。

私はガバッとベッドの上に起きあがった。若いインディオの男はすでに起きていたらしく、私の方に歩いて来た。

「どうしました？」と彼が聞いた。

自分がどこにいるかわかり、私はほっとしてまわりを見まわした。部屋には小さな窓があって、外はもう明るかった。

「ちょっと悪い夢を見たんだ」と私は言った。

私がそう言ったのが嬉しいとでもいうかのように、彼はにっこりした。「悪い夢は最も大切なメッセージなのですよ」と彼は言った。

「メッセージ？」と言って、私は立ち上がってシャツを着た。

説明しなければならなくなって、彼はまごついているようだった。「第七の知恵には、夢のことが書いてあるんです」と彼は言った。

「どんなことが書いてあるの？」

「それは、どのようにして……」

「夢を解釈するか、ということ？」

「ええ」

「何と言っているの？」

「夢の物語を自分の現実の物語と較《くら》べなさいと言っています」

私はしばらく考えてみた。それが何を意味するのか、よくわからなかった。「物語を較べるって、どういう意味なんだろう？」

若いインディオは私の目を見ることができなかった。「あなたの夢を解釈してみましょうか？」

私はうなずいて、自分の見た夢を彼に話した。

彼は熱心に聞いてから言った。「その物語の一部分ずつを、あなたの人生と較べてみましょう」

私は彼を見た。「どこから始めればいいのかな？」

「最初からです。夢のはじめに、あなたは何をしていましたか？」

「森の中で鍵を探していた」

「どんな気持ちでしたか？」

「迷っていた」

「その状況をあなたの現実の状況と較べて下さい」

「多分、関連しているよね」と私は言った。「僕は写本についていくつか答えを探しているけれど、今は完全に何が何だかわからなくなっている」

「そのほか、現実に何が起きていますか？」

「捕まっている」と私は言った。「いろいろ努力したのに、閉じこめられてしまった。今の望みは、誰かに話をして、国に帰してもらうことだけだ」

「あなたは捕まえられてじたばたしているのですか？」

「もちろん」

「夢では次にどんなことが起きましたか？」

「川の流れに逆らって戦った」

「なぜですか？」と彼が聞いた。

彼がどこへ導いてゆこうとしているのか、少しわかり始めた。「その時は、自分が溺《おぼ》れ死ぬかと思ったから」

「もし、水と戦わなかったとしたら？」

「水は僕を鍵のところへ運んで行ってくれただろう。君は何を言いたいの？　僕が今の状況と戦わなくても、僕の望んでいる答えを見つけられるということ？」

彼はまた、戸惑った様子を見せた。「私は何も言っていません。夢が言っているんです」

　私はしばらく考えてみた。この解釈は果たして正しいのだろうか？

　若いインディオの男は、私の顔を見上げてたずねた。「もし、もう一度その夢を見るとしたら、何か違うことをしますか？」

「殺されるように見えても、水に逆らわない。流されていけばよいとわかっているから」

「今、あなたを脅かしているものは何ですか？」

「兵士だと思う。それと拘束されていること」

「では、あなたへのメッセージは何ですか？」

「夢のメッセージは、捕まったことをポジティブに見ろということだと思うけど？」

　彼は答えなかった。ただにっこり笑っただけだった。

　私は壁に寄りかかってベッドの上にすわっていた。この夢解釈に私は興奮していた。もしそれが正しいとしたら、結局、私はあの十字路で間違いを犯したわけではなく、すべては起こるべきことが起こっているだけだということを、意味しているのだ。

「君の名前は何というの？」と私がたずねた。

「パブロです」と彼は答えた。

　私はにっこりして自己紹介をした。それからかいつまんで、自分がなぜペルーにいるのか、それとペルーで自分に起こった出来事を話した。パブロは膝《ひざ》の上に肘《ひじ》をついて、ベッドにすわっていた。彼は背が低く、髪は黒くて痩《や》せていた。

「どうしてここにいるのですか？」と彼はたずねた。

「写本について知ろうと思って」と私は答えた。

「写本の何を？」と彼はさらに聞いた。

「第七の知恵を見つけ出し、ウィルとマージョリーという友人を捜そうと思ってね……それに、なぜ教会がそんなに写本に反対しているのか知るためだと思うよ」

「ここには、何人も神父が話しに来ますよ」と彼が言った。

私は彼の言葉をしばらく考えてから、たずねた。「第七の知恵は、夢について何かほかに言っているの？」

夢は、人が人生で見失っているものを知らせるために訪れるのだと、パブロは説明した。彼はもっと話し続けたが、私はマージョリーのことを考え始めて、聞いていなかった。彼女の顔がはっきりと心に浮かび、彼女は一体どこにいるのだろうかと、考えていた。すると私の心の中で、彼女が笑いながら私の方へ駆けてくるのが見えた。

急に、パブロがもう話をしていないのに気がついた。私は彼を見た。「ごめん、ほかのことを考えてしまった」と私は言った。「君は今、何て言った？」

「いいえ、かまいません」と彼は言った。「あなたは何を考えていたのですか？」

「友達のことだ。何でもないよ」

彼はもっと聞きたそうだったが、その時誰かが牢屋《ろうや》のドアに近づいてきた。格子越しに、兵士が閂《かんぬき》をはずすのが見えた。

「朝食の時間です」とパブロが言った。

兵士はドアを開くと、私たちにホールの方へ行くように頭で指図した。パブロは石造りの廊下を先に立って歩いて行った。階段のところへ来ると一階上に昇り、小さな食堂に着いた。四、五人の兵士が部屋の隅に立っていた。軍人でない二人の男と一人の女が、食事をもらう列に並んでいた。

自分の目を信じられずに、私は立ち尽くした。その女性はマージョリーだった。同時に彼女も私を見て、手で口をおおった。驚きで彼女の目は大きく見開かれた。

私は後ろにいる兵士の方を見た。彼は部屋の隅にいる他の兵士たちの方にスペイン語で何か言いながら、歩いて行くところだった。私はパブロのあとについて、部屋を横切ると列の後ろに並んだ。

マージョリーが食事を受け取っていた。他の二人の男は何か話しながら、食事を載せたお盆をテーブルに持って行った。マージョリーは何回かこちらを見て私と目を合わせたが、何も言わないように我慢していた。二度目に目が合った時、パブロは私たちが知り合いだとわかったらしく、何か聞きたそうに私を見た。マージョリーは自分の食事をテーブルに持ってゆき、私たちも食事を受け取ってから、彼女と同じテーブルにすわった。兵士たちは話に夢中で、私たちの動きに注意していなかった。

「あなたに会えて嬉《うれ》しいわ、どうしてここへ?」

「神父のところにしばらく隠れていたんです」と私は言った。「その後、ウィルを捜しに来たんだけど、昨日、捕まってしまったんだ。ここには、どれぐらい、いるの?」

「山で捕まってからずっとよ」と彼女が言った。

パブロが私たちをじっと見ていたので、彼をマージョリーに紹介した。

「マージョリーに違いないと思っていました」と彼は言った。

二人は少し言葉を交わした。そのあと、私がマージョリーにたずねた。「ほかに何かあった?」

「ほとんど何も」と彼女は言った。「私がなぜ拘留されてるかさえ、わからないの。毎日、神父か将校の前に連れ出されて、尋問されているの。私がビシエンテで誰とつき合っていたか、コピーのありかを知ってはいないか、彼らは知りたいのよ。何回もくり返してね」

マージョリーはほほ笑んだ。実に弱々しい様子だった。こんな彼女に、私は強く魅《ひ》きつけられるのを感じた。彼女は私を横目でじっと見た。私たちは声をたてずに笑顔を交した。そのあと、食事をしている間は沈黙が続いた。その時、ドアが開いて一人の僧侶《そうりょ》が入って来た。彼は正式の僧服を着ていた。高級将校とおぼしき男が、彼につきそっていた。

「あれは一番偉い神父ですよ」とパブロが言った。

あわてて敬礼をした兵士に向かって将校は何か言った。それから彼と僧侶は食堂の方へ部屋を横切って来た。僧侶が私の方をまっすぐに見た。彼と私の目が、一瞬ぴたりと合った。彼の注意を引きたくなかったので、私はすぐ目をそらせて食物を口に入れた。二人は台所を通って、もう一つのドアから出て行った。

「あの人は、君が話をした僧侶の一人なの?」と私はマージョリーにたずねた。

「いいえ」とマージョリーは言った。「彼は見たことがないわ」

「私はあの僧侶を知っています」とパブロが言った。「彼は昨日、着きました。彼の名はセバスチャン卿です」

私は背すじをまっすぐにした。「セバスチャンだって?」

「彼の名前を知っているようね」とマージョリーが言った。

「知っているとも」と私は答えた。「彼は、写本に反対している教会の、黒幕の一人だ。でも、彼はサンチェス神父の伝道本部にいるのかと思った」

「サンチェス神父って誰？」とマージョリーが聞いた。

私が説明しようとした時、私たちを連れて来た兵士がテーブルのところへ来て、パブロと私にあとについて来るように合図した。

「運動の時間ですよ」とパブロが言った。

マージョリーと私は顔を見合わせた。彼女の目は不安そうだった。

「心配しないで」と私は言った。「次の食事の時に話そう。すべてうまくいく」

私は歩きながら、自分の楽観主義は現実的なのかどうか、疑問に思った。この連中はいつだって私たちを跡かたなく抹殺することができるのだ。兵士は私たちを連れて、短い廊下を通り抜けて、外階段に通じているドアまで行った。私たちはその階段を下りて、建物の横の庭に出た。そこは高い石の壁で囲まれていた。兵士は庭の入口で立ち止まった。パブロは私にうなずいて、自分と一緒に庭の壁に沿って歩こうと合図をした。歩きながら、パブロは何回も前にかがんでは、壁のそばの花壇に植えられた花を摘《つ》んだ。

「第七の知恵は、その他どんなことを言っているの？」と私がたずねた。

彼は前かがみになって、もう一輪花を摘んだ。「私たちを導いてくれるのは夢だけではないと、言っています。思いや白昼夢も導いてくれます」

「カール神父もそう言っていた。白昼夢がどう私たちを導くのか、話してくれますか？」

「白昼夢は私たちにある場面や出来事を見せてくれます。これは、その出来事が起こるかもしれないという暗示なのです。それに注意を払っていれば、人生の転機にそなえておくことができます」

私は彼を見た。「そうなんだ、パブロ。マージョリーと出会うイメージが浮かんだんだよ、そうしたら、本当に会ったんだ」

彼はにっこりした。

戦慄《せんりつ》が私の背筋を走った。私はきっと正しい場所にいるに違いない。私の直感が当たったのだ。マージョリーとの再会を何回も思い、そのとおりになったのだ。偶然の一致が起こり始めていた。

私は身が軽くなったように感じた。

「こんなことが、何回も起こるとは思わなかったよ」と私は言った。

パブロは向こうを見て言った。「第七の知恵によると、私たちには自分で気づくよりずっと沢山、こうした考えが浮かんでくるものだそうです。それに気づくためには、観察者の立場に自分をおく必要があります。何か考えが浮かんだら、なぜと思わなければなりません。なぜ、この考えが今浮かんだのか？　これは自分の人生の問題にどう関係しているのか？　自分を観察者の立場に置くと、すべてをコントロールしなければならないという気持ちがなくなります。すると、私たちは進化の流れに身をまかせることができるのです」

「では、否定的な思いはどうなんですか？」と私は聞いた。「愛している人が怪我《けが》するとか、望んでいることがうまくゆかないといった悪いイメージはどうなんだろう？」

「とても簡単です」とパブロは言った。「悪いイメージが浮かんだら、すぐにそれを打ち消せばいいと、第七の知恵は言っています。そして良い結果を心に思い描くのです。すると、悪いことは、ほとんど起こらなくなります。直感はポジティブなものだけになります。しかし、それでも、ネガティブな直感がきたら、それは真剣に受け取らなくてはならないと写本は言っています。例えば、あなたのトラックが故障し、そこへ誰かがやって来てトラックに乗るよう申し出てくれるといったイメージが来ても、その申し出を受けてはいけません」

私たちは庭をぐるっとひとまわりして、見張りに近づいた。彼の前を通る間は、二人とも口をつぐんだ。パブロは花を摘み、私は深呼吸をした。空気は暖かくて湿っぽかった。壁の外には、うっそうと熱帯植物が生い繁っていた。私は蚊《か》が何匹かいるのに気がついた。

「こっちに来い！」と兵士が突然怒鳴った。彼は私たちを建物の中に押し込むと、地下の牢《ろう》に追いやった。パブロが先に部屋に入った。私が入ろうとすると兵士は腕を広げて私をさえぎった。

「お前は入るな」と彼は言って、廊下を歩いて行くように顎《あご》で指図した。私は廊下を行ってから一階上に昇り、昨夜私たちが入って来たドアから外に出た。駐車場では、セバスチャン神父が大きな乗用車の後座席に乗り込むところだった。彼が乗り込むと、運転手がドアを閉めた。一瞬、セバスチャンは私の方を見た。それから運転手の方を向いて何か言った。車は走り去って行った。

兵士は私の背中を突ついて、建物の正面まで歩かせた。私たちは中に入って事務室に行った。私は白い金属机の向かい側の、木の椅子《いす》にすわらされた。数分たって、背の低い白髪《しらが》まじりの三十歳ぐらいの神父が部屋に入って来て、私の存在をまるっきり無視して、机の前にすわった。彼は一分間ほどファイルを見てから、顔をあげて私を見た。丸い金縁の眼鏡のせいで、インテリに見えた。

「お前は、違法文書保持で逮捕されたんだな」と彼は事務的に言った。「私は告訴するかどうか決定する。協力していただきたい」

私はうなずいた。

「翻訳をどこで手に入れたのかね？」

「古い写本のコピーがなぜ違法なのか、私にはわかりません」と私は言った。

「それはペルー政府が決めたことだ。質問に答えなさい」と彼は言った。

「どうして教会が関係しているのですか？」と私は聞いた。

「この写本が、我々の宗教の伝統にそぐわないからだ」と彼は言った。「我々の霊的な真理を、誤って伝えているからだ」

「そこが知りたいのです」と私は口をはさんだ。「私は写本に興味を持った一旅行者にすぎません。私は誰もおびやかしてはいません。写本がなぜそんなに憂慮すべきものなのか、知りたいだけです」

私にどう対処すればいいか、彼は迷っている様子だった。私は何とか詳しい話を聞き出そうとした。

「写本は我々の民を混乱させると、教会は感じているのだ」と彼は注意深く言った。「聖書を気にせずに、人は自分の人生を自分で決めることができるという印象を、与えるからだ」

「聖書のどの部分ですか？」

「一つには、父と母を敬えというところだ」

「どういう意味ですか？」

「写本は問題を両親のせいにして、家族の基盤をゆるがすからだ」

「それは昔の怒りに終止符を打てと言っているんだと思います」と私は言った。「それと、子供時代を肯定的に見るということです」

「いや」と彼は言った。「それは誤解をまねく。そもそも、親に対して否定的な感情なんてあるはずがない」

「両親がまちがうことはないのですか？」

「両親は自分にできる最上のことをしているのだ。だから、子供は親を許さなければいけない」

「そのとおりです。それは写本が言っていることですよ。私たちは子供時代を肯定的に見られた時に、親を許すのではありませんか？」

怒りで彼の声が大きくなった。「写本はどんな権威によっているのかね？　どうしてあんなものが信用できるんだ？」

彼は机のまわりを歩きまわって、私をにらみつけた。まだ怒っていた。「お前は自分が何を言っているか、わかっていないのだ」と彼は言った。「お前は宗教学者か？　いや、そうは思えない。お前こそ、写本でわけのわからなくなったいい見本じゃないか。この世に秩序があるのは、法と権威があってこそだということがわからないのか。この件でよくも私に質問することができたものだ」

私は何も言わなかった。それが彼をもっと怒らせたらしかった。「お前に言っておくことがある」と彼は言った。「お前が犯した罪で、何年も刑務所にぶち込むことができるんだ。お前はペルーの刑務所がどんな所か知っているか？　アメリカ人の好奇心から、刑務所がどんな所か、知りたいのかね。それなら、手配してやるよ。わかったか？　今すぐ、手配できるんだぞ」

彼は目の上に手をあて、深呼吸して気持ちを静めようとした。「私がここにいるのは、誰がコピーを持っているか、それをどこから手に入れたか、調べるためだ。もう一度聞く。翻訳をどこで手に入れたのだ？」

彼の怒りは私を不安で一杯にした。質問したために、自分の立場を悪くしていた。もし彼に協力しなかったら、彼はどうするだろうか？　しかし、サンチェス神父やカール神父を巻き添えにすることはできなかった。

「答える前に、考える時間が必要です」と私は言った。

一瞬、彼はもう一度、怒りを爆発させそうになった。しかしすぐに、彼はぐったりして、とても疲れたように見えた。

「明日の朝まで待とう」と彼は言った。そして入口に控えていた兵士に合図をして、私を連れてゆくように命じた。私は兵士に従ってまっすぐ牢《ろう》に戻った。

何も言わずに、私はベッドに横になった。私も疲れはてていた。パブロは格子のはまった窓から外をながめていた。

「セバスチャン神父と話したのですか？」と彼が聞いた。

「いいや、別の神父だった。彼は僕が持っていたコピーを誰からもらったか、知りたがっていたよ」

「何と答えたのですか？」

「何も。考える時間が欲しいと頼んだら、彼は明日の朝まで待つと言った」

「彼は写本のことを何か言っていましたか？」とパブロが聞いた。

私はパブロの目を見た。今度は彼は目を伏せなかった。

「彼は、写本がなぜ、伝統的権威を傷つけるか、少しだけ話したよ。そのあとわめき出して、僕をおどしたんだ」

パブロは本当にびっくりした様子だった。「彼は白髪まじりの茶色の髪で、丸い眼鏡をかけていましたか？」

「そうだよ」

「彼の名はコストス神父といいます。彼は何かほかに言いましたか？」とパブロは言った。

「写本が伝統をこわすという点について、僕は彼と意見が合わなかったんだ」と私は答えた。

「彼は刑務所に入れると言って、僕をおどしたよ。本気だと思う？」

「わかりません」とパブロが言った。彼は自分のベッドの上にすわった。彼が何かほかのことを言いたそうなのはわかったが、私は疲れていた上に不安で一杯だったので、目を閉じて眠ってしまった。目が覚めると、パブロが私の体をゆすっていた。

「昼食の時間ですよ」と彼が言った。

私たちは見張りのあとについて上の階にゆき、牛の軟骨とじゃがいもの料理を渡された。朝、見かけた二人の男が、私たちのあとから入って来た。マージョリーは一緒ではなかった。

「マージョリーはどこですか？」と私は小声で二人の男にたずねた。二人は私が話しかけたので、驚いておびえたようだった。兵士が私をじろりとにらみつけた。

「あの二人は英語がわからないのだと思います」とパブロが言った。

「彼女はどこにいるのだろう？」と私は言った。

パブロは何か答えたが、私は聞いていなかった。私は急に逃げ出したくなった。そして、自分が通りのような所を逃げてゆき、ドアをくぐって自由になったイメージが浮かんだ。

「何を考えているのですか？」とパブロがたずねた。

「逃げることを空想していたんだ」と私は言った。「君は何か言った？」

「待って下さい」とパブロが言った。「あなたの思いを打ち消してはいけません。大切かもしれませんよ。どんな風に逃げたのですか？」

「僕は路地か通りのような所を逃げていって、次にドアを通り抜けたんだ。成功したような感じだった」

「そのイメージは何だと思いますか？」とパブロが聞いた。

「わからない」と私は言った。「僕たちが話していることと、論理的にはつながらないようだけれど」

「私たちが何を話していたか、覚えていますか？」

「マージョリーのことを聞いていたんだ」

「マージョリーのこととあなたのみたイメージとは、関係があると思いませんか？」

「はっきりした関係は思いつかないな」

「隠されたつながりはどうですか？」

「何のつながりも見えないな。逃亡とマージョリーはどう関係があるのだろう？　マージョリーが逃げたのだろうか？」

彼は何か考えている様子だった。「あなたが思い浮かべていたのは、あなた自身が逃げていたということですか？」

「そうだよ」と私は言った。「彼女を置いて逃げるということかな？」私は彼を見た。「それとも、一緒に逃げるのかな？」

「私はそう思います」と彼が言った。

「でも、彼女はどこにいるのだろう？」

「わかりません」

私たちは黙ったまま食べ終わった。お腹はすいていたが、食事は重すぎた。なぜかわからないが、疲れ切って体を動かすのも億劫《おっくう》だった。すぐに空腹感は失《う》せた。

パブロも食べていなかった。

「部屋へ戻りましょう」とパブロが言った。

私がうなずくと、パブロは兵士に私たちを連れ戻すように合図した。部屋に戻ると、私はベッドの上に寝ころがり、パブロは腰を下ろして私を見た。

「エネルギーが落ちていますね」と彼が言った。

「そうだね」と私は答えた。「何がいけないのかよくわからないが」

「エネルギーを取り入れる努力をしていますか？」と彼がたずねた。

「いや、していなかったと思う」と私は答えた。「あんな食事では役に立たないし」

「でも、あらゆるものを取り入れていれば、あまり食物は必要ではありませんよ」彼はあらゆるものという言葉を強調するために、体の前で大きく腕を動かした。

「それはわかっているよ。でもこんな状況では、愛を流れさせるのは難しいな」

彼はからかうように私を見て言った。「でも、そうしないと自分を傷つけますよ」

「それはどういう意味？」

「あなたの体はあるレベルで振動しています。あなたのエネルギーを低くしすぎると、体が傷つき病気になります。ストレスと病気の関係です。愛は私たちの波動をあげる手段なのです。私たちを健康にしてくれます。愛はそれほど大切なんですよ」

「二、三分待ってくれ」と私は言った。

私はサンチェスが教えてくれた方法を試してみた。すぐに気分が良くなった。周囲の物が存在感を持って見え始めた。私は目を閉じて気持ちを集中させた。

「いいですよ」と彼は言った。

私が目を開くと、彼は明るく笑いかけた。彼の顔も体もまだ少年のようだったが、その目は知恵に溢《あふ》れていた。

「エネルギーがあなたの体に充ちてゆくのが見えます」と彼が言った。

パブロの体のまわりに、ぼんやりした緑色のエネルギーの場が見えた。彼が花瓶に活《い》けたテーブルの上の新しい花も、光り輝いて見えた。

「第七の知恵を把握して進化の流れに入るためには、すべての知恵を一つにまとめて理解しなければなりません」

私は何も言わなかった。

「写本の知恵を知った結果、あなたにとって世界がどのように変化したか、要約できますか？」

私はしばらく考えてみた。「私は覚醒したのだと思う。そして、世界が神秘的で、自分自身を知り正しい道を進んでいさえすれば、必要なものはすべて与えてくれる場所だとわかったのだと思う」

「それから、どうなりますか？」と彼が聞いた。

「すると、進化の流れに乗る準備ができる」

「それはどのように行いますか？」

私はちょっと考えた。「今直面している人生の問題をしっかり心にとめておくことで」と私は言った。「また、夢や直感やまわりの輝き方や目に飛び込んで来る様子によって、方向を見きわめる」と私は答えた。

私はしばらく黙って、写本のすべての知恵を一つにまとめあげようとした。そしてつけ加えた。「エネルギーを充たし、自分の状況や問題に自分を集中させる。すると、直感という形で、どこへ行けばよいか、何をすればよいか導きを受け取ることができる。次に偶然の一致が次々に起きて、私たちをその方向へと動かしてゆく」

「そう、そのとおりです！」とパブロが言った。「まさにそういうことです。偶然の一致が私たちを何か新しいものに導いてゆく時、私たちは成長し、より完全な人間となり、より高い波動の中に生きるのです」

彼は私の方に身を乗り出した。彼のまわりをとり囲んでいる信じられないようなエネルギーに、私は気がついた。彼は光り輝き、もはや恥ずかしがりやにも幼くも見えなかった。彼は力に満ち溢《あふ》れていた。

「パブロ、一体どうしたの？」と私は聞いた。「最初に君に会った時に比べると、今はずっと自信も知識もあって、エネルギーに溢れているように見えるよ」

彼は笑った。「あなたが来た時、私は自分のエネルギーが消失してゆくのを許していたのです。初め、あなたに私のエネルギーが流れるように助けてもらえるかと思ったのです。でも、あなたはまだ、その方法を習っていないことに気がつきました。その能力は第八の知恵で学ぶものだからです」

私には彼の言うことがよくわからなかった。「僕が知らなかったことは、何だったの?」

「すべて答えは、不思議な方法で他の人々によってもたらされるということです。あなたがペルーに来てから学んだことを全部、考えてみて下さい。すべて、あなたが不思議な出会いをした人々の行動を通して、答えがもたらされたのではありませんか?」

私はよく考えてみた。彼の言うことは正しかった。私はいつも必要な人に必要な時に出会っていた。シャーリーン、ドブソン、ウィル、サラ、マージョリー、フィル、ルノー、サンチェス神父とカール神父、そして今、パブロに会っていた。

「写本だって、誰か人が書いたものですからね」とパブロがつけ加えた。「しかし、あなたがこれから出会う人のすべてが、あなたにメッセージを伝えられるだけのエネルギーを、持っているわけではありません。あなたは彼らにエネルギーを送って、助けてあげなければなりません」彼はしばらく黙っていた。「植物の美しさに焦点をあてて、それにエネルギーを送ることを学んだと、あなたは話していましたよね」

「ええ」

「あなたはそれとまったく同じことを、人に対しても行っています。エネルギーが彼らの方にゆくと、エネルギーを送られた人は、自分の真実を見ます。そして彼らはあなたに真実を送り返してくれるのです。

　コストス神父がその例です」と彼は続けた。「彼はあなたに対して重要なメッセージを持っていました。しかし、彼はそれをあなたに伝えられませんでした。あなたが彼に答えを強要し、あなたと彼の間にエネルギー闘争を引き起こしたからです。彼はそれを感じた時、自分の子供時代のドラマ、すなわち脅迫者が現れて、しゃべり出したのです」

「僕はどう言えばよかったのだろう？」と私は聞いた。

　パブロは答えなかった。誰かが牢屋《ろうや》のドアのところに来たようだった。

　コストス神父が入って来た。

　彼は顔に笑みを浮かべると、パブロに軽くうなずいた。パブロは実際に神父が好きであるかのように、にっこりと明るく笑った。コストス神父は私に目を移すと、とたんに厳しい表情になった。またしても、不安がぎゅっと私の胃を締めつけた。

「セバスチャン卿がお前に会いたいとおっしゃっている」と彼が言った。「今日の午後、イキトスにお前を移送する。彼の質問には全部答えた方がいいぞ」

「なぜ、私と会いたがっているのですか？」と私は聞いた。

「お前が乗っていたトラックが、我々の教会仲間のものだと判明したからだ。お前は彼から写本のコピーを受け取ったと推測している。我々の仲間の僧侶《そうりょ》が法を犯すとは、大変なことなのだ」

　彼は断固とした表情で私を見た。

　私はパブロを見た。彼は、私に続けるようにとうなずいた。

「写本があなた方の宗教を侵害すると、思っているのですか？」私はコストス神父に穏やかな口調でたずねた。

彼は私を、慇懃《いんぎん》無礼な様子で見下ろした。「我々の宗教だけではない。すべての宗教をだ。この世界には神の計画があると思わないのか？　神がすべてを支配しているのだ。神が我々に運命を与える。我々の仕事は、神によって決められた法に従うことだ。進化などは神話にすぎない。神はご自分の思うとおりに、未来を創造される。人間が自分の意志で進化するなどとは、神の意志を剝奪《はくだつ》することだ。しかも、人間を利己的にし、分裂させてしまう。そして、神の計画ではなく、自分の進化が大切なのだと考えるようになる。その結果、今よりももっとひどく、人を扱うようになってしまうのだ」

私は別の質問を思いつくことができなかった。神父は私をしばらく見つめてから、ほとんど親切と言ってもいいような口調で言った。

「セバスチャン卿に協力してくれたまえ」

彼はパブロの方を振り返った。私の質問をうまく処理したことを、誇りに思っているようだった。パブロは彼ににっこりして、うなずいただけだった。神父は出て行き、兵士がドアに鍵《かぎ》をかけた。パブロはベッドから身を乗り出して、私に輝くような笑みを見せた。彼の態度はすっかり変わってしまって、顔つきは自信にみちていた。

私はしばらく彼を眺め、そしてほほ笑んだ。

「今、何が起こったと思いますか？」と彼はたずねた。

私は何か冗談を言おうと躍起になった。

「思ったよりひどいことになっていたのがわかったということかな？」

　彼は笑った。「ほかには？」

「君が何を言わせたいのか、よくわからないよ」

「ここに来た時、あなたは何を知りたかったのですか？」

「マージョリーとウィルを見つけたいということ？」

「すでに一人は見つかりましたね。もう一つの問題は何でしたか？」

「神父たちが写本に反対しているのは悪意からではなく、誤解に基づいているような気がしていたんだ。だから、彼らが何を考えているのか知りたかった。なぜかわからないけれど、彼らを写本に反対しないように説得できるような気がしたんだ」ここまで言って、やっとパブロが何を言わせようとしているのかわかった。私はここで今、コストスに会った。そして、写本の何が彼を心配させているか、わかったのだった。

「あなたはどんなメッセージを受け取りましたか？」と彼が言った。

「メッセージ？」

「そう、メッセージ？」

　私は彼を見た。「進化に人間が参加するという考え方に、彼らは反発しているんだね」

「そうです」と彼は言った。

「ということはつまり」と私は言った。「物質的な進化論だって十分に不都合なのだ。それが、毎日の生活や、私たちの個人的な決心や歴史それ自体にまで拡大するのは、とても受け入れられないんだ。彼らは、人間はこの進化で暴れ狂い、人間関係が悪化すると考えている。写本を弾圧しようとするのも、当然なんだ」

「あなたはそうではないと、彼らを説得することができましたか?」とパブロが聞いた。

「いや……つまり、私は自分でもよくわからないんだ」

「彼らを説得するには、何が必要でしょうか?」

「真実を知らなくてはならない。それと、すべての人が写本の知恵に従って進化し始めた時、人間同士の関係がどうなるかも知らなくては」

パブロは嬉《うれ》しそうな顔をした。

「どうしたの?」と彼につられて笑いながら、私は聞いた。

「人間が互いに相手にたいしてどう行動するかは、まさに次の知恵に書かれているのです。第八の知恵です。なぜ僧侶たちが写本に反対しているかというあなたの疑問の答えはわかりました。今度は、その答えから次の問題が出て来ましたね」

「そのとおりだ」と私は深い思いに沈みながら答えた。「僕は第八の知恵を見つけ出さねばならないんだ。ここから出なければならない」

「あまり先を急がないで下さい」とパブロは注意した。「先に進む前に、第七の知恵が十分に理解できたかどうか、確認しなければなりません」

「君はどう思う? 僕は理解できているかな?」と私は聞いた。「進化の流れの中にいるだろうか?」

「大丈夫、すぐそうなるでしょう。あなたの問題をいつも心にとめていさえすればね。まだ何も気づいていない人でさえ答えにぶつかって、偶然の一致にあとから気がつくことがあります。第七の知恵は、答えがやって来た時に私たちがそれを理解すると、実現するのです。それは毎日の経験を高めてくれます。

すべての出来事は意味を持ち、私たちの疑問に何らかの意味で関係しているメッセージを含んでいるのです。これは特に、私たちが悪いことと呼んでいることにあてはまります。第七の知恵は、どんなに否定的な出来事であっても、そこに隠されている本当の意味を読み取るようにと言っています。捕まった時、あなたは初め、これですべてが駄目になったと思いましたね。でも今、あなたはここに来るべくして来たとわかっています。ここは、あなたの答えがあった場所なのです」

彼は正しかった。しかし、私がここで答えを見つけ、一段進化したとすれば、パブロにも同じことが起こっているに違いなかった。

突然、誰かがホールをやって来る音がした。パブロは私の顔をまっすぐに見た。その顔は真剣だった。

「よく聞いて下さい」と彼は言った。「私があなたに言ったことを、覚えていて下さい。次は第八の知恵です。それは人間同士の新しいかかわり方について言っています。つまり、より多くのメッセージを分かち合うために、どのように他の人々と接するか、その方法が書いてあります。しかし、あまりあせってはいけません。いつもあなたのいる状況に注意を集中していて下さい。あなたの今の問題は何ですか？」

「ウィルがどこにいるか見つけること」と私は言った。「それと第八の知恵を見つけたいし、マージョリーもみつけなければ」

「マージョリーについて、あなたの直感は何と言っていますか？」

私はしばらく考えた。「私は逃げ出す……いや、私たちは逃げ出すだろう」

ドアのすぐ外に、誰かが来た物音がした。

「僕は君に何かメッセージをあげたのだろうか？」私はパブロに急いでたずねた。

「もちろんですとも」と彼は言った。「あなたが来た時、私は自分がなぜここにいるのか、わからなかったのです。第七の知恵を人に伝えることに関係しているような気は、何となくしていましたが、自分にそんな力があるとは、思えませんでした。自分が十分に理解しているとは、思わなかったからです。でもあなたのおかげで、自分はできるとわかりました。それがあなたのくれた大切なメッセージの一つです」

「ほかにもあったの？」

「はい。写本を受け入れるように僧侶《そうりょ》を説得できるだろうというあなたの直感も私に対するメッセージでした。私がここにいるのは、コストス神父を説得するためだと私に思わせたのです」

彼がそう言った時、一人の兵士がドアを開けて私に合図した。

私はパブロの顔を見た。

「第八の知恵のことを、一つだけ言っておきます」と彼は言った。

兵士は彼をにらみつけ、私の腕を取ると部屋から引きずり出して戸を閉めた。連れて行かれる私を、パブロが格子窓から見つめた。

「第八の知恵が警告していることがあります」と彼が叫んだ。「あなたの成長が止まってしまうことがあります。……あなたが他の人に中毒すると、そうなりますよ」

第八章　人との新しいかかわり方

私は兵士のあとについて階段を上がり、明るい太陽の光の中へと出た。パブロの忠告が頭の中でこだましていた。誰かに中毒する？　どういう意味なのだろうか？　どんな種類の中毒なのだろうか？

兵士は道を下って駐車場に私を連れて行った。そこには一台のジープがとまっていて、その横に二人の兵士が立っていた。私たちが歩いて行くと、彼らは厳しい目つきで私を見た。ジープの中が見えるようになるまで近づいた時、後ろの席にすでに誰かがすわっているのに気がついた。マージョリーだった！　彼女は青白い顔をして、心配そうだった。彼女と目が合う前に、後ろにいた兵士が私の腕を摑《つか》んで、彼女の横にすわるように命じた。他の二人の兵士は前の座席に乗り込んだ。運転席にすわった男は、ちらっと私たちの方を振り返ってから、車を発車させて北の方へと向かった。

「英語を話せますか？」と私は兵士に向かってたずねた。

助手席にすわっていた太った兵士が私をじろりと見ると、スペイン語で何かわからないことを言った。そしてプイと向こうを向いてしまった。

私はマージョリーに注意を向けた。「大丈夫？」と小声でささやいた。

「私……」彼女の声が小さくなり、頰《ほお》を涙が流れ落ちた。

「大丈夫だよ」と言って、私は腕を彼女にまわした。彼女は私を見あげ、無理に笑顔を見せようとした。そして私の肩に頭をもたせかけた。波のような情熱が私の体に溢《あふ》れた。

一時間ほど、私たちは舗装されていない道路を揺れながら進んだ。外の景色はどんどん緑の濃さを増し、まるでジャングルのようになっていった。しばらくして道を曲がったとたんに、今までのジャングルが開けて、小さな町が見えてきた。木造の建物が道の両側に並んでいた。

百メートル先で、大型トラックが行く手を塞《ふさ》いでいた。数人の兵士が私たちの車に向かって、停止するように合図した。その向こう側にさらに自動車がとまっていて、その中の何台かは黄色のライトを点滅させていた。私は油断なく注意した。私たちがとまると、兵士が一人近づいて来て何か言ったが、私には理解できなかった。私にわかったのは、「ガソリン」という言葉だけだった。私たちを護送してきた兵士がジープから降りて、他の兵士と話していた。彼らはときどき、武器を手に私たちの方を見張っていた。

私は左手に小さな通りがあるのに気がついた。その通りの店や家の玄関を眺めているうちに、私の中の何かが変わったように感じた。建物の形や色が、急に生き生きと際立って見え始めた。

私は小声でマージョリーの名を呼び、彼女が私を見上げたのを感じた。しかし彼女が何か言う前に、大音響とともに大爆発が起こって、ジープは大きく横に揺れた。火と光が私たちの前方で炸裂《さくれつ》し、兵士が吹き飛ばされて地面にたたきつけられた。すぐに煙と灰で前が見えなくなった。

「さあ、早く！」と叫びながら、私はマージョリーを車から引っぱり降ろした。混乱の中を私たちはさっき見た通りの方へと走った。後ろから叫び声とうめき声が聞こえた。硝煙《しょうえん》にまぎれて、私たちは五十メートルほど走った。突然、私は左側に戸口があるのに気がついた。「ここに入ろう！」と私は叫んだ。ドアがあいていたので私たちは中に駆け込んだ。私は体をぶつけてしっかりとドアを閉めた。振り返ると、そこに中年の女性が私たちをじっと見つめて立っていた。他人の家に押し入ったのだった。

私は無理ににっこりしようとしながら、彼女の顔を見た。爆発の後で、見ず知らずの二人の人間が自分の家に飛び込んできたのに、彼女の表情には恐怖も怒りも見えなかった。そのかわり、彼女は諦《あきら》めたような楽しそうな笑みを浮かべていた。まるで私たちが逃げ込んで来るのを予期していて、どうにかしなければならないという感じだった。すぐそばの椅子《いす》に、四歳ぐらいの子供がすわっていた。

「急いで下さい」と彼女は英語で言った。「彼らがあなた方を捜しに来ます」彼女は私たちを、あまり家具のない居間の裏から廊下を通り、木の階段を降りて細長い地下室へと連れて行った。子供は彼女の脇《わき》を歩いていた。私たちは急ぎ足でその地下室を通りすぎると、また何段か階段を昇って外の細い通りに出た。

彼女はそこにあった小型の自動車のドアをあけて、私たちを中に押し込んだ。そして後ろの座席に横になるように言うと、私たちの上に毛布をかぶせ、北に向かって走り出した。この間ずっと、私は何も言わずに彼女の指示に従っていた。何が起きたのかはっきり認識すると、私の中にエネルギーが充満してきた。私の逃亡の予感は的中したのだ。

マージョリーは私のそばに横たわっていた。彼女は目を固く閉じたままだった。

「大丈夫？」と私はささやいた。

彼女は目に涙をいっぱい浮かべて、私を見上げてうなずいた。

十五分後、女性が言った。「もう起きあがってもいいわ」

私は毛布を払いのけると、まわりを見まわした。爆発の前と同じ道を走っているようだった。ただずっと北に来ていた。

「あなたはどなたですか？」と私がたずねた。

彼女は後ろを振り返り、半分笑いながら私を見た。四十歳ぐらいのスタイルのよい女性で、黒い髪は肩まであった。

「私はカーラ・ディーズといいます」と彼女は言った。「これは娘のマレタです」

子供は笑って、後ろ座席にいる私たちを好奇心一杯の大きな目で見た。彼女の髪は真っ黒で長かった。

私は自分たちの名前を言ってから、また質問した。「どうして私たちを助けて下さったのですか？」

カーラはにっこりと笑った。「あなたたちは写本のことで兵士から逃げたのでしょう？」

「ええ、どうしてわかったのですか？」

「私も写本のことを知っていますから」

「私たちをどこへ連れて行くのですか？」と私は聞いた。

「私は知りません」と彼女は言った。「あなたが助けて下さらないと」

私はマージョリーを見た。彼女は私をじっと見つめていた。「今はどこへ行けばいいのかわかりません」と私は言った。「捕まる前は、イキトスに行くつもりでした」

「どうして、イキトスへ行こうとしたの？」と彼女がたずねた。

「友達を見つけるためです。彼は第九の知恵を探しています」

「危険なことをするのね」

「知っています」

「ではそこへ連れて行ってあげましょうね。マレタ？」

少女はクスクス笑って年齢よりずっと大人びた口調で「もちろんよ」と言った。

「あそこで起きたのは、何の爆発だったのですか？」と私は聞いた。

「ガソリンを運んでいたトラックだと思います」と彼女が答えた。「少し前に、事故があったの。ガソリンがもれたのです」カーラが素早く助けてくれたのにびっくりしていたので、私はもっと質問することにした。「私たちが兵隊から逃げているって、なぜわかったのですか？」

彼女は大きく息を吸った。「昨日、軍のトラックが何台も村を通って北へ向かって行きました。めったにないことなので、私は二カ月前、友人が連行された時のことを思い出しました。その友人と私は一緒に写本を勉強していたのです。この村で八つの知恵のコピーを全部持っていたのは、私たちだけでした。そこへ兵士が来て私の友人を逮捕しました。彼らがどうなったかは聞いていません。

昨日トラックを見た時、兵士がまだコピーを探し続けていると、わかったのです。そして私の友人のように、きっと誰かが助けを必要とするだろうとわかりました。それで自分がその人たちを助けている様子を想像しました。もちろん、その時にそんな思いになるのは、何か意味があると自分でも思っていました。ですからあなた方が家に入ってきた時、驚かなかったのです」

彼女は少し黙ってから、私にたずねた。「こんな経験をしたことはありませんか？」

「あります」と私は答えた。

カーラは車のスピードを落とした。前方で道路が交叉《こうさ》していた。

「ここを右に行った方がいいと思います」と彼女は言った。「まわり道になるけど、ずっと安全だから」

カーラが右にハンドルを切ると、マレタが左側にすべって行った。彼女は落ちないように座席にしがみついて声をたてて笑った。マージョリーは少女を楽しそうに眺めていた。

「マレタはいくつですか？」とマージョリーがカーラに聞いた。

カーラは迷惑そうな顔をした。それからやさしく言った。

「まるで彼女がここにいないような言い方は、やめて下さい。もし彼女が大人だったら、あなたは彼女に直接質問するでしょ？」

「まあ、ごめんなさい」とマージョリーが言った。

「私は五歳よ」とマレタは自慢げに言った。

「第八の知恵はもう勉強しましたか？」とカーラがたずねた。

「いいえ、私は第三の知恵までしか見ていません」とマージョリーが答えた。

「私は今、第八の知恵のところです。コピーをお持ちですか？」と私は言った。

「いいえ、コピーは全部、兵士が持って行ってしまいました」

「第八の知恵は、子供に対する接し方について、何か言っているのですか？」

「ええ、第八の知恵は人間がお互いの関係をどう学ぶか、述べています。それと他にもいろいろと言っています。どのように人にエネルギーを送るか、人に夢中になって中毒するのをどう避けるかなどについてです」

また例の警告だった。それがどういう意味か聞こうとした時、マージョリーが口を開いた。

「第八の知恵について教えていただけませんか?」

「第八の知恵は、一般的に人とかかわる時の新しい方法で、どうエネルギーを使えばよいかについて述べています。しかしまず最初に、子供とのかかわり方から始まっています」

「子供をどう見たらよいのですか?」と私がたずねた。

「子供をありのままに見るということです。しかし、進化を学ぶために、子供は、常に無条件に、私たちのエネルギーを必要とします。子供にとって最悪なことは、子供を矯正《きょうせい》しようとして、子供のエネルギーを奪い取ることです。これは、すでにあなたも知っているように、コントロールドラマを作り出します。どんな状況でも、大人がすべての必要なエネルギーを注ぎ込みさえすれば、子供はエネルギー争奪のドラマを学ばずにすみます。子供を常に会話の仲間に入れなければならないのは、そのためです。特に、子供たちを話題にする時は、仲間に入れなければいけません。それに、私たちは、自分で完全に面倒を見られる人数以上の子供に、責任を持つべきではありません」

「写本がそんなことを言っているのですか?」と私は聞いた。

「ええ」と彼女は言った。「子供の数のことは、特に強調しています」

私は混乱した。「なぜ子供の数が大切なのですか?」

彼女は運転しながら、私をちらっと見た。

「それは一人の大人は一度に一人の子供にしか、注意を向けられないからです。大人の数に較《くら》べて子供の数が多すぎると、大人はどうしてよいのかわからなくなって、十分にエネルギーを注ぐことができません。子供たちは大人の時間を得ようと競争し始めます」

「兄弟同士が争うのですね」と私は言った。

「そうです。でも写本は、この問題は一般に考えられているよりずっと重要だと、言っています。大人はよく、大家族はすばらしい、子供が大勢で一緒に育つのはよいことだと、ほめそやします。でも、子供は他の子供からではなく、大人から世界のことを学ぶ方がよいのです。多くの国で子供たちがギャングの仲間に入っています。一人の子供に全部の注意を向ける大人が少なくとも一人はいなければ、子供を産むべきではないと、人は次第にわかるようになると、写本は言っています」

「でも、ちょっと待って下さい」と私は言った。「生活のために両親が働かなくてはならないことが多いでしょう。彼らの子供を産む権利を否定しているのですか？」

「いいえ、必ずしもそうではありません」と彼女は答えた。「写本は、人間は血のつながりを超えて家族を拡大することを学ぶと、言っています。だから、誰か他の人が子供の面倒を見てもよいのです。全部のエネルギーが両親から来る必要はありません。実のところ、そうでない方がいいのです。しかし、誰が子供の面倒を見るにしろ、子供にはこの一対一の注目が与えられなくてはなりません」

「なるほど」と私は言った。「あなたはうまくやっているようですね。マレタは確かにしっかりしている」

カーラは眉《まゆ》をしかめて言った。「私に言わないで下さい。彼女に言って下さい」

「わかった」と言って私は子供を見た。「あなたは大人みたいだね、マレタ」

彼女は一瞬恥ずかしそうに目をそらしてから、「ありがとう」と言った。カーラはやさしく彼女を抱きしめた。

カーラは誇らしげに私を見て言った。「この二年間、私は写本の説明どおりに、マレタとつき合うようにしたのよね。マレタ？」

子供はにっこりしてうなずいた。

「私はいつも彼女にエネルギーを注ぎ、どんな場合でも、彼女が理解できる言葉で真実を話すようにしてきました。彼女が、子供がよくする質問をすると、私はまじめに受け止めて、おとぎ話のような答えを与えたい誘惑をさけました。そんな答えはただ、大人が楽しむためのものですから」

私は笑った。「こうのとりが赤ん坊を連れてくるみたいな、作り話のことですか？」

「ええ、でも、そういう文化的な表現はそれほど悪いことではありません。子供はいつも同じ話を聞かされて、それがどういうことかすぐわかるからです。いけないのは、大人が少しからかいたくなったり、本当のことは子供が理解するには複雑すぎると思って、その場で創作する作り話です。でも、これは正しくありません。どんなことでも、子供が理解できるレベルで真実を話さなければいけません。ちょっとしたこつが必要ですけれどね」

「写本はこの問題について、何と言っていますか？」

「いつも子供に真実を話す方法を見つけるべきだと言っています」

私はどこかでその考えに抵抗があった。私は子供とふざけるのが大好きだったからだ。

「子供たちは、大人がふざけているって普通はわかっていませんか？」と私は言った。「これでは、子供をあまり早く大人にしてしまって、子供時代の楽しみを奪ってしまうように思えますが」

彼女は私をきっと見すえた。「マレタは大いに楽しんでいます。私たちは追いかけごっこをしたり、転げまわったり、ままごとやお店屋さんごっこをします。違いはお店屋さんごっこをしている時、彼女はそれが遊びだと知っていることです」

私はうなずいた。もちろん彼女の言っていることは正しかった。

「マレタは自信を持っているように見えます」とカーラは続けた。「私がいつも一緒にいるからです。彼女が必要とする時、私は一対一の注意を与えました。私が一緒にいられない時は、隣りに住む私の妹が代わりをしました。マレタにはいつも、彼女の質問に答えてくれる大人がそばにいました。そして、この誠心誠意の注目のおかげで、彼女はわざとらしく振る舞ったり、自分をよく見せたりする必要を感じないのです。彼女は常に十分なエネルギーを持っています。そして、これからもずっとそうだと確信していますし、エネルギーを得る対象が大人から宇宙へ変わる時も、ずっと簡単にゆくだろうと思います」

私は外の風景の変化に気がついた。私たちは今、深いジャングルの間を走っていた。太陽は見えなかったが、午後の空にすでに低くなっているはずだった。

「今夜中にイキトスに着きますか？」と私は聞いた。

「いいえ」とカーラが言った。「でも、私の知り合いの家に泊まれます」

「ここから近いのですか？」と私は聞いた。

「ええ。友人の家です。彼は野生の動植物の保護をしています」

「政府の仕事ですか？」

「アマゾンの一部が保護区になっているんです。彼は地方の職員ですが、有力者です。ホアン・ヒントンという名前です。心配はいりませんよ。彼は写本を信じているけど、政府からとやかく言われてはいませんから」

私たちが到着する頃には、空は完全に暗くなっていた。まわりのジャングルは夜の音に満ち、空気はむし暑かった。密林を切り開いた土地の一番奥に、灯が明るく点された大きな木造の家があった。近くに二つ、大きな建物があって、数台のジープがとまっていた。もう一台の車が台の上に載せられており、二人の男が車の下の明かりの中で働いていた。

上等な服を着た痩《や》せ型のペルー人が、カーラのノックに答えてドアを開け、彼女に笑いかけた。しかしマージョリーとマレタと私が階段のところで待っているのに気がつくと、笑顔が消えた。彼女にスペイン語で何か言いながら、彼の顔は次第に神経質で不愉快そうになっていった。彼女は哀願するように頼み込んだが、彼の身振りや口振りからすると、私たちを泊めたくない様子だった。

その時、ドアの隙間《すきま》から、ロビーに立っている一人の女性の姿が見えた。私は体をずらして彼女の顔をよく見た。それはジュリアだった。私が見ていると彼女は顔をこちらに向けて私を見た。それからびっくりした表情でこちらに歩いて来た。彼女はドアのところにいた男の肩に手をかけると、彼の耳元にそっとささやいた。男はうなずくと、諦《あきら》めたという表情で、ドアをあけた。ヒントンが私たちを書斎へ案内するあいだ、私たちは自己紹介をした。ジュリアは私を見て言った。

「またお会いしたわね」彼女は脚の部分にポケットのついたカーキ色のズボンに、真っ赤なTシャツを着ていた。

「本当に、また会いましたね」と私は言った。

ペルー人の使用人がヒントンを呼び止め、しばらく話をしてから、二人で家のどこか他のところへ行ってしまった。ジュリアはコーヒーテーブルのそばの椅子《いす》にすわり、私たちには向かい側の長椅子にすわるように指し示した。マージョリーはおびえているようだった。彼女は私をじっと見つめた。カーラもマージョリーの不安に気がついたようだった。彼女はマージョリーのところへ行くと彼女の手を取った。「暖かいお茶でも飲みましょう」と彼女を誘った。

二人で歩いていきながら、マージョリーは振り返って私を見た。私はほほ笑んで、二人が台所の方へ見えなくなるまで見送ってから、ジュリアに顔を向けた。

「それで、あなたはこれは何を意味していると思いますか？」と彼女は質問した。

「何のことですか？」私はまだ気もそぞろに答えた。

「私たちがまた出会ったことよ」

「ああ……私にはわかりません」

「カーラとどうやって知り合ったの？　そしてこれからどこへ行くつもり？」

「彼女は僕たちを救ってくれたのです。マージョリーと僕は、ペルーの軍隊に捕らえられていました。僕たちが逃げた時、彼女が偶然そこにいて助けてくれたのです」

ジュリアは緊張したようだった。「何が起こったのか、話して下さい」

私は後ろに寄りかかると、カール神父のトラックを借りて出発したところから始めて、捕まってから逃げ出すまでの一部始終を話した。

「それでカーラは、あなたをイキトスまで送ると言ったの？」とジュリアが聞いた。

「ええ」

「どうしてイキトスに行きたいの？」

「ウィルがそこへ行くと、カール神父に話したからです。ウィルは第九の知恵の手がかりを持っているようです。そしてセバスチャンも何かの理由でそこにいるのです」

ジュリアがうなずいた。「ええ、セバスチャンはその近くに伝道所を持っているわ。彼はそこでインディオを改宗させて、名声を得たのよ」

「あなたは？」と私が聞いた。「あなたはここで何をしているのですか？」

ジュリアは、自分も第九の知恵を見つけたいのだが、何も手がかりがないと話した。何回となく旧友のヒントンのことが思い浮かんだので、この家に来たのだった。

私はほとんど彼女の話を聞いていなかった。マージョリーとカーラが台所からホールに戻って、お茶を手に立ち話をしていた。マージョリーは私の目を見たが、何も言わなかった。

「彼女は写本をかなり読んでいるの？」とジュリアがマージョリーの方を目顔でさして言った。

「第三の知恵だけです」と私は言った。

「彼女が希望すれば、多分、ペルーから出国させてあげられるわ」

私は振り返って彼女を見た。「どうやって？」

「ローランドが明日、ブラジルへ発《た》つの。ブラジルのアメリカ大使館に、何人か友人がいるのよ。

彼らが彼女をアメリカに帰してくれるわ。この方法で、他のアメリカ人を何人も助けたことがあるのよ」

私は彼女を見て、とりあえず、うなずいた。彼女の話に、自分が複雑な思いを持っていることに気がついた。私の一部は、ここを離れるのがマージョリーにとって一番よいことだと知っていた。しかし私の他の一部は、彼女にここにとどまって、私と一緒にいて欲しいと願っていた。彼女がそばにいるだけで、自分が変化し、エネルギーが湧《わ》き出てくるのを感じていた。

「彼女と話してみないと」と私は言った。

「もちろんよ」とジュリアが答えた。「あとで話しましょう」

私は立ち上がると、マージョリーの方へ歩いて行った。カーラは台所へ戻ってゆくところだった。マージョリーが廊下の角を曲がって見えなくなった。私が追いつくと、彼女は壁に寄りかかっていた。

私はマージョリーを私の両腕に引きよせた。私の体は早鐘のように脈打っていた。

「エネルギーを感じる?」と私は彼女の耳にささやいた。

「信じられないくらいよ」と彼女は言った。「どういう意味なの?」

「わからない。僕たち二人は何かのつながりがあるに違いない」

私はまわりを見た。誰からも見られる心配はなかった。私たちは情熱的にキスをした。

体を離して彼女の顔を見ると、彼女は今までと違って、いくらか力強く見えた。私はビシエンテで彼女に初めて会った時のことや、クラのレストランで彼女と話した時のことを思い出した。

彼女と一緒にいて、彼女が私に触れた時に私が感じるエネルギーの量は、信じられないほどだった。

彼女は私を強く抱きしめた。「ビシエンテで初めて会った日から、あなたと一緒にいたいと思っていたの」と彼女は言った。「あの時はどう考えたらよいかわからなかったけれど、このエネルギーはすばらしいわ。こんな体験は初めてよ」

目のすみに、カーラがほほ笑みながら近づいてくるのが見えた。彼女は私たちに、夕食の仕度ができたと知らせに来た。食堂に行くと、新鮮な果物と野菜、それにパンの豪華なビュッフェが用意されていた。それぞれ自分の皿に料理を取って、大きなテーブルを囲んですわった。マレタが祝福の歌を歌ってから、私たちは一時間半、食べたり自由に話したりして過ごした。ヒントンはさっきの神経質なところはなくなって楽しそうな雰囲気だったので、私たちも逃亡の緊張を和らげることができた。マージョリーは自由に話したり笑ったりしていた。彼女の横にすわっていると、私の心は暖かな愛で充たされた。

夕食のあと、ヒントンは私たちを書斎へ連れて行った。そこでデザートのカスタードと甘いお酒が出された。マージョリーと私はソファにすわって、自分たちの過去やさまざまな体験について、ずっと話し続けた。私たちはますます親しくなってゆくようだった。彼女は西海岸に住み、私が南部に住んでいるということだけが、問題だとわかった。そのあとマージョリーはそんなことは問題ではないわ、と言ってうれしそうに笑った。

「アメリカに帰るのが待ち遠しいわ」と彼女は言った。「行ったり来たりして楽しみましょうね」

私はすわり直してまじめな顔で言った。「ジュリアが、君が帰国できるように取り計らってくれると言っているんだ」

「私たち二人ということでしょう?」と彼女は答えた。

「いや、僕は今は帰れない」

「なぜ?」と彼女は聞いた。「私はあなたをおいて帰るわけにはいかないわ。でも、この国にこれ以上、我慢もできないの。気が狂いそうよ」

「君は先に帰らなければだめだよ。僕もすぐ帰るから」

「いやよ!」と彼女は大声をあげた。「そんなことは耐えられないわ」

カーラがマレタを寝かしつけて書斎に戻って来たが、ちらっと私たちの方を見てすぐに目をそらせた。ヒントンとジュリアは話に夢中で、マージョリーの大声に気がつかなかったようだった。

「どうか、一緒に帰ってちょうだい」とマージョリーが言った。

私は横を向いた。

「いいわ、わかったわ」と彼女は言った。「あなたは残りなさい!」そして、立ち上がるとさっさと寝室の方に行ってしまった。

マージョリーが出てゆくのを見て、私は心が痛んだ。彼女と一緒にいた時にもらったエネルギーは、急にしぼんでしまった。私は弱々しく感じ、何が何だかわからなくなった。その気持ちを振り切ろうとした。結局、彼女のことを長く知っているわけではないのだと、自分に言い聞かせた。その一方では、彼女の言ったことが正しいのではないかと思っていた。私も帰国すべきなのかもしれない。ここにいても、一体何ができるというのだろう?　国に帰れば、写本を支援する運動を起こすことができるかもしれないし、元気でいることもできるのだ。私は立ち上がって彼女のところへ行きかけたが、なぜかまた、腰を下ろしてしまった。どうしていいか、わからなかった。

「ちょっとここにすわっていいかしら?」とカーラが突然聞いた。彼女がソファのすぐそばに立っていたのに、今まで気がつかなかったのだ。

「どうぞ」と私は言った。

彼女は腰を下ろすと、好意的な目で私を見つめた。

「ずっと聞いてしまったわ」と彼女は言った。「あなたが決心する前に、第八の知恵が人に夢中になって中毒するということについて、何と言っているか知りたいのではないかと思ったのよ」

「ぜひ聞かせて下さい。どういう意味なのか、知りたいと思っていました」

「第一の壁を乗りこえて、自分の進化のプロセスに入った時、突然、他の人に中毒して進化をストップしてしまうことが、誰にでも起こるの」

「マージョリーと私のことを言っているのですね?」

「そのプロセスを説明させてね」と彼女は言った。「そのあとで、自分で判断して下さい」

「わかりました」

「まず最初に、私自身もこの点に関して、とても大変な時期があったのです。ルノー教授に会わなかったら、これがどういう意味か、理解できなかったと思うわ」

「ルノー?」と私は叫んだ。「僕も知っていますよ、第四の知恵を学んでいた時、彼に会ったのです」

「私たちは二人とも第八の知恵まで来た時に、出会ったの。彼は私の家に何日か泊まっていました」

私はびっくりしてうなずいた。

「彼は、写本の中毒の考え方は、恋愛関係にいる二人の間に、なぜ権力闘争が起こるのか、説明していると言いました。なぜ、愛の喜びや陶酔感が終わり、急に争いになるのか、ずっと不思議でしたが、今、その謎《なぞ》がとけたのです。それは二人の間のエネルギーの流れの結果です。

まず恋が芽生えると、二人は無意識のうちに愛を与え合います。二人の気持ちは高まり、気持ち良くなります。『恋に落ちた』状態というのは、信じられないほど、気持ちが高ぶるものです。ところが残念なことに、こうした気持ちが恋の相手から得られるものだと期待すると、宇宙のエネルギーから切り離されてしまいます。そしてますます、エネルギーを相手から得ようとします。ただそうなると、エネルギーが十分にないように感じて、お互いにエネルギーを与え合うのを止めてしまい、自分のコントロールドラマに逆戻りしてしまいます。そして、相手をコントロールして自分流のやり方でエネルギーを奪い始めるのです。ここに至ると、二人の関係は普通の権力闘争のレベルに落ちてしまうのです」

彼女はしばらく黙っていた。私が理解したかどうか、見ているようだった。それからさらに続けた。

「ルノーは、この種の中毒になぜ私たちが陥りやすいか、心理学的に説明できると言っていました。あなたの理解に役立ちそうかしら？」

彼女に続けるようにと、私はもう一度うなずいてみせた。

「ルノーによると、この問題はごく幼い頃の家庭で始まったものだそうです。家庭でのエネルギー闘争のために、私たちはみな、大切な心理的プロセスを完成できませんでした。つまり、自分の中の異性を統合できなかったのです」

「自分の何ですって？」

「私の場合は」と彼女は続けた。「自分の中の男性を統合できませんでした。あなたの場合は、女性的な面を統合できていません。私たちが異性に中毒してしまうのは、この異性のエネルギーをまだ必要としているからです。内的な源として私たちが汲《く》み取ることができる神秘的なエネルギーは、男性と女性をかねそなえています。最終的には私たちは完全にその源に全面的につながることができますが、進化を始めたばかりの時には、気をつけなければなりません。統合のプロセスは時間がかかるからです。女性か男性のエネルギーを求めて、早まって人間のエネルギー源とつながってしまうと、宇宙からのエネルギーをさえぎってしまうのです」

私は、まだよくわからないと彼女に言った。

「理想的な家庭ではこの統合がどのように行われるか、考えてみましょう」と彼女は説明し始めた。「そうすれば、たぶん、私の言っていることがわかるでしょうから。どの家庭でも、子供はまず、大人からエネルギーをもらわなければなりません。通常、同性の親のエネルギーとの一体化と統合は、簡単に達成されます。しかし、異性の親からエネルギーを受け取るのは、性が違うためにもっと難しいのです。

女の子を例にとりましょう。初めて自分の男性面を統合しようとする時、その幼い女の子にわかっていることは、自分は父親に非常に魅《ひ》かれているということだけです。いつも父親にそばにいて欲しいと思います。写本は、彼女が本当に欲しているのは、男性エネルギーだと言っています。この男性エネルギーは彼女の女性面を補完するからです。この男性エネルギーから、彼女は完結した感覚と陶酔感を得ます。しかし彼女は、こうしたエネルギーを得る唯一の方法は、父親を性的に所有したり、自分の身近かに引きとめておくことだと、まちがって思い込みます。

面白いことに、彼女は、このエネルギーは、本来、自分自身のものであり、自分が自由に支配すべきだと、本能的に思っています。そのために、彼女は父親を自分の一部であるかのように、指図したいと思います。そして父親を魔法使いのような完全で、自分に何でも与えることのできる存在だと思い込みます。理想的とはいえない家庭では、幼い女の子とお父さんの間に権力闘争が始まります。コントロールドラマが創《つく》り出され、彼女は自分の欲するエネルギーを得るために、父親を操る術《すべ》を学びます。

しかし、理想的な家庭では、父親は競争しません。彼は常に正直に接し続け、無条件に彼女に与えるだけのエネルギーを十分に持っています。彼女が要求するすべてを与えるというわけにはゆきませんが。この理想的な例で特に大切なことは、父親がいつも心を開いて何でも話し合えるということです。彼女は父親を理想的で魔法使いのような人だと思っていますが、彼が正直に自分は誰か、何をしているか、なぜそうなのかを説明すれば、幼い少女は父親の生き方と能力を統合し、父親に対する非現実的な見方を捨てて、前進することができます。そして、父親も長所も短所もある普通の人間だと、見られるようになります。一度この正しい関係が成立すれば、子供は異性エネルギーを父親から受け取る段階から、宇宙に存在する全体エネルギーの一部としてそれを受け取る段階へと、スムースに移行することができるようになります」

彼女はさらに続けた。「問題は、今までほとんどの親は、子供とエネルギーの奪い合いをして、その悪影響を私たちに残してしまったことです。この競争があったために、私たちは全員、この異性の問題をまったく解決していないのです。私たちはみな、自分の外に異性のエネルギーを求める段階にとどまっています。つまり、理想的で魅力的だと思い、性的に所有できる男性または女性の中に、まだそのエネルギーを求めているのです。わかりますか？」

「はい、わかったと思います」と私は言った。

「意識的に進化する能力という点で」と彼女は続けた。「私たちは決定的な状況に直面しています。前にも言ったように、第八の知恵によれば、初めて進化し始める時、私たちは自動的に異性のエネルギーを受け取り始めます。それは宇宙のエネルギーから自然に入ってきます。しかし用心しなければいけません。もし、このエネルギーを直接与えてくれる人が現れると、私たちは真の源から自分自身を断ち切って、退歩してしまうことがあるからです」彼女はおかしそうに笑った。

「なぜ笑っているのですか？」と私はたずねた。

「ルノーはこんな風に言っていました」と彼女は言った。「この状況をどう避ければいいか学ぶまでは、私たちは半円のような形で歩きまわっていると、言うのです。つまり、私たちはCという字のように見えます。そして異性、つまり別の半円に非常に引かれやすくなっています。その人がやって来て一緒になって円を完成し、私たちに溢《あふ》れるような幸福感とエネルギーを与えてくれるからです。この幸福感とエネルギーは、宇宙との完全な結合から生ずる完全性とよく似ています。実際は、ただ、自分の半身を外部に求めているもう一人の人間と、一緒になっただけなのです。

ルノーが言うには、これは古典的な依存関係であり、すぐに表面化し始める問題を内蔵しているそうです」

私が何か言うのではないかと思ったらしく、彼女はしばらく待っていた。しかし、私はうなずいただけだった。

「二人の人間が自分たちが達成したと思っているこの完成した人間、つまり完全な円の問題点は、この完全な人間を作るために二人の人が必要だということです。一人は女性のエネルギーを供給し、もう一人が男性のエネルギーを持ちよっているのです。その結果、この完全な人間は、二つの頭、二つのエゴを持つことになります。二人の人間が、自分たちが作ったこの一つの完全なる人間を支配したいと思い、子供時代と同じように、両方とも相手を支配したいと思います。この完全だという錯覚が、常に権力闘争へと発展してゆくのです。そして最後には、自分の行きたい方向へこの完全なる自己を導いてゆくためには、相手を無視しなければならなくなります。でも、もちろん、これはうまくゆきません。たぶん昔は、二人のうちどちらかが、相手に喜んで服従しました。普通は女性でした。ときどき、男性のこともありましたが。しかし私たちは今、目覚めつつあります。もう誰も、他の人に従属したいとは思っていません」

私は、第一の知恵が親しい者同士の権力闘争に触れていたこと、そしてシャーリーンと会ったレストランで、一人の女性が大声で叫んだ時のことを思い出した。「ロマンスはもう沢山というわけですね」と私は言った。

「あら、私たちは恋愛もできるのよ」とカーラが答えた。「でも、まず最初に、私たちは自分自身で完全な円にならなければなりません。宇宙とのつながりを安定させる必要があります。それには時間がかかります。でもそのあとはこうした問題に二度と巻き込まれません。つまり、写本のいう『高次の関係』を持つことができるのです。そして、他の完全なる人間と恋愛をして結ばれると、私たちはスーパー人間を創造します。しかし、この関係は個人的な進化の道から私たちを引きずり下ろしはしません」

「マージョリーと私が今お互いにやっているのがそれだと思っているのではありませんか？　自分たちの道からお互いを引きずり下ろすという」

「そのとおりよ」

「では、どうすれば、そうした出会いを避けられるのですか？」と私はたずねた。

「しばらくの間、一目惚れに抵抗して下さい。それに、異性とプラトニックな関係を築くことを学ぶのです。そして、そのプロセスを覚えて下さい。自分自身を完全に明らかにする人、つまり自分は何を、なぜ、どのように行っているか、あなたにはっきり話せる人たちとだけしか、こうした関係を持ってはいけません。ちょうど、理想的な家庭で、異性の親が子供にするのと同じように、きちんと話してくれる人でないといけません。こうした異性の友人の内面を知ることによって、自分の異性に対する過去の幻想を打ち破ることができ、それは私たちを解放して、再び宇宙とつながるようにしてくれるのです。

これは簡単なことではないということも、覚えておいて下さい」と彼女は続けた。「特に、現在の相互依存関係を打ち破らなければならない時は、大変です。本当にエネルギーを引き離す作業ですから、つらいですよ。でも、やらなければなりません。相互依存関係は特別な人がかかる新種の病気、というわけではありません。私たちはみんな相互依存しています。そして今、そこから抜け出しつつあるのです。

これは、相互依存関係の初期に体験した幸福感や陶酔感を、一人でいる時に体験し始めるということです。自分の中に、相手を持つようになるのです。そのあと、さらに成長すると、あなたに本当にふさわしい特別な恋愛関係を見つけることができます」

彼女はしばらく黙った。「あなたとマージョリーがもっと成長すれば、二人がお互いを自分の本当のパートナーだとわかる時が、来るかもしれません。でも、わかって下さい。今は、あなたと彼女の間は、絶対にうまくゆきません」

ヒントンが近づいてきたので、私たちの会話は中断した。彼は自分はもう寝に行くと言い、私たちの部屋の準備もできていると知らせてくれた。私たちは彼の親切なもてなしに感謝した。彼が行ってしまうと、カーラが言った。

「私ももう寝ます。またあとで、お話しましょう」

私はうなずいて、彼女が立ち去るのを見守った。その時、誰かの手を肩に感じた。それはジュリアだった。

「私は部屋へ行きます」と彼女は言った。「あなたの部屋がどこかわかる？　教えてあげましょう」

「お願いします」と私は言った。「マージョリーの部屋はどこですか？」

私たちは廊下を歩いてゆき、ある部屋の前でとまった。「あなたの部屋の近くではないわ」と彼女は笑顔で言った。「ヒントンさんはとっても保守的な人なの」

私もにっこりして、彼女におやすみと言った。それから自分の部屋に入ると、眠ってしまうまで、体を丸くしていた。

コーヒーのよい香りで私は目が覚めた。その香りは家全体を包んでいた。服を着て、私は書斎へ歩いて行った。年配の男の使用人が、グレープフルーツジュースの入ったコップを渡してくれた。

「おはよう」とジュリアが私の後ろで言った。

私は振り向いた。「おはようございます」

彼女は私をじっと見て、たずねた。「私たちがなぜ、ここで再び出会ったのか、わかったかしら？」

「いいえ」と私は言った。「考える暇がなかったんです。中毒のことを理解しようとしていたのですよ」

「そうね」と彼女は言った。「私も見たわ」

「どういう意味ですか？」

「あなたのエネルギーの場の様子から、何が起こっているかがわかったのよ」

「どんなでしたか？」と私はたずねた。

「あなたの場がマージョリーのとつながっていたのよ。あなたがここにいて彼女が別の部屋にいた時、あなたのエネルギーの場がずっと向こうまで伸びて、彼女のエネルギーの場にくっついていたわ」

私は信じられない、というように首を振った。

彼女は笑って私の肩に手を置いた。「あなたは宇宙とのつながりを失ってしまったのよ。そのかわり、あなたはマージョリーのエネルギーに中毒してしまったのね。これはあらゆる中毒と同じで、人か物を通して宇宙とつながろうとするの。これに対処するためには、あなたのエネルギーを高めてから、あなたがここですべきことに、自分を集中させるといいわ」

私はうなずいて、外に出た。彼女は書斎にとどまった。十分間ほど、私はサンチェスが教えてくれたエネルギーを集める方法を、実行した。ゆっくりとまわりの美しさが戻り始め、私はずっと軽やかに感じるようになった。私は家の中に戻った。「ずっとよくなったわ」とジュリアが言った。

「気分がずっとよくなりました」と私は答えた。

「では、この時点で、あなたの問題は何かしら？」

私は一分ほど考えた。私はマージョリーをみつけた。この問題は解決していた。しかしウィルがどこにいるのか、私はまだ知りたかった。それに、写本に従ったならば、人々がお互いにどうかかわり合うようになるのか、もっと知りたかった。もし写本がよい効果を生むとしたら、セバスチャンや他の神父たちはどうして写本のことをこわがっているのだろう？

私はジュリアを見た。「私は第八の知恵の残りを理解したいと思います。そしてウィルを見つけたい。彼は第九の知恵を持っているかもしれませんし」

「私は明日、イキトスへ行くのよ」と彼女は言った。「あなたもいらっしゃる？」

私はためらった。

「ウィルはイキトスにいると思うわ」と彼女は言った。

「どうしてわかるのですか？」

「昨日の夜、彼のことがいろいろと思い浮かんだからよ」

私は何も言わなかった。

「あなたのことも、いろいろ思い浮かんだのよ」とジュリアが続けた。「私たち、二人ともイキトスに行くって。あなたはなぜかこれに巻き込まれているのよ」

「何に巻き込まれているんですか？」と私はたずねた。

彼女はにっこりした。「セバスチャンより先に最後の知恵を見つけることよ」

彼女がそう言ったとたん、ジュリアと私がイキトスに着いた場面が私の心に浮かんだ。しかし、そのあと何らかの理由で別々の方向に行くことがわかった。私は自分が何か目的を持っているように感じたが、それが何かははっきりしなかった。

私は再びジュリアに視線を戻した。彼女はほほ笑んでいた。

「何を考えていたの？」と彼女が聞いた。

「すみません、他のことを考えていました」と私は言った。

「重要なこと？」

「わかりません。イキトスに着いてから、僕たちはそれぞれ、別々の方向へ行くようだと、感じたのです」

ローランドが部屋に入って来た。

「あなたが言った品物を持って来ました」と彼はジュリアに言った。彼は私に気がついて、ていねいに挨拶《あいさつ》した。

「どうもありがとう」とジュリアが答えた。「兵隊は沢山いた？」

「いいえ、一人も見ませんでしたよ」と彼は言った。

マージョリーが部屋に入って来たので、私は気が散ってしまった。しかし、ジュリアがローランドに、マージョリーを連れてブラジルへ行って、そこからアメリカに帰る方法を手配してあげなさいと話しているのが聞こえた。

私はマージョリーのところへ行った。「よく眠れた?」と私は聞いた。

怒っていようかどうしようか決めかねているような様子で、彼女は私を見上げた。「よく眠れなかったわ」と彼女は言った。

私はローランドの方を見ながら言った。「彼はジュリアの友達なんだ。彼は今朝、ブラジルに発《た》つんだよ。そこからアメリカに帰れるように、彼が君を助けてくれるよ」

彼女はこわがっているようだった。

「大丈夫。心配いらないよ。彼らは他のアメリカ人も助けているんだから。ブラジルのアメリカ大使館の人たちを知っているんだ。あっという間にアメリカに帰れるよ」

彼女はうなずいた。「私はあなたのことを心配しているのよ」

「僕は大丈夫さ。心配しないで。アメリカに帰ったらすぐ電話するよ」

私の後ろで、ヒントンが朝食の仕度ができたと告げた。私たちは食堂に行って食事をした。そのあと、ジュリアとローランドは急いでいるようだった。ジュリアは、ローランドとマージョリーは暗くなる前に国境を越えなければならない、旅は丸一日かかるだろうと説明した。

マージョリーはヒントンからもらった服を荷造りした。そのあと、ジュリアとローランドがドアの脇《わき》で話している間に、私はマージョリーを横に引きよせた。

「何も心配しないようにね」と私は言った。「ただいつも目を開いていれば、きっと、他の知恵と出会っていくからね」

彼女はほほ笑んだが、何も言わなかった。ローランドが彼女の荷物を彼の小さな車に乗せるのを、ジュリアと私は見守った。車が走り出すと、マージョリーと私の目がほんの束《つか》の間《ま》合った。

「二人は無事に着くと思いますか？」と私はジュリアに聞いた。

彼女は私を見てウィンクした。「もちろんよ。私たちもそろそろ出発した方がいいわ。あなたの着るものも、いくらかは持っているわ」彼女は衣類の入った鞄《かばん》を私に渡した。私たちは鞄や食料の入った箱をいくつか、小型トラックに積み込んだ。それから、ヒントン、カーラ、マレタに別れを告げて、イキトスに向かって北東へ走り出した。

走ってゆくうちに、風景はますますジャングルらしくなってゆき、人影はほとんど見かけなくなった。私は第八の知恵について考えた。それは人とのつき合い方を新しく解釈したものであることははっきりしていたが、私はまだ完全に理解してはいなかった。カーラは子供への対し方と、人に中毒する危険性について説明してくれた。しかし、パブロもカーラも、人にエネルギーを意識的に送る方法について、それとなく触れていた。これは何なのだろうか？

私はジュリアの目を捕らえて言った。「僕はまだ、第八の知恵がよくわかっていないんです」

「他の人にどう近づくかで、どれだけ早く成長でき、どれだけ早く答えが見つかるか決まるのよ」と彼女は言った。

「どういう風にですか？」と私は聞いた。

「あなた自身のことを考えてみて下さい」と彼女は言った。「あなたの問題に、どのようにして答えが見つかりましたか？」

「出会った人々を通してだと思います」

「あなたは彼らのメッセージに、完全に心を開いていましたか？」

「必ずしもそうではありませんでした。いつもよそよそしくしていました」

「あなたにメッセージを持って来てくれた人たちも、心を閉ざしていましたか？」

「いいえ、みんな心を開いて、助けてくれました。彼らは……」私は自分の思っていることを適確に表現できずに口ごもった。

「その人たちは、あなたが心を開くのを手伝ってくれたでしょう？」と彼女はたずねた。「あなたに暖かさとエネルギーを与えてくれませんでしたか？」

彼女の言葉が、私の記憶を呼びさました。リマで私がパニック寸前だった時のウィルのなだめるような態度や、サンチェス神父の父親のような心のこもった歓待ぶり、そしてカール神父やパブロやカーラの親切な指導などを、私は思い起こした。そして今、ジュリアがいた。この人たちはみな、同じまなざしをしていた。

「ええ」と私は言った。「あなた方はみな、そうしてくれました」

「そうなのよ」と彼女は言った。「私たちは第八の知恵に従って、意識的にそうしているのです。あなたを元気づけ、あなたの意識を明確にする手助けをすることで、あなたが持って来てくれたメッセージや真実を、私たちは探すことができたのです。わかりますか？　あなたにエネルギーを送ることは、自分のためにできる最上のことなのです」

「写本は、そのことについてどう言っているのですか？」

「誰かが私たちの道を横切る時、彼らは必ず私たちにメッセージをもたらしてくれると、言っています。偶然の出会いはありません。しかし、こうした出会いにどう対応するかで、メッセージを受け取れるかどうか、決まります。もし、私たちの道を横切った誰かと話をしても、その時自分が抱えている問題に関するメッセージが見出せないとしても、メッセージがなかったというわけではありません。ただ、何かの理由でそれを見すごしてしまっただけです」

彼女はちょっと考えてから続けた。

「今までに、昔の友人とか知人に出会って少し話をして別れたのに、同じ日か同じ週に、その人とまた出会ったということはありませんか？」

「あります」と私は答えた。

「その時、普通は何て言いますか？『おや、また会いましたね』と言って、そのまま別れて行くんじゃないかしら」

「そんなところですね」

「写本は、そんな時には、何であろうと今やっていることを中断して、その人に伝えるメッセージは何か、自分が彼から受け取るメッセージは何か、見つけなさいと言っています。人々がこのことを理解しさえすれば、人とのつき合い方はもっとゆったりしたものになり、目的を持った思慮深いものになると、写本は予言しています」

「でも、難しそうだなあ。特にこういうことを知らない相手とはね」

「ええ、でも写本は手順を簡単に説明しているの」

「つまり、お互いをどう扱うべきか、具体的に書いてあるのですか？」

「そうよ」

「何と言っていますか？」

「第三の知恵が、人間はエネルギーの世界では特別な存在で、自分のエネルギーを意識的に放射することができる、と言っているのを憶《おぼ》えていますか？」

「はい」

「どうすればよいかも憶えていますか？」

私はジョンの講義を思い出した。「十分なエネルギーが入ってきて愛を感じ始めるまで、物の美しさを賞讃《しょうさん》すればいいのです。その時、私たちはエネルギーを送り返すことができます」

「そうです。そして、それは人に対しても同じです。私たちがある人の姿や振る舞いを賞讃し、その姿や顔形が、より存在感を持ち始めるまで真剣に見つめ続けると、その時私たちは彼にエネルギーを送り、元気づけることができるのです。

もちろん、最初のステップは、自分自身のエネルギーを高く保つことです。そうすると、自分の中へとエネルギーの流れをおこし、私たちを通して、他の人へと流してゆくことができます。彼らの全体性、すなわち内面の美しさを賞讃すればするほど、沢山のエネルギーが彼らに流れてゆきます。そして自ずと、大量のエネルギーが私たちに流れ込むのです」

彼女は笑った。「これは実は、とっても楽しいことなのよ」と彼女は言った。「人を愛し賞讃すればするほど、大量のエネルギーが自分の中に流れ込むんですもの。人を愛しエネルギーを与えることが、自分のためにできる最上のことだというのは、このためなのよ」

「それは前にも聞いたことがあります。サンチェス神父が、そう言っていました」と私は言った。

私はジュリアをじっと見つめた。その時、彼女の奥の方にある人間性を、初めて見たような気がした。彼女はちらっと私を見返したが、すぐにまた、目を道路に向けた。「このエネルギーの放射はすばらしく効果的です」と彼女は言った。「例えば、今、あなたは私にエネルギーを送り、私はそれを感じています。私が感じているのは、軽やかさと、何か考えをまとめてしゃべる時に、とても明晰《めいせき》だということです。

あなたが私にエネルギーを送っているので、私は自分の真実が何かを知り、それを楽にあなたに伝えることができます。するとあなたは私の言葉から啓示を受けます。そして、あなたは私の大いなる自己をより完全に見ることができるようになり、より深いレベルでそれを賞讃し、見つめ始めます。それがさらに私に沢山のエネルギーと、私の真実に対する洞察力を与えます。そしてこのサイクルが再び始まります。二人以上の人がこれを一緒に行うと、お互いにエネルギーを高め合い、それをすぐに送り返しているうちに、信じられないほど高揚した気分に到達します。でも、この結合は相互依存関係とはまったく別のことです。相互依存関係も最初は同じように始まりますが、すぐにコントロールし合うようになります。中毒が彼らを源から切り離してしまい、エネルギーが枯渇してしまうからです。本当のエネルギーの放射は、何の執着も意図も持っていません。双方でただ、メッセージを待っているだけです」

彼女が話している内に、私は一つの質問を思いついた。コストス神父のメッセージを受け取らなかったのは、私が彼の子供時代のドラマを誘発したからだと、パブロは言っていた。

「こういう時はどうすればいいのですか？」と私はジュリアに質問した。「話し相手がすでにコントロールドラマを演じていて、それに私たちを引っ張り込もうとしている時です。どう切り抜ければいいのですか？」

　ジュリアはすぐに答えた。「私たちがそれに対応するドラマを演じなければ、相手のドラマは崩壊すると写本は言っているわ」

「あまりよくわかりません」と私は言った。

　ジュリアは道路のずっと前の方を見ていた。何か考えているらしかった。

「この辺に、ガソリンを売っている店があったはずなの」

　私は燃料メーターに目をやった。まだ半分ほどタンクにガソリンが残っていた。

「まだ、ガソリンは沢山ありますよ」と私は言った。

「ええ、わかってるわ」と彼女は答えた。「でも、ここでとまって、満タンにした方がいいという考えが浮かんだの。だから、そうすべきだと思うの」

「ああ、そうですか」

「あの道だわ」右側を指しながら、彼女が言った。

　私たちは右に曲がって、ジャングルの中を一キロ余り走って、漁師やハンターのための品物を置いている店に着いた。その家は川岸に建っていて、船が何艘《そう》か桟橋《さんばし》につながれていた。私たちは錆《さ》びたポンプのそばに車をとめ、ジュリアは主人を探しに店の中に入って行った。

　私は車を降りてストレッチ体操をしてから、水際にある建物のまわりを歩きまわった。空気は湿っていた。密林の木がおおいかぶさるように繁っていて太陽は見えなかったが、ほとんど真上にあるようだった。もうすぐ、焼けつくような暑さになるだろう。

　突然、私の背後で、男が怒ってスペイン語で何か言った。後ろを振り向くと、背の低いがっちりした体つきのペルー人がいた。彼はおどすように私をにらみつけると、同じ言葉をくり返した。

「あなたの言うことがわかりません」

彼は英語にかえた。「お前は誰だ？　ここで何をしている？」

私は彼を無視しようとした。「ガソリンを買いに来ただけです。すぐに行きますよ」私は川の方に顔を向け、彼が早く向こうへ行ってしまうように願った。

彼は私のそばに歩いて来た。「何者か名乗った方がためだぞ、このヤンキーめ」

私は彼をもう一度見た。彼は本気らしかった。

「私はアメリカ人ですよ」と私は言った。「どこに行くのか知りません。友達に乗せてもらっているから」

「お前は迷えるアメリカ人か」と彼は敵意をむき出しにして言った。

「そのとおりです」と私は言った。

「ここで何を追っかけてるんだよ、アメリカ野郎」

「何も追っかけてはいませんよ」私は車の方へ戻ろうとしながら言った。「それに、私はあなたに何もしてませんよ。ほっといて下さい」

その時、ジュリアが車のそばに立っているのに、初めて気がついた。同時にペルー人も振り返って彼女を見た。

「そろそろ、出発しましょう」とジュリアが言った。「もうお店をやっていないんですって」

「お前は誰だ？」とペルー人が敵対的な口調で言った。

「なぜそんなに怒っているのですか？」とジュリアが反対に聞き返した。

男の態度が変わった。「ここを管理するのが俺《おれ》の仕事だ」

「あなたが仕事熱心なのはわかるわ。でも、人をこわがらせては、誰もあなたと話ができないじゃないの」

男はジュリアがどういう人物か探り出そうとして、じっと彼女をにらみつけた。

「私たちはイキトスへ行くところなの」とジュリアが言った。「サンチェス神父とカール神父と一緒に仕事をしているの。二人を知っているかしら？」

彼は首を振った。しかし二人の神父の名前を聞いて、彼はもっとおとなしくなった。ついに彼は軽く会釈《えしやく》して、立ち去っていった。

「行きましょう」とジュリアが言った。

私たちはトラックに乗り込み、出発した。どんなに自分が不安で神経質になっていたか、私は気がついた。私はそれを振り払おうとした。

「店の中で何かあったのですか？」と私はたずねた。

ジュリアは私を見た。「どういう意味？」

「なぜ、あそこで止まろうと思ったのか、その説明がつくようなことが、店の中で起きたのですかと、聞いているんです」

彼女は笑いながら言った。「いいえ、みんな店の外で起こったのよ」

私は彼女を見た。

「わかった？」と彼女は聞いた。

「いいえ」と私は答えた。

「あそこに着く直前、あなたは何を考えていましたか？」

「足を伸ばしたいなって」

「そうじゃなくて、その前よ。私たちが話していた時、あなたは何について質問していましたか？」

私は思い出そうとした。私たちは子供時代のドラマについて話していた。やっと、私は思い出した。「あなたが、僕を混乱させるようなことを何か言ったのです」と私は言った。「僕たちが対応するドラマを演じなければ、相手はコントロールドラマを演じることができないと、あなたが言ったのです。僕はそれが理解できなかったんだ」

「もう、理解できた？」

「いいえ、一体、何を言おうとしているんですか？」

「店の外で起きたことは、もしあなたが対応するドラマを演じるとどんなことが起こるか、その典型的な実例だったのよ」

「どうして？」

彼女は私をちらっと見た。「あの人は何のドラマを演じていましたか？」

「明らかに脅迫者でした」

「そう、そしてあなたは何のドラマを演じましたか？」

「ただ、彼を追っ払おうとしただけです」

「そうね。でもあなたの演じたドラマは何だったの？」

「さあ、僕は自分の傍観者のドラマを始めましたね。でも、彼がつきまとって来ました」

「それから?」

私はこの会話にちょっといらいらしたが、意識を自分の中に集中し続けた。私はジュリアを見て言った。「被害者を演じていたんだと思います」

彼女はにっこりした。「そのとおりよ」

「あなたは彼を上手に扱っていましたね」と私は言った。

「彼が期待していたドラマを演じなかっただけよ。どの人のコントロールドラマも、子供時代に他の人のドラマとの関連で作られます。だから、そのドラマを完全に演じるためには、それに対応したドラマが必要なの。脅迫者がエネルギーを得るためには、被害者かもう一人の脅迫者が必要なのです」

「あなたは彼をどう扱ったのですか?」まだよくのみこめずに、私は質問した。

「私がドラマで反応するとしたら、私も脅迫者を演じて、彼をおどかそうとしたでしょうね。もちろん、それではたぶん、暴力沙汰《ざた》になったでしょうけれど。でも、そのかわりに、私は写本が教えているとおりにしたのです。私は彼が演じているドラマを指摘しました。すべてのドラマは、エネルギーを得るための隠れた戦略です。彼はあなたをこわがらせて、エネルギーを取ろうとしました。彼が同じことを私に試みた時、私は彼がやっていることを指摘したのです」

「なぜそんなに怒っているのか、聞いたわけですね」

「そうよ。写本は、エネルギーを取るための隠れた戦略は、それを指摘することによって意識されたならば、存在し得ないと言っています。隠れたものではなくなるからです。これはとっても簡単な方法です。会話の中では、何が起こっているか一番本当のことを言うのが、いつでも最も効果があるのです。そのあと、その人はもっと誠実で正直にならなければならないからです」

「なるほど」と私は言った。「自分が何をしているかわからずに、私はドラマを自分自身だと言っていたような気がします」

「そうね。それは私たちがみなやっていることよ。私たちは今、何が問題なのか、学んでいるのです。それがうまくゆくための鍵《かぎ》は、あなたの目の前に演じられているドラマの向こう側の、本当の人間を見ると同時に、できるだけ多くのエネルギーを彼に送ることなの。もし、どこからかエネルギーが来ていると感じれば、彼がエネルギーを得るための自分のやり方を諦《あきら》めるのは、簡単になるでしょう」

「あの男のどこを、賞讃《しょうさん》できたのですか?」と私は言った。

「私は彼を、エネルギーを必死で求めている不安な男の子として見ていました。それに、彼はあなたに、その時にぴったりのメッセージを持ってきてくれたでしょ?」

私は彼女の目を見た。彼女は今にも吹き出しそうだった。

「あそこに立ち寄ったのは、ドラマを演じている相手にどう対処すればいいか、僕が学ぶためだったと思っているんでしょう?」

「それがあなたの質問だったんでしょ?」

私はほほ笑んだ。また、もとのいい気分が戻って来た。「そうだったんだ」

顔のまわりで蚊《か》のブーンという音がして、私は目をさました。そしてジュリアの方を見た。彼女は何かおかしなことを思い出したのか、一人で笑っていた。川岸のキャンプ場を出てから何時間か、私たちは黙って走り続けた。ときどき、ジュリアがこの旅行のために準備した食べ物をつまんだ。

「目がさめたのね」とジュリアが言った。

「ええ」と私は答えた。「イキトスまで、あとどれぐらい？」

「町までは五十キロほどよ。でも、スチュワート・インには、あと数分で着くわ。小さな宿屋で猟師たちが泊まる所よ。主人はイギリス人で、写本の支持者なの」彼女はまた笑った。「私たちは一緒に楽しんだものよ。何も起こっていなければ、彼はいるはずよ。ウィルがどこにいるか、手がかりが得られるといいけれど」

彼女はトラックを道路の脇《わき》によせて止め、私を見た。「私たちがどんな状況にいるか、はっきりさせた方がいいと思うわ」と彼女は言った。「あなたと再会する前、私は第九の知恵を探す手伝いをしたくても、どこへ行けばいいのかわからなくて、いらいらしていたの。ある時、私はヒントンのことを、何度も思い出しているのに気がつきました。そして彼の家へ行ったところ、あなたが現れたのよ。あなたはウィルを探していて、彼はイキトスにいるという噂《うわさ》があると言いました。私は、あなたと私が第九の知恵の発見にかかわり合うことになっていると、直感しました。するとあなたはあなたで、どこかで私たちは別々の方向へ行くという直感を得ました。大体、これでいい？」

「ええ」と私は言った。

「そのあと、ウィリー・スチュワートと彼の宿屋のことが浮かんだのよ。そこで何かが起こるんだわ」

私はうなずいた。

彼女は車を道路に戻してカーブを曲がった。

「あそこが宿屋よ」とジュリアが言った。

およそ二百メートル先の、道路が急に右に曲がっている場所に、二階建てのヴィクトリア調の家があった。

私たちは小石を敷きつめた駐車場に車を乗り入れて、そこに車をとめた。男が数人、ポーチで立ち話をしていた。私がドアを開けて降りようとすると、ジュリアが私の肩に手を触れた。

「憶《おぼ》えていてね」と彼女は言った。「偶然、ここにいる人はいないのよ。メッセージに注意していてね」

私は彼女のあとについて、入口の階段を昇った。きちんとした服装のペルー人の男たちは、私たちがそばを通って家に入ってゆくと、形ばかりの会釈《えしやく》をした。玄関の大きな広間に入ると、ジュリアは食堂の方を指して、自分が主人を探しに行っている間、どこかテーブルを選んですわって待っているようにと私に頼んだ。

私は部屋をぐるりと見まわした。十二、三個のテーブルが二列に並んでいた。私は中ほどのテーブルを選んで、背中を壁に向けてすわった。私のあとからペルー人が三人入って来て、私の前のテーブルにすわった。もう一人、男がそのあとすぐに入って来て、五メートルほど右のテーブルに着いた。そして背中を少し私の方に向けた角度ですわった。彼はこの国の人ではなく、たぶんヨーロッパ人のようだった。

ジュリアは部屋に入って来て私を見つけると、こちらに歩いて来て私の正面にすわった。

「ここの主人はいなかったわ」と彼女は言った。「事務員はウィルのことは何も知らないんですって」

「さて、どうしよう？」と私は言った。

彼女は私を見て肩をすくめた。「わからないわ。ここにいる誰かが、私たちにメッセージを持っていると思わないと」

「誰だと思いますか？」

「わからないわ」

「なぜ、そうなるとわかるのですか？」と私は聞いた。急に疑いの念がわいてきた。ペルーに来て以来、私には次々と不思議な偶然の一致が起こったにもかかわらず、自分たちがそう望んだだけで、もう一つ偶然が起こるとは、まだ信じられなかった。

「第三の知恵を忘れないでね」とジュリアが答えた。「宇宙はエネルギーよ。エネルギーは私たちの期待に反応します。人々もまた、そのエネルギー宇宙の一部でしょう。だから、私たちが質問を持っている時は、必ず誰か答えを持った人が現れるのよ」

彼女は部屋にいる人々に目をやった。「ここにどんな人がいるかはわからないわ。でも、この人たちと十分に話ができれば、それぞれの人が私たちのために持っている真実を発見できるのだけれど。私たちの質問に対する答えの一部をくれるのよ」

私は彼女を疑いの目で見た。彼女はテーブルごしに私の方へ身を乗り出した。「頭の中にたたき込むのよ、私たちが出会う人は、私たちにメッセージを持っているって。それでなければ、彼らは別の道を行くはずよ。私たちがここに着くよりもっと早くここから立ち去っているか、もっとあとに来るかしているわ。この人たちが今ここにいるということは、何か理由があってここにいるということなのよ」

私は彼女の顔を見た。そんな単純なことだと信じていいのかどうか、まだ確信が持てなかった。

「難しいのは」と彼女が言った。「全部の人と話すのは不可能だから、誰と話したらいいか決めることよ」

「どうやって決めるのですか？」と私はたずねた。

「写本は合図があると言っているの」

私は熱心にジュリアの話を聞いていたが、なぜかまわりを見まわして、私の右側にいる男を見た。私が彼を見ると同時に、その男もこちらを振り返って私を見た。私たちの目が合ったが、彼はすぐに目をそらせて料理の方を向いた。私も目をはなした。

「どんな合図ですか？」

「ああいう合図よ」と彼女は言った。

「ああいうって？」

「あなたが今したような」彼女は私の右側の方にいる男に顔を向けながら言った。

「どういうことですか？」

ジュリアはまた、私の方に身を乗り出した。「写本は、自然と目が合った時は、その二人は話すべきだと言っているの」

「でも、そんなことはいつも起こっていませんか？」と私は聞いた。

「ええ、起こっているわ」と彼女は言った。「それが起きても、ほとんどの人はすぐに忘れてしまって、自分の仕事に戻ってしまうのよ」

私はうなずいた。「ほかにどんな合図があると、言っていますか？」と私はたずねた。

「この人を知っているという感覚ね」と彼女は答えた。「今まで一度も会ったことがないのに、見たことがあるような親しい感じのする人とか」

彼女がそう言った時、私はドブソンとルノーのことを思い出した。この二人に出会った時、とても親しみを感じたものだった。

「写本は、なぜ見ただけで親しみを感じる人がいるのか、説明していますか？」

「あまり書いてないの。ただ、私たちはある人々と同じ思考グループに属している仲間だと言っているだけよ。思考グループは、普通同じような関心を持って進化してゆきます。彼らは同じように考え、同じように表現し、同じような経験をします。私たちは直感的に同じ思考グループの仲間を認識します。そして、彼らがメッセージをくれる場合が非常に多いの」

私は右の方にすわっている男をもう一度見た。彼は確かにそれとなく親しい感じがした。信じられないことに、私が彼を見ると、彼も振り返ってもう一度私を見た。私はすぐ目をそらせてジュリアを見た。

「あなたはあの人に話しかけなくてはいけないわ」とジュリアが言った。

私は返事をしなかった。彼のところに行くというのは、あまり気乗りしなかった。このままここを出て、イキトスに行きたかった。私がそう提案しようとした時、ジュリアがまた言った。

「私たちはイキトスではなくて、ここにいる必要があるのよ。これをやってしまわないといけないの。あなたの問題は、彼のところへ行って話しかけるという考えに抵抗していることよ」

「どうなってるんですか？」と私は聞いた。

「どうなってるって？」

「僕が考えていたことを、どうしてわかったのですか？」

「何も不思議はないわ。あなたの表情をよく見ていればわかることよ」

「それはどういう意味？」

「あなたが誰かを深いレベルで賞讃していると、その人が身につけている外観の向こうに、その人の一番正直な自己を見ることができます。あなたが本当にそのレベルに焦点をあてた時、ちょっとした顔の表情から、その人が何を考えているか読み取れるの。これはまったく自然なことなのよ」

「テレパシーみたいですね」と私は言った。

彼女はにっこりした。「テレパシーは完全に自然なことですもの」

私はもう一度、例の男を見た。今度は彼はこちらを向かなかった。

「エネルギーを集中させてから、彼と話をした方がいいわ」とジュリアが言った。「機会を失う前にね」

力を感じ始めるまで、私は集中してエネルギーを増加させた。「彼に何と言えばいいんですか？」

「真実よ」と彼女は言った。「彼にわかるように、本当のことを話すの」

「わかった。やってみます」

私は椅子《いす》をずらして立ち上がると、その男がすわっているところへ行った。彼は内気で神経質そうで、最初の晩に会った時のパブロを思い出させた。私はその男の神経質な様子をこえて、もっと深いレベルまで見ようとした。すると、彼の顔に新しい表情が見えたような気がした。前よりもエネルギーのある表情だった。

「こんにちは」と私は言った。「あなたはペルーの方ではないようですね。ちょっと助けていただきたいのです。私は友人のウィル・ジェームスを探しています」

「どうぞ、かけて下さい」と彼は北欧訛《なま》りの英語で言った。「私はエドモンド・コナー教授です」

彼は私に手を差し出しながら言った。「残念ながら、あなたの友人のウィルのことは知りません」

私は自己紹介をしてから、彼の役に立つかもしれないと思ったので、ウィルは第九の知恵を探していると説明した。

「写本のことはよく知っています」と彼は言った。「それが本物かどうか調査するために、私はここにいるのです」

「お一人で？」

「ここでドブソン教授と会うことになっています。しかし彼はまだ現れません。どうして遅れているのか、わかりません。私が着いた時には自分はここにいると、確約していたのですが」

「ドブソン教授をご存じなんですか？」

「ええ、彼は写本の調査団を作った人です」

「彼は大丈夫なのですか？　本当にここへ来るのですか？」と私は聞いた。

教授は私を不思議そうに見た。「ええ、そういう計画でした。何か不都合なことでもあったのですか？」

私のエネルギーが落ちた。ドブソンとコナーが会う約束をしたのは、ドブソンが捕まる前だとわかったからだ。「私はペルーに来る時、飛行機の中で彼に会ったのです」と私は説明した。「彼はリマで逮捕されました。その後、彼がどうなったのか、知りません」

「逮捕されたって？　まさか！」

「彼と最後に話したのはいつですか？」と私は聞いた。

「何週間か前です。でもここで会う時間はきちんと決めました。何か起こったら連絡すると、彼は言っていました」

「リマではなく、なぜこんなところで彼はあなたに会いたがっていたのですか？」と私は聞いた。

「この辺に遺跡がいくつかあるので、ここに来て他の学者と話をすると、言っていました」

「その学者とどこで話すか、言っていましたか？」

「ええ、確か、サンルイだったと思います。そこへ行かなくてはならないと言っていました。どうしてですか？」

「わかりません……ただ、どこかなと思ったので」

私がこう言った時、二つのことが同時に起こった。一つは、私はドブソンと再会できると思い始めたことだった。私たちが大きな木が並んでいる道で出会う情景が浮かんだのだった。その時、私は窓の外を見た。驚いたことに、サンチェス神父が玄関の階段を昇って来るところだった。彼は疲れ果てた様子で、服は汚れていた。駐車場にもう一人の神父が、旧式の車の中で待っていた。

「あの人は誰ですか？」とコナー教授が聞いた。

「サンチェス神父です」と私は興奮を抑えきれずに言った。

私はふり返ってジュリアを見た。しかし、彼女はすでにテーブルにいなかった。私が立ち上がった時、サンチェスが部屋の中に入って来た。彼は私を見てびっくりして立ち止まると、すぐにこちらに歩いて来て私を抱きしめた。

「元気ですか？」と彼は聞いた。

「ええ、元気です」と私は言った。「ここへ何をしに来たのですか？」

疲れていたが、彼は明るく笑った。「他に行く場所を知らないのでね。でも、もう少しでここに来られないところでした。何百人という軍隊がこちらへやって来ます」

「どうして軍隊がここへ来るのですか？」サンチェスと私が立っているところへやって来て、コナーが後ろから聞いた。

「残念ながら」とサンチェスは言った。「軍隊が何を目論《もくろ》んでいるのか、私は知りません。軍隊が沢山出動していることしか、わかりません」とサンチェスが答えた。

私は二人を紹介した。そしてサンチェスに、コナーの現在の状況を説明した。コナーはパニックに陥った。

「私はすぐここを出ないと。でも、運転手がいないんです」と彼は言った。

「ポール神父が外で待っています。彼は今すぐ、リマに戻るところですから、よろしかったら彼の車に乗りませんか？」とサンチェスが言った。

「もちろん、そうさせて下さい」とコナーは言った。

「ちょっと待って下さい。もし軍隊に出会ったらどうするのですか？」と私は聞いた。

「彼らはポール神父を止めはしませんよ」とサンチェスが言った。「彼はあまり知られていませんからね」

その時、ジュリアが部屋に戻って来て、サンチェスを見た。二人は暖かく抱き合い、私はまた、コナーを彼女に紹介した。私が話している間も、コナーはますます恐くなってゆくようだった。二、三分すると、サンチェスがポール神父が出発する時間だと彼に告げた。コナーは部屋へ自分の荷物を取りに行き、急いで戻って来た。サンチェスとジュリアは彼を送りに外へ出たが、私は彼にさよならを言って、そのままテーブルのところで待った。私は少し考えたかった。コナーと会ったのは何か意味があるということも、サンチェスとここで再会したことが重要であることも、私にはわかっていた。しかし、どんな意味を持つのか、さっぱりわからなかった。

間もなく、ジュリアが戻って来て私の横にすわった。「ここで何かが起こると、私が言ったでしょう」と彼女が言った。「もしここに寄らなかったら、サンチェスに会わなかったし、コナーにだって会わなかったわ。ところで、あなたはコナーから何を学んだの？」

「まだよくわからない」と私は言った。「サンチェス神父はどこですか？」

「彼はチェックインして、部屋でしばらく休んでいるわ。二日間、ずっと寝ていないのですって」

私は目をそらした。サンチェスが疲れているのはわかっていたが、彼が今、ここに来られないと聞いてがっかりした。私は彼とどうしても話がしたかった。今何が起こっているのか、特に軍隊のことについて、彼が何か情報を持っているかどうか聞きたかった。私は不安だった。心のどこかで、コナーと一緒に逃げた方がよかったと思っていた。

ジュリアは私がいらいらしているのを感じ取った。「心配しないで」と彼女は言った。「気を落ち着けて、第八の知恵について、あなたがわかったことを私に話してみて下さい」

私は彼女の顔を見て、自分の中心に集中しようとした。「どこから始めればいいか、わからないな」

「第八の知恵で言っていることは、何だと思いますか？」とジュリアが聞いた。

私は今まで学んだことを考えてみた。「他の人とのかかわり方、つまり子供とのつき合い方、大人とのつき合い方についてです。コントロールドラマを指摘して、それを打ち破り、エネルギーを送れるように相手に焦点を合わせることです」

「それから？」と彼女が聞いた。

私は彼女の顔に焦点をあてた。すぐに彼女の質問の意味がわかった。「誰に話しかければよいか注意していれば、その結果、欲しいと思っていた答えを得ることができます」

ジュリアは嬉《うれ》しそうにほほ笑んだ。

「私は第八の知恵を理解していますか？」と私は聞いた。

「ほとんどね」と彼女が言った。「でももう一つあるの。あなたはどうすれば、一人の人がもう一人の人を元気にできるか、もうわかったわね。今からは、参加している全員がこの方法を知っている時、グループの中で何が起こるか学ぶのよ」

私はポーチに出て、鋳鉄《いもの》でできた椅子《いす》にすわった。しばらくすると、ジュリアが出て来て近くの椅子にすわった。私たちはゆっくり時間をかけて夕食を終えたところだったが、食事中はあまり話をしなかった。そのあと夜の空気の中で外の椅子にすわることにしたのだった。サンチェスが部屋に入ってから、三時間たっていた。私は再びいらいらして、待ち切れなくなった。突然、サンチェスが外に出て来て私たちのそばにすわった。私はほっとした。

「ウィルについて、何か聞きましたか？」と私は彼にたずねた。

私が話している間、彼は椅子をずらしてジュリアと私と向き合うようにした。彼が注意深く、私とジュリアから同じ距離のところに位置を決めたことに、私は気がついた。

「ええ」と彼はやっと答えた。「聞きましたよ」

彼は再び黙り込んで何か考えているようだった。そこで私はたずねた。「どんなことを聞いたのですか？」

「今までのことを全部、話させて下さい」と彼は言った。「カール神父と私が伝道本部に向かった時、私たちはセバスチャン卿が軍と一緒にそこにいると思っていました。取調べを受けるものと思っていたのです。私たちが着いた時は、セバスチャンと兵士たちはすでに立ち去ったあとでした。

丸一日、私たちは何が起こったのか、さっぱりわかりませんでした。そして昨日、コストス神父がやって来ました。あなたは彼に会っていますね。彼はウィル・ジェームスに言われて、私たちの伝道本部へ来たと言いました。ウィルはカール神父と会った時の話から、私たちの名前を憶《おぼ》えていて、直感的に私たちがコストス神父が持って来た情報を必要としていると、知ったのです。コストス神父は写本を支持することに決めたのです」

「セバスチャン卿はなぜ、急にそこを立ち去ったのですか？」と私は聞いた。

「彼は自分の計画を早く実行したかったのです。コストス神父が自分の計画を暴露しようとしているという連絡が入ったのです」

「セバスチャン卿は第九の知恵を発見したのですか？」

「まだです。でも、時間の問題です。彼らは、第九の知恵がどこにあるか書いてある、もう一つの文書を発見したのです」

「どこにあるんですって？」とジュリアが聞いた。

「天の遺跡です」とサンチェスが答えた。

「それはどこですか？」と私が質問した。

ジュリアは私を見た。「ここから百キロほど行ったところよ。ペルーの学者だけで、秘《ひそ》かに発掘している遺跡です。そこには古代の寺院が何層にもなって埋まっているの。初めはマヤで次はインカのものです。どちらの文明も、その場所には何か特別のものがあると、信じていました」

私は突然、サンチェスが会話に異常なほど集中しているのに気がついた。私が話している時は、私に全神経を集中し、私から決して目をそらさなかった。ジュリアが話す時には、サンチェス神父は姿勢を変え、彼女に全神経を集中した。彼は意図的にそうしているらしかった。何をしているのだろうと、私は不思議に思った。そしてその瞬間、会話が途切れた。二人が私に何かを期待するように見ていた。

「何ですか？」と私は聞いた。

サンチェスはほほ笑んだ。「あなたが話す番ですよ」

「順番に話しているのですか？」と私はたずねた。

「いいえ」とジュリアが言った。「私たちは意識的な会話をしているのよ。それぞれの人が、自分のところにエネルギーがまわって来た時に話すのです。今、あなたにエネルギーが行ったのがわかったのよ」

私は何を話してよいかわからなかった。

サンチェスが暖かく私を見た。「第八の知恵は、グループの中の意識的な相互作用についても教えています。でもあまり自意識過剰にならないで下さい。ただプロセスだけを理解して下さい。何人かのグループで話している時は、どの瞬間にも、たった一人だけが最も強力な考えを持っています。もしみんなが注意していれば、誰が次に話す番か、感じることができます。そして、意識的に自分たちのエネルギーをその人に集中し、彼が明確に話せるように助けるのです。

そして、会話が進むにつれ、今度は他の人に強力な考えが浮かび、次にまた、誰か他の人、というように進んでゆきます。もし、人が話していることに集中していれば、自分の番が来た時、わかります。考えがあなたの心に浮かんでくるのです」

サンチェスはジュリアに目を移した。そして彼女が私にたずねた。「どんなことを考えていたの？」

私は一生懸命に考えた。そして言った。「サンチェス神父はどうして話している人をじっと見つめているのかなと、不思議に思っていました。それがどういう意味なのか、考えていたのだと思います」

「このプロセスの要点は」とサンチェスが言った。「あなたの番が来たら話し、他の人の番の時はエネルギーを送るということです」

「間違いもいろいろ起こるわ」とジュリアが口をはさんだ。「グループの中に入ると気分が高揚する人がいます。彼らは自分の考えにパワーを感じて発言し、エネルギーの爆発があまりに気持ちよくて、本当は他の人にエネルギーが移らなければならないのに、ずっと一人でしゃべり続けてしまうの。そして、グループを独占しようとします。

また、後ろに引っこんで、何か考えが浮かんでもそれを言おうとしない人もいます。こうしたことが起こると、グループはうまくゆかず、メンバーはすべてのメッセージを受け取れなくなります。また、誰かがグループの他の人々から受け入れられていない時にも、同じことが起こります。受け入れられていない人はエネルギーをもらえず、グループはその人から得るべきものを得られません」

ジュリアはそこで休み、私たちはサンチェスを見た。彼は一息入れると話し始めた。「人々がどのように除《の》け者にされるかも大切です。私たちが誰かを嫌ったり、誰かにおびやかされたりすると、私たちはその人の嫌な面やいらいらさせられる面に焦点をあてます。不幸なことにこうしたことが起きると、その人物のより深い美しさを見てエネルギーを与えるかわりに、彼らのエネルギーを奪い、傷つけます。その人たちは急に自分が美しさと自信を失ったように感じますが、それは私たちが彼らのエネルギーを吸い取ったからなのです」

「このプロセスがとても大切なのはそこなのよ」とジュリアが言った。「人間は競争ばかりして、お互いを急速に老《ふ》けさせているのです」

「でも覚えていて下さい」とサンチェスがつけ加えた。「正しく機能しているグループでは、これとは逆のことが起こるということです。他の全員から送られるエネルギーのために、全員のエネルギーと波動が増してゆきます。これが起こると、全員のエネルギーが一つにまとまり、エネルギーのプールができます。グループが、沢山の頭を持つ一つの体のようになるのです。ある時は一つの頭が全体のために話し、次には別の頭が話します。このように機能しているグループでは、各人がいつ話すべきか、何を話すべきか知っています。それぞれの人が人生を本当にはっきりと見ているからです。これは、第八の知恵が男女の恋愛関係に関して言っている、スーパー人間と同じことです。グループもまた、スーパー人間になれるのです」

サンチェス神父の言葉で、私は急にコストス神父とパブロのことを思い出した。あのインディオの若者は、とうとうコストス神父の心を写本を守りたいと思うように変えたのだろうか？ 第八の知恵の力のおかげで、それができたのだろうか？

「コストス神父は今、どこにいるのですか？」と私がたずねた。

二人は私の質問に少し驚いた様子だった。しかしサンチェス神父がすぐに答えた。「彼とカール神父はリマに行って、教会の指導者にセバスチャン卿が計画していることを、話すことにしました」

「カール神父があなたと一緒に伝道本部に行くと言ったのは、そのせいだったのですね。彼は何か他に自分がすべきことがあると、知っていたのですね」

「そうです」とサンチェスが言った。

会話がしばらく途切れ、私たちはお互いに顔を見つめ合っていた。そして、それぞれ、次の考えが浮かぶのを待った。

「今の問題は」とサンチェス神父が言った。「我々は何をすべきかということですね」

ジュリアが最初に話した。「私はずっと、自分が第九の知恵に関係しているイメージが、いくつも浮かんでいるの。それも、何かできそうなぐらい長く浮かんでいるのだけれど……でも、はっきりと見えないの」

サンチェスと私は彼女をじっと見つめた。

「これは、特定の場所のことだと思うわ」と彼女は続けた。「ちょっと待って。私がずっと思っていた場所は、遺跡、天の遺跡の中にあります。そこに、寺院と寺院の間に、特別の場所があるの。ほとんど忘れていたわ」彼女は私たちを見た。「私が行かなければならないのは、そこです。私は天の遺跡に行かなければなりません」

ジュリアが話し終えると、彼女とサンチェスは私の顔を見た。

「よくわかりませんが」と私は言った。「僕はセバスチャンとその仲間が、なぜ写本にそんなに反対するのか、ずっと興味を持っていました。それは彼らが私たちの内面的な進化をおそれているためだと、わかりました……でも、今、どこへ行くべきかわかりません……軍隊がやって来ているし……セバスチャン卿は第九の知恵を先に見つけそうだし……わかりません。それを破棄しないように彼を説得する仕事に、僕はかかわっているような気がします」

私は話をやめた。ドブソンのことをまた思い出し、それから急に第九の知恵のことを思った。そして、第九の知恵は、私たち人間が進化を続けたらどうなるのかを明らかにしているのではないかと思い至った。私は、写本を学んだ結果、人間はお互い同士どのように行動するか知りたいと思っていたが、それは第八の知恵によって答えを与えられた。そして今、そこから次の質問が論理的に導き出されるのだ。これは一体どこへ私たちを導いてゆくのだろうか？　人間の社会はどう変化するのだろうか？　そのことに、第九の知恵が答えているはずだった。

これがわかれば、意識の変化に対するセバスチャンの恐怖をやわらげるためにも、役に立つのではないかと私はふと思った。もっとも彼が聞く耳を持っていればの話だが。

「僕はまだ、セバスチャン卿を説得して、写本を支持させることができると思っています」と私は確信をもって言った。

「あなたが彼を説得する場面が浮かんだのですか？」とサンチェスが私に聞いた。

「いいえ、そうではありません。僕は誰かと一緒です。彼にすぐ会えて、彼をよく知っていて同じレベルで話せる人です」

そう言うと私とジュリアは同時に、サンチェス神父を見た。

彼は笑ってごまかそうとしたが、諦《あきら》めて話し始めた。「私とセバスチャン卿は長い間、写本をめぐって対立するのを避けて来ました。彼はずっと私の上司でした。彼は私を自分の弟子だと思い、私は彼を尊敬していました。でも、こうなることは、ずっと知っていたような気がします。あなたが最初にこの話をした時から、彼を説得するのは私の仕事だと知っていました。私の今までの人生は、そのためにあったのです」

彼は私とジュリアをじっと見てから話し続けた。「私の母はキリスト教の改革派でした。母は原罪や威圧を使って伝道するのが嫌いでした。人は愛ゆえに宗教に入るべきであって、恐怖から入るべきではないと感じていたのです。一方、私の父は厳格な規律主義者で、のちに僧侶《そうりょ》となって、セバスチャンのように伝統と権威を頑固に信じていました。その結果、私は教会の権威の下で働きたいと思うようになりました。しかし常に、教会を改革して、神との直接的な宗教体験を重視するような方向を、模索してきたのです。

セバスチャンと話をすることは、私の次のステップです。ずっとそれに抵抗していましたが、イキトスのセバスチャンの伝道所に行かねばならないと、今わかっています」

「僕も一緒に行きます」と私は言った。

第九章　新しい文化

北に向かう道路は、密林の中を曲がりくねって続き、大きな川をいくつも渡った。アマゾン川の支流だと、サンチェス神父が教えてくれた。その朝、私たちは早く起きてジュリアに急いでさよならを言ってから、サンチェス神父が借りた車に乗って出発した。その車は四輪駆動車で、大きなタイヤがついていて車体が高くなっていた。進んでゆくうちに、地形は少し高くなり、木がそれまでよりもまばらになってきた。しかし木それ自体は、前よりもずっと大きかった。

「このあたりはビシエンテに似ていますね」と私はサンチェスに言った。

彼はにっこりして言った。「ここは、幅三十キロで八十キロも続いている、他よりもエネルギーレベルの高い特別な地域です。ずっと、天の遺跡まで続いています。この地域のまわりは全部、原始のジャングルです」

ずっと右の方にジャングルが途切れて、切り開かれた土地があった。「あれは何ですか?」私はそこを指さしながらたずねた。

「あれは、政府が考えた農業開発です」と彼が言った。

木が広い幅にわたってブルドーザーで引き抜かれ、大きな山に積まれていた。一部、焼かれたものもあった。一群の牛が、野草と侵食された表土の真ん中で草をはんでいた。私たちが通ると、音にびっくりして何頭かが、こちらを見た。もう一カ所、ブルドーザーで切り開かれた土地があり、開発が私たちの走っている道路沿いの大きな木のところまで進みつつあるのに気がついた。

「これはひどい！」と私は言った。

「そうです。セバスチャン卿でさえ、これには反対していますよ」とサンチェスが答えた。

私はフィルを思い浮かべた。彼が守ろうとしているのは、きっとこうした場所なのだろう。彼はどうなっただろうか？　急にドブソンのことを思い浮かべた。コナーは、ドブソンがあの宿屋に来ることになっていたと言っていた。どうして、コナーはあそこにいて私にそれを伝えたのだろうか？　ドブソンは今どこにいるのだろう？　国外退去になったのだろうか？　それとも投獄されたのか？　フィルを思いだすと、次に自然にドブソンのことを思い浮かべたことに、私は気がついていた。

「セバスチャンの伝道所は、ここからどのぐらいですか？」と私は聞いた。

「あと一時間ぐらいです」とサンチェスが答えた。「気分はどう？」

「どういう意味ですか？」

「あなたのエネルギーレベルはどうですか、ということですよ」

「高いと思います」と私は言った。「ここはとても美しいし」

「昨夜の私たち三人の話し合いを、どう思いましたか？」と彼がたずねた。

「すばらしかったですよ」

「何が起こっていたか、わかりましたか？」と彼は聞いた。

「順番に一人ひとりに考えが湧《わ》いてくる、ということですか？」

「ええ、でもそのもっと大きな意味は？」

「わかりません」

「私はそれについて考えていました。この意識的なかかわり方、つまり、人を支配するのではなく、人々がお互いに他の人の最上のものを引き出そうと努力するやり方を、全人類は最終的に身につけます。そうなった時、すべての人のエネルギーレベルと進化の速度がどんなになるか、考えてみて下さい」

「そうです。全体のエネルギーレベルが高まった時、人類の文化がどう変化するか、僕も考えていました」

それがまさに問題なのだと言いたげに、彼は私を見た。「私が知りたいのもそれです」と彼は言った。

私たちは一瞬、見つめ合った。次の考えがどちらかに浮かぶまで待っているのがわかった。やがて彼が言った。「その問題の答えは、第九の知恵にあると思います。第九の知恵は、文明がさらに進化すると何が起こるのか、説明しているにちがいありません」

「僕もそう思います」と私は言った。

サンチェスはトラックのスピードをゆるめた。私たちは十字路に近づいた。彼はどちらの道に行けばよいのか、決めかねているようだった。

「サンルイの近くを通って行きますか？」と私が聞いた。

彼は私の目をまっすぐに見た。「この十字路を左に行けばサンルイです。でもどうして？」

「ドブソンはあの宿屋に行く途中、サンルイに寄ると言っていたと、コナーが話していたのです。

僕はそれがメッセージだったと思うのです」

私たちは互いに見つめあった。

「あなたはこの十字路でスピードを落としましたね」と私は言った。「それはなぜですか？」

彼は肩をすくめた。「私にもわかりませんよ。イキトスへ直接行くには、ここをまっすぐに進めばいいのです。でもなぜか、私はためらってしまったんです」

私は体中がぞくぞくした。

サンチェスは片方の眉《まゆ》をあげて、にこっとした。「サンルイを通って行く方がいいみたいですね」

私はうなずいた。そしてエネルギーがどっと湧《わ》いて来るのを感じた。あの宿屋に泊まってコナーと話した意味が、わかり始めたのだった。サンチェスは左折してサンルイへ向かった。私は期待しながら道路ぎわを注意して見ていた。五、六十キロ走っても、何も起こらなかった。サンルイを通りすぎても、注目すべきことは何も起こらなかった。その時、突然、自動車の警笛が鳴った。後ろを振り返ると、銀色のジープが音をたてて私たちを追ってきた。運転手が夢中で手を振っていた。その顔に私は見覚えがあった。

「フィルだ！」と私は叫んだ。

道路ぎわに車をとめると、フィルが飛び降りて私たちのトラックの横に走って来た。彼は私の手を握ると、サンチェスに軽く会釈《えしやく》した。

「どこへ行くのか知りませんが」と彼は言った。「この先は兵隊だらけですよ。戻って僕たちと一緒に、待っている方がいいと思います」

「私たちが来ると、どうして知っていたのですか？」と私がたずねた。

「知りませんでしたよ」と彼は言った。「ただ目をあげたら、あなた方が通りすぎて行くのが見えたのです。僕たちはここから一キロほど戻ったところにいたんです」彼はまわりを見まわしてから言った。「この道から離れた方がいいと思います」

「あなたのジープのあとについて行きます」とサンチェス神父が言った。

フィルが自動車をUターンさせて、今来た道を戻り始めた。私たちもそのあとに従った。彼は東へ行く別の道に曲がると、すぐに車をとめた。一群の木の後ろから、もう一人の男が歩いてきて車を出迎えた。私は自分の目が信じられなかった。それはドブソンだった！　彼はやはりびっくりしながら、私を暖かく抱きしめた。

「また会えるなんて、すばらしい」と彼は言った。

「僕もです」と私は言った。「あなたは撃たれたとばかり思っていました」

ドブソンは私の背中を軽く叩《たた》きながら言った。「いや、きっと私はパニックになったのだと思うよ。ただ、留置されただけでした。そこに写本に好意的な役人がいて、私を逃してくれてね。それからずっと、逃げているのです」

彼は一息つくと、私を見てほほ笑んだ。「あなたが無事でよかった。フィルが、ビシエンテであなたに会って、そのあと二人とも逮捕されたと話した時、どう考えればいいかわかりませんでした。でも、あなたとどこかで出会うと、わかっていたような気がします。どこへ行くところですか？」

「セバスチャン卿に会いに行くところです。彼は最後の知恵を破棄しようと企んでいるようです」

ドブソンはうなずいた。彼が何か言おうとした時、サンチェス神父が近づいて来た。

私は二人を紹介した。

「リマであなたの名前を聞いたように思います」とドブソンがサンチェスに言った。「留置されていた二人の神父に関連してだと思いますが」

「カール神父とコストス神父ですか？」と私がたずねた。

「そういう名前だったと思います」

サンチェスはかすかに首を振っただけだった。私は彼をしばらく見守っていた。そのあと、ドブソンと私は、別れたあとのお互いの体験をしばらく話し合った。彼は第八の知恵まで全部学んだと言って、何か他のことを話したがっている様子だったが、私は彼をさえぎって、コナーに会ったことと、彼がリマへ戻ったことを話した。

「彼もたぶん、捕らえられるでしょうね」とドブソンは言った。「宿屋に時間までに行けなくて後悔しています。でも、先にサンルイに来て、もう一人の学者と会いたかったのです。ところが彼とは会えずに、フィルと出会ったのです。そして……」

「どうなったのですか？」とサンチェスが聞いた。

「腰を下ろしましょう」とドブソンが言った。「信じないかもしれませんが、フィルが第九の知恵の一部を見つけたのです！」

誰も身じろぎもしなかった。

「翻訳のコピーを見つけたのですか？」とサンチェス神父がたずねた。

「はい」

フィルは車の中でずっと何かしていたが、私たちの方へ歩いて来るところだった。

「第九の知恵を見つけたんですって？」と私は彼にたずねた。

「僕が見つけたわけではありません」と彼は言った。「僕はもらっただけです。あなたと僕が捕まった時、僕は別の町に連れて行かれました。どこかはわかりません。しばらくするとセバスチャン卿が現れました。彼は僕に、ビシエンテでの仕事と、森林救済の活動について尋問しました。その看守が僕に第九の知恵の一部分のコピーを持ってきてくれるまで、なぜだかわかりませんでした。その看守は、セバスチャンの部下から盗んだのです。部下はそれを訳したばかりのところだったようです。それには太古の森林のエネルギーについて、書いてありました」

「何て書かれていましたか？」と私はフィルにたずねた。

彼はしばらく考えていた。ドブソンがもう一度、腰を下ろすようにと言った。彼は私たちを、そこだけ木を切った場所の中央に、防水布を敷いてあるところに案内した。そこはとても美しかった。十二本の大きな木が、直径九メートルほどの円を作っていた。その円の中には、とても良い香りのする熱帯の灌木《かんぼく》と、見たこともないほど鮮やかな緑色の茎の長い羊歯《しだ》が生えていた。私たちは向き合ってすわった。

フィルはドブソンを見た。ドブソンはサンチェスと私を見て言った。「第九の知恵は、意識の進化の結果として、次の千年紀に、人類の文明がどのように変化するか、説明しています。今とは非常に違った生活がそこには描かれています。例えば、人類は自発的に人口を減少させ、私たちはみな、地球上で最もパワーのある美しい場所に住めるようになるだろうと、予言しています。

しかし注目すべきことは、ここと同じように美しい場所が、将来はもっと沢山できるということです。私たちは意図的に森林の伐採を止めて、木が生長しエネルギーを蓄積できるようにするからです。

第九の知恵によれば、次の千年紀の中頃《なかごろ》までには、人類は樹齢五百年の木々と注意深く手入れされた庭園の中に住むようになります。しかも、そこは、信じられないほど技術の進んだ都市へ、簡単に行ける距離にあると言っています。その時には、生きる手段である食糧、衣類、交通手段などはすべて自動的に生産されるようになり、誰でも自由に手に入れられるようになります。私たちの需要は通貨を使わずに完全に充たされ、しかも、人々は贅沢《ぜいたく》にも怠け者にもなりません。霊感《インスピレーション》に導かれて、すべての人がいつ、何をすべきかきちんと知るようになり、それは他の人々の行動と調和します。所有する必要も安全のために人を支配する必要もなくなるので、過度に消費しようとする人は誰もいません。次の千年紀には、人生そのものが今とはまったく別のものになります」

さらに彼は続けた。「写本によれば、私たちは、自分自身の進化の喜びによって満足します。つまり、霊感を受け取り、そのあと自分の運命がひもとかれてゆくのを、じっと見守る喜びによって、充たされるのです。すべての人がゆったりとして、次にやって来る意味深い出会いに注意している世界を、写本は描いています。こうした出会いはどこででも起こります。森の中の曲がりくねった道でも、谷間に架けられた橋の上でも、起こるのです。

こんなにも意味のある重要な出会いを、あなたは想像できますか？　二人の人間が初めて出会う時のことを考えてみて下さい。最初、互いに相手のエネルギーの場を観察します。どんな小細工もわかってしまいます。次に、二人は意識的に自分の人生の物語を語り、二人のエネルギーが高まってメッセージが見つかります。そのあと、二人はそれぞれの旅を続けます。しかし、彼らは以前とは非常に違っています。彼らの波動は新しいレベルに移行し、出会う前には不可能だった方法で、人と触れ合うようになります」

私たちがエネルギーを送っていたので、ドブソンは今までになく有弁になり、新しい人類の文化について、生き生きと語った。彼の話は本当のように思えた。私は、彼が実現可能な未来を描いていると思った。一方では、歴史を通じて多くの空想家たちが、そのような世界を夢見ては、ユートピアを作る方法が見つからなかったことも知っていた。マルクスがその一例であり、共産主義は悲劇以外の何物でもなかった。

最初の八つの知恵を知ったとしても、人間一般の行動を考えると、人類が第九の知恵が描いている理想の姿に到達できるとは、とても思えなかった。ドブソンが一息入れた時、私は自分の気がかりを口に出した。

「写本は、私たちがそのまま真理を追求すれば、人類はそこに自然に導かれると言っています」ドブソンは私にほほ笑みかけながら説明した。「しかし、この動きがどのように起こるかを理解するためには、たぶん、前に飛行機の中で私と一緒に、この千年紀を学んだ時と同じやり方で、次の千年紀をイメージする必要があるでしょう。憶《おぼ》えていますか？　今の人生で次の千年紀を生きるつもりになるのです」

ドブソンは他の二人に、その方法を簡単に説明して、さらに話を続けた。「この千年紀にすでに起こったことを思い出しましょう。中世においては、私たちは教会が定めた善悪をはっきり区別した単純な世界に、住んでいました。しかしルネッサンスになって、私たちは自由になりました。教会が知っているよりもずっと多くのことが、この宇宙には存在すると知ったのです。そして、私たちはすべてを知りたいと思いました。

そして、自分たちの本当の状況を発見するために、科学を世に送り出しましたが、必要としている答えを、すぐには与えてくれませんでした。私たちはとりあえず落ちつくために近代的な勤労倫理が一番大切だと思い込み、現実を宗教から切り離し、神秘を世界から閉め出しました。しかし今、私たちはその思いこみを真実に照らして見ることができます。そして、私たちが物質的に豊かになろうと努めてきた五世紀間は、次の段階に進む土台作りだったのです。神秘をとり戻した生活様式のための土台です。つまり、人類は意識の変化をとげるためにこの惑星に存在しているのだということです。これは科学によっても、明らかにされつつあります。私たちが真理を一つずつ学んで進化し、それぞれの道を追求してゆけば、文化全体が予測される方向へ変容してゆくと第九の知恵は言っています」

彼は一休みした。誰も何も言わなかった。私たちはもっと彼の話が聞きたかった。彼は続けた。「一旦《いったん》、覚醒した者が臨界多数に達し、写本の知恵が世界的な規模で広がり始めると、人類はまず、真剣に自己反省をする時期を経験します。私たちは自然がいかに美しく霊的であるか、理解します。木や川や山が偉大なパワーの神殿であることに気がつき、尊敬と畏《い》敬《けい》の念を持って大切にするようになります。こうした宝物をおびやかす経済活動は中止するように要求します。そして、最も深く問題にかかわっている人々は、この環境汚染の問題に対して今までとは別の新しい解決法を発見します。自分自身の進化を探求しているうちに、誰かがその解決法を直感的に思いつくからです」

彼はさらに続けた。「これは最初に生ずる大きな変化の一部ですが、多くの人々が今の職業から別の職業へと、移ってゆきます。なぜならば、自分は何者か、自分は何をすべきか明確な霊感を得はじめると、人々はしばしば、自分が間違った職業についていることを発見し、成長し続けるために違う種類の仕事に移るからです。この時期には、一生に何回も仕事を変える人もいると、写本は言っています。

次の文化的変化は、生産の自動化です。自動化を行う人たち、すなわち技術者にとっては、これは経済をより効率化するために必要だと感じられるでしょう。しかし、彼らの霊感がみがかれてくると、自動化が実際に行っているのは、すべての人々の時間を自由にして、各自が他の事柄を追求できるようにすることだと、わかるようになります。

一方、技術者以外の人々も、自分の選んだ職業の中で自分自身の霊感に従って仕事をし、自由にできる時間を欲しいと思っています。そして、私たちが語るべき真理や行うべきことはあまりにも個性的で、普通の仕事の環境には合わないことに気づきます。そこで、自分自身の真理を追求するために、労働時間を減らす方法を探します。それまで一人の人が行っていた仕事を、二、三人の人がパートタイムで行うようになります。こうなると、自動化によって仕事を失った人々も、少なくともパートタイムの仕事であれば、ずっと見つけやすくなります」

「でも、お金はどうなるのですか？」と私が聞いた。「人々が自分から収入を減らすとは信じられません」

「収入を減らす必要はありません」とドブソンは言った。「写本は、私たちの収入は安定したままだろうと言っています。私たちが与える知恵に、お金を払う人々がいるからです」

私は吹き出しそうになった。「何ですって？」

彼はにっこりして私をまっすぐ見つめた。「写本は次のように言っています。私たちは、宇宙のエネルギーの動きについて、もっと知るようになると、人に何かを与えた時、実はどんなことが起きているのか、わかるようになります。与えるということを霊的に解釈した例は、今までは宗教的な十分の一税という狭い概念しかありません」

彼は視線をサンチェス神父に移した。「ご存じのように、聖書でいう十分の一税とは、自分の収入の十分の一を教会に払えという命令だと、一般的には解釈されています。しかしこの背後には、私たちが支払ったものは何倍にもなって戻ってくるという考えがあります。しかし第九の知恵は、与えるということは、教会だけでなくすべての人々を維持するための、宇宙の法則なのだと説明しています。何かを与えると、私たちはその見返りを受け取ります。それがエネルギーの宇宙での動き方だからです。覚えていますか？　私たちが誰かにエネルギーを放射すると、私たちの中には、つながっていれば再び満たされる空間ができます。お金もそれと同じように作用します。第九の知恵は、私たちが常に与えるようになると、人に与えきれないほど沢山のものが入ってくるようになると言っています」

彼は続けた。「そして私たちの贈り物は、霊的な真理を与えてくれた人にゆくべきです。ちょうどいい時に私たちの人生に、必要な答えを与えるために現れた人々に、お金をあげるべきです。こうして私たちは収入を補うようになり、私たちを制限していた職業から解放されるのです。多くの人々がこの霊的な経済にたずさわるようになると、私たちは次の千年紀の文化へと、移行し始めます。私たちは自分にふさわしい職業へと移る段階を経て、自由に進化し、他の人々にその人独自の真理を与えることによって、お金を得る段階へと入ってゆきます」

私はサンチェスを見た。彼は熱心に聞いていた。そして輝いて見えた。

「そうです」と彼はドブソンに言った。「その様子がはっきりと見えます。もしすべての人々が参加すれば、人々は常に与え、与えられるようになり、他の人々との交流と情報の交換がすべての人々の仕事となり、新しい経済の指針となるのです。私たちは、触れ合った人々からお金をもらいます。この状況はさらに、生活の物質的な面を完全に自動化させます。私たちは忙しすぎて、生産システムを所有し運営する暇はないからです。物質的生産は自動化され、公益事業のように運営されます。私たちは株式を所有するかもしれませんが、この状態は私たちを自由にし、情報時代をさらに拡張します。

しかし今、重要なことは、自分たちがこれからどこへ行くか理解していることです。これまで私たちは、欠乏の恐怖と支配の必要性から抜け出せず、人に与えるということができなかったために、環境を守ることも民主化することも、貧しい人々を食べさせることもできませんでした。私たちがそこから抜け出せなかったのは、別の人生の見方を知らなかったからです。今、私たちは知っているのです！」

彼はフィルを見た。「でも、もっと安価なエネルギーが必要でしょう？」

「核融合、超電導、人工頭脳等があります」とフィルが言った。「自動操作技術も、遠くない将来に実現するでしょう。そして今、なぜそうすべきなのか、わかったわけです」

「そうなのです」とドブソンが言った。「最も大切なのは、この生活様式こそ本来の姿だとわかることです。私たちは自分の支配帝国を作るためではなく、進化するためにこの地球に生まれてきたのです。その人の知恵に代価を支払うことによって変革が始まり、次に経済の自動化が進むにつれて、通貨は完全に消えてゆきます。私たちには必要なくなるのです。自分の直感に正しく従いさえすれば、自分が必要とするものだけを取るようになります」

「さらに僕たちは」とフィルが口をはさんだ。「地球上の自然を大切に育て保護しなければならないと、理解するようになります。自然はすばらしいパワーの源泉だからです」

フィルが話している間、私たちは彼に注意を集中した。その注目が与える高揚感に、彼はびっくりした様子だった。

「僕は写本の知恵をすべて学んだわけではありません」と彼は私を見ながら言った。「もし、あなたに出会っていなかったら、看守が僕を逃がしてくれたあと、第九の知恵の一部をとっておかなかったかもしれません。あなたが写本はとても大切だと言ったことを、覚えていたのです。他の知恵は読んでいませんが、自動化を地球のエネルギーの動きと調和させることが大切だということは、理解しています。

僕の興味の対象は、森林と森林の地球環境に果たす役割でした」と彼は続けた。「僕は子供の時からずっと、それに興味がありました。第九の知恵は、僕たちが霊的に進化するに従って、地球が支えられるところまで、自発的に人口を減少させると言っています。僕たちは、地球の自然のエネルギーシステムの範囲内で、生活するようになるのです。農業は、個人的にエネルギーを注いだ植物を食べたいという場合を除いて、自動化されます。建築用材は特別に決められた地域で育成されます。この方策によって、他の木は自然のままに育ち、年輪を重ねて、最後は強力なパワーを持つ森林へと成熟することができるようになります。

最終的には、このような森が例外的なものではなく、ごく一般的なものになって、すべての人々はパワーのある森の近くに住むようになります。僕たちは、エネルギーで充たされた世界に住むようになるのです」

「それがすべての人のエネルギーレベルを上げるのですね」と私が言った。

「そうです」とサンチェスが夢中になって言った。エネルギーの増加が何を意味するか、ずっと先まで考えているようだった。

みんな黙って待っていた。やがて彼が話し始めた。

「私たちの進化の速度は、ますます加速してゆきます。エネルギーが私たちに流れ込みやすくなればなるほど、宇宙はますます神秘的に、私たちの問題に答えをくれる人々を、人生にもたらしてくれます」彼はまた、考えているようだった。「そして、私たちが霊感に従うたびに、不思議な出会いが私たちを前に導き、波動を高めてゆきます」

「先へも上へも」彼は半分自分自身に言うように続けた。「もし歴史がこのまま続いたら……」

「私たちのエネルギーはどんどん高くなり、波動もあがってゆきます」とドブソンがサンチェスの言葉をしめくくった。

「そうです」とサンチェスが言った。「それなのです。ちょっと失礼します」彼は立ち上がると、何メートルか向こうの森の中に歩いてゆき、そこにすわった。

「第九の知恵は、他にどんなことを言っているのですか？」と私はドブソンに聞いた。

「わかりません」と彼は言った。「私たちが得たコピーはそこで終わっています。見ますか？」

私が見たいと言うと、彼はトラックに行き、マニラ麻でできた書類挟《ばさ》みを持って戻って来た。中には二十ページほどのタイプされた書類が入っていた。私は写本を読み、ドブソンとフィルが基本的なポイントをよく摑《つか》んでいるのに感心した。最後のページまでくると、彼らがなぜ、それは第九の知恵の一部だけだと言ったのか、よくわかった。それは文章の途中で、突然終わっていた。地球の変革は完全に霊的な文化を創造し、人間の波動をどんどん高めてゆくという考えを紹介したあと、この波動の上昇によって何か別のことが起こると写本は言っていたが、それが何なのかは書かれていなかった。

一時間後、サンチェスが立ち上がって私のところに歩いて来た。私は植物のそばにすわり、それらのすばらしいエネルギーの場を観察して、すっかり満足していた。ドブソンとフィルは、彼らのジープの後ろで話していた。

「私たちはイキトスに行くべきだと思う」とサンチェスが言った。

「兵士たちはどうしますか？」と私は聞いた。

「危険を冒すべきだと思います。今すぐ出発すれば行きつけると、はっきり感じるのです」

私は彼の霊感に従うことにした。そして、私たちはドブソンとフィルのところへ行って、二人にこの計画を話した。

二人ともこの考えに賛成した。そしてドブソンが言った。「我々もどうするか議論していたのです。私たちはまっすぐ天の遺跡に行こうと思います。おそらく、第九の知恵の残りの部分を救う手伝いが、できると思うのです」

私たちは二人にさよならと言って、再び北に向かって進んだ。

「何を考えているのですか？」しばらく無言が続いたあと、私はたずねた。

サンチェス神父はトラックのスピードをゆるめて、私を見た。「セバスチャン卿についてあなたが言ったことを、考えていました。彼に理解させることができれば、彼は写本の弾圧を止めるだろうと言っていましたね」

サンチェス神父が話している間、私の心は、セバスチャンと実際に対決している白昼夢へと迷い込んだ。彼は優雅な部屋の中に立って、私たちを見下ろしていた。その瞬間にも、彼は第九の知恵を湮滅する権力を持っていた。私たちは手遅れにならないうちに彼を説得しようと、必死だった。

私がその白昼夢から現実に戻ると、サンチェスが私を見てほほ笑んでいるのに気がついた。

「何を見ていたのですか？」と彼は聞いた。

「セバスチャンのことを考えていたのです」

「どうなっていましたか？」

「セバスチャンと対決している場面が、とてもはっきり見えました。彼は最後の知恵を葬り去ろうとしていました。私たちは彼を説得しようとしていました」

サンチェスはため息をついた。「第九の知恵の残りの部分が知られるようになるかどうかは、私たちにかかっているようですね」

その言葉に私の胃がぎゅっと引きつった。

「彼に何と言えばいいのでしょうか？」

「私にはわかりません。でも、肯定的に見るように彼を説得しなければなりません。写本は全体としては教会の真理を否定するものではなく、むしろ明らかにするものだと理解させるのです。第九の知恵の残りの部分は、きっとそう言っていると思います」

それから無言のまま、一時間ほど走った。他の車は一台も通らなかった。

私の頭の中で、ペルーに来てからの出来事が、まるで走馬灯のように次々と通りすぎて行った。写本の知恵の一つひとつが私の心の中で融け合って、一つの意識となった。第一の知恵で明らかにされたように、私の人生の不思議な展開の仕方に気づいていた。そして第二の知恵が指摘するように、文化全体がこの不思議を感じ始め、私たちは新しい世界観を構築しつつあることを知った。第三と第四の知恵は、この宇宙は実は大きなエネルギー体であり、人間が対立をくり返しているのは、エネルギーが不足し、何とかそのエネルギーを他人から奪い取ろうとしているからだと、私に示してくれた。

第五の知恵は、エネルギーをより高い次元から受け取ることによって、私たちはこの闘争を終わらせることができることを、明らかにしていた。この能力は私にとってもうほとんど習慣になっていた。第六の知恵は、私たちは何回もくり返している古いドラマを清算し、本当の自分を発見できると教えていたが、これも私の心に永久に刻みこまれていた。そして第七の知恵によって、本当の自分の進化がスタートしたのだった。それはその時々に起こってくる問題と、霊感とその答えを通して進んでゆくのだ。この魔法のような流れに乗ることこそ、本当の幸福を得る秘密だった。

そして、相手の最も良い点を引き出すという、人との新しいかかわり方を教えている第八の知恵は、この不思議な流れを保ち、答えを得るための大切な鍵《かぎ》だった。

すべての知恵が一つの意識に統合した。それは、注意力と期待が高まったような感覚だった。残っているのは第九の知恵だった。それは私たちの進化の行方を明らかにしていた。その一部はすでに発見されていた。残りはどうなったのだろうか？

サンチェス神父はトラックを道路脇《わき》にとめた。

「セバスチャン卿の伝道本部まで、あと六キロほどです」と彼が言った。「打ち合わせをした方がいい」

「そうですね」

「どんなことになるかわかりませんが、まっすぐ入って行くしかないと思います」

「そこはどれぐらい広いのですか？」

「すごく広いですよ。彼が二十年かけてこの伝道所を大きくしたのです。彼がこの場所を選んだのは、ずっと無視されていたここのインディオに、奉仕するためでした。でも今は、ペルーじゅうから学生が来ています。彼はリマで教会組織の役職を持っていますが、ここは彼の特別の仕事です。彼はこの伝道所に全力を注いでいます」

彼は私の目をまっすぐに見た。「油断してはいけません。お互いに助けが必要な時がくるかもしれませんからね」

こう言うと、サンチェスは車を進めた。しばらく何も見えなかったが、やがて道路の右側にとまっている二台の軍用ジープの横を通りすぎた。中にいた兵士が私たちをじっと見ていた。

「やれやれ」とサンチェス神父が言った。「彼らは私たちがここにいると知ったわけだ」

二キロほどさらに行くと、伝道所の入口に着いた。大きな鉄の門が、中へ入る道を守っていた。門は開いていたが、一台のジープと四人の兵士が道をさえぎり、私たちに止まれと合図した。兵士の一人は携帯無線に向かって話していた。

兵士が近くまで来ると、サンチェスはにっこりした。「私はサンチェス神父です。セバスチャン卿に会いに来ました」と彼は言った。

その兵士はサンチェスを調べ、次に私を調べた。それから向きをかえて、無線を持っている兵士のところへ歩いて行った。彼らは私たちから目を離さずに、話し合っていた。何分かすると、その兵士が戻って来て、ついて来るように言った。

ジープは私たちを先導して並木道を数百メートル進み、伝道所の構内に着いた。教会は石で建てられていて、千人は入れるのではないかと思うほど巨大だった。教会の両側にも建物があって、教室になっているようだった。両方とも四階建てだった。

「すごいところですね」と私は言った。

「そうです。でも、どこに人がいるのだろう？」と彼が言った。

車道にも歩道にも、人影はなかった。

「セバスチャンはここで有名な学校を経営しています」と彼が言った。「どうして学生が一人もいないのだろう？」

兵士は私たちを教会の入口まで先導してゆき、車を降りて中へついて来るようにと、ていねいにしかしきっぱりと言った。コンクリートの階段を上がっていくと、隣りの建物の裏にトラックが数台とまっているのが見えた。そのそばに、三、四十人の兵士が気をつけの姿勢で立っていた。

中に入ると、聖堂の中を通って小さな部屋に入るように言われた。そこで全身を検査され、待っているようにと言われた。兵士は出てゆき、ドアには鍵《かぎ》がかけられた。

「セバスチャンの執務室はどこですか？」と私は聞いた。

「教会のずっと裏の方ですよ」と彼が言った。

ドアがぱっと開いた。両脇《りょうわき》を何人かの兵士に守られて、セバスチャンが立っていた。

彼は背が高く、背筋がピンとしていた。

「君はここで何をしている？」とセバスチャンがサンチェスに質問した。

「あなたと話をしたいのです」とサンチェスが言った。

「何についてだ？」

「写本の第九の知恵についてです」

「何も議論することはない。発見されることはないだろう」

「あなたがすでに発見したのを、知っています」

セバスチャンの目が大きくなった。「この知恵を流布《るふ》させることは、絶対に許さないぞ」と彼は言った。は言った。「真実ではないからだ」

「真実ではないと、どうしてあなたにわかるのですか？」とサンチェスは聞いた。「あなたが間違っているかもしれませんよ。私に読ませて下さい」

サンチェスを見て、セバスチャンの顔は穏やかになった。「こうしたことについては、私は常に正しい決定を下すと、君は思っていたではないか」

「そうです」とサンチェスは言った。「あなたは私の先生でした。私の導師でした。私の伝道所もあなたのやり方を見習いました」

「君はこの写本が発見されるまでは、私を尊敬していたというわけだ」とセバスチャンが言った。「この写本は人を不和にすると思わないか？　私は君に君の道を行かせようとした。君が写本の知恵を人に教えていると知ったあとでさえ、私は君を放っておいた。しかし、この文書が我々の教会が作りあげたものを破壊するのを、許すわけにはいかないのだ」

もう一人の兵士がセバスチャンの背後から近づいて来て、彼に話があると告げた。セバスチャンはサンチェスを見てから、廊下に歩いて行った。二人の姿は見えたが、話の内容は聞こえなかった。兵士の話に、セバスチャンは驚いているらしかった。彼は向こうへ歩いてゆきながら、一人を除いて全部の兵士に、自分について来るように合図をした。残った一人には、私たちを見張っているように命じたようだった。

その兵士は部屋に入って来ると、壁に寄りかかった。顔には困ったような表情を浮かべていた。まだ二十歳そこそこだった。

「どうかしたの？」とサンチェスが彼にたずねた。

その兵士は首を振っただけだった。

「写本のことかな？　第九の知恵のこと？」

兵士はびっくりした表情を見せた。「第九の知恵について、何か知っているのですか？」と彼はおそるおそる聞いた。

「私たちはそれを救いに来たんだ」とサンチェスが言った。

「私も救いたいのです」と兵士が答えた。

「もう読んだの？」と私が聞いた。

「いいえ」と彼が言った。「でも人が話しているのを聞きました。それは私たちの宗教を生きかえらせてくれます」

突然、教会の外から銃声が聞こえた。

「何かな？」とサンチェスが聞いた。

兵士は立ったまま動かなかった。

サンチェスはそっと彼の腕にさわると、「私たちを助けて欲しい」と言った。

若い兵士はドアのところまでゆき、廊下をのぞいてから言った。「誰かが教会に侵入して、第九の知恵を盗んだのです。彼らはまだ、教会の構内にひそんでいるようです」

再び銃声が聞こえた。

「彼らを助けないと」とサンチェスは若者に言った。

彼は震え上がっているようだった。

「私たちは正しいことをしなければならない」とサンチェスは強調した。「これは世界全体のためなのだ」

兵士はうなずいた。そしてもっと人のいない場所に移った方がいい、たぶん、何とか助ける方法を見つけられるだろうと言った。彼は廊下を通って階段を二つ昇り、教会の端から端まで続いている大きな廊下に、私たちを連れて行った。

「セバスチャンの執務室は二階下のこの真下にあります」と若者は言った。

突然、人々が近くの廊下をこちらに向かって走ってくる足音が聞こえた。私の前にいたサンチェスと兵士は、右側の部屋に飛びこんだ。私はその部屋まで行く余裕がないとわかったので、その手前の部屋に駆け込んでドアを閉めた。

そこは教室だった。机と演台と押し入れがあった。私は押し入れに一目散に飛んでゆき、鍵がかかっていなかったので、箱やかびくさい上着の間にもぐり込んだ。できるだけ体を隠そうとしたが、もし誰かが押し入れの中を調べにきたら、すぐに見つかってしまうのはわかっていた。私は息をひそめて身動きせずにじっとしていた。教室のドアがあき、何人かが入って来て、部屋の中を歩きまわっている様子だった。一人が押し入れのそばに来て立ち止まり、それから別の方へ行ってしまった。彼らはスペイン語で大声で話していた。まもなく音がしなくなった。何も動く気配はなかった。

十分間待ってから、私は押し入れの戸をそっとあけて様子をうかがった。部屋は空《から》っぽだった。私はドアのところへ行った。外に人がいる気配はなかった。私は急いでサンチェスと兵士が隠れた部屋に行った。驚いたことに、そこは部屋ではなく廊下だった。耳をすませても何も聞こえなかった。私は壁に寄りかかった。胃のあたりに不安を感じた。そしてそっとサンチェスの名前を呼んだ。返事はなかった。私はひとりぼっちだった。不安で倒れそうだった。

私は深呼吸して、自分に話しかけようとした。正気を保ってエネルギーを増やさねばならなかった。数分間必死に努力して、やっと廊下の色と形が存在感を持ち始めた。私は愛のエネルギーを送るように努力した。何とか気分が良くなると、セバスチャンのことがまた心に浮かんだ。もし彼が執務室にいれば、サンチェスはそこへ行くだろう。

廊下のつき当たりに、もう一つ階段があったので、私は階段を一階まで下りた。階段のドアについている窓から、廊下をのぞいた。誰もいなかった。私はドアを開け、廊下に出た。自分がどこに行こうとしているのかわからなかった。その時、サンチェスの声が前の部屋から聞こえた。ドアが少し開いた。セバスチャンがどなり返す声が聞こえた。私がドアに近づくと、中から兵士が急にドアを開けた。そして私の心臓にライフルをつきつけると、部屋の中に連れ込んで壁ぎわに立たせた。サンチェスは私をチラッと見ると、手を自分の胃のあたりに当てた。セバスチャンは顔をしかめて首を振った。私たちを助けてくれた兵士はどこにも見えなかった。

サンチェスが胃のあたりに手をやったのは、何か意味があるのはわかった。私に思いつくのは、彼がエネルギーを必要としているということだけだった。彼がしゃべっている間、私は彼の顔に焦点をあて、彼の大いなる自己を見るように努力した。彼のエネルギーの場が広がった。

「あなたは真理を止めることはできません」とサンチェスが言った。「人々にはそれを知る権利があります」

セバスチャンはサンチェスをことさら親切そうに見た。「この写本の知恵は、聖書に反している。真理であるはずがないではないか」

「しかし、本当に聖書に反しているのでしょうか？　写本は聖書の本当の意味を教えているだけではありませんか」

「我々は聖書が意味していることは知っている」とセバスチャンは言った。「それも何世紀にもわたって知っているのだ。君は修行のことも、何年も学んだことも忘れてしまったのか？」

「忘れてはいません」とサンチェスが言った。「ただ、私は写本の知恵が、我々の霊性を成長させてくれることを、知っているのです。それは……」

「誰によってかね？」とセバスチャンが叫んだ。「一体誰がこの写本を書いたのだ？　アラム語をどこかで覚えた異教徒のマヤ人だって？　そんな奴らが何を知っているんだね？　奴らは魔法と不思議なエネルギーを信じているんだ。奴らは原始人なんだぞ。第九の知恵が見つかった遺跡は、天の神殿と呼ばれている。この文明がどんな天国のことを知っていたというのだ？　だいいち、奴らの文明が永続したかね？」と彼は続けた。「続かなかったさ。マヤ人に何が起きたかは、誰も知らないのだ。奴らは何一つ跡を残さずに、消えてしまった。それでもこの写本を信じろと言うのか？　写本はまるで、人間は何でもできて、我々が世界の変化を担っているかのように言っている。我々にそんな力があるはずはない。神がなさるのだ。人間がすべき唯一《ゆいつ》のことは、聖書を受け入れて自分自身を救済することだ」

「でも、考えてみて下さい」とサンチェスが答えた。「教義を受け入れて救済されるということは、本当は何を意味しているのでしょうか？　どのような過程で、それは起こるのでしょうか？　写本が私たちに教えているのは、より霊的になり、神とつながり、救済されてゆくそのプロセスと、それがどのように感じられるか、示しているのではありませんか？　そして第八と第九の知恵は、すべての人がこのように行動すればどんなことが起こるか教えているのではありませんか？」

セバスチャンは首を横に振り、向こうの方へ歩いて行った。そして振り返るとサンチェスを鋭い目でにらみつけた。「まだ第九の知恵を見てもいないくせに」

「いいえ、私は見ました。一部分ですが」

「何だと？」

「ここへ来る前に、その一部について話してもらいました。そしてついさっき、残りも読みました」

「何だと？　どうやって？」

サンチェスは年上の僧侶《そうりょ》に近づいた。「セバスチャン卿、世界中の人々が、この最後の知恵が公開されるのを望んでいるのです。第九の知恵は、他の知恵を総括しています。私たちの運命を教えています。霊的な意識とは本当は何なのかを！」

「我々は、すでに霊性とは何か、知っているよ、サンチェス」

「そうでしょうか？　私はわかっていないと思います。私たちは何世紀にもわたって、そのことについて議論し、イメージを描き、信仰を告白してきました。しかし私たちは常に、神とのつながりを抽象的で、知的に信じるものとして性格づけてきたのです。また、このつながりを、何かすばらしいことを得るためではなく、悪いことが起きるのを避けるために、使ってきました。写本は私たちが真に他の人々を愛し、自分の人生を進化させる時にもたらされる霊感について、語っているのです」

「進化だって！　自分の言っていることをよく聞くがよい！　お前はずっと進化論と闘って来たではないか。どうなってしまったのだ？」

サンチェスは気を取り直した。「そうです。私は進化論が神のかわりになることには、反対して来ました。神を否定して宇宙を説明する方法には反対でした。しかし今、真理は科学と宗教を統合したところにあると、わかったのです。進化は神が創造してきたものであり、今も創造しているものなのです」

「進化などは存在しない。神がこの世をお作りになっただけだ」とセバスチャンは反論した。

サンチェスが私の方を見たが、私には何も言うことはなかった。

「セバスチャン卿」と彼は続けた。「写本は、世代を通して理解が進み、より高い霊性と波動へと進化を続けてゆくと言っています。それぞれの世代がより多くのエネルギーを取り入れ、より多くの真理を蓄積して、それを次の世代へ引き継いでゆきます。そして、彼らはさらにそれを発展させるのです」

「そんなことは馬鹿げたことだ」とセバスチャンが言った。「霊性を高めるには一つの方法しかない。聖書に従うだけだ」

「そのとおりです」とサンチェスが言った。「しかし、聖書とは何なのでしょうか？　聖書の物語とは、人々が神のエネルギーと意志を、自分の内に受け取ることを学んでゆく物語ではありませんか？　そして、それは旧約聖書の中で、初期の預言者が人々に教えたことではないでしょうか？　そして神のエネルギーを自分の内に受け取るということは、あの大工の息子の人生において頂点に達し、私たちが彼を地上に降り立った神と呼ぶまでになったのではないでしょうか？」

彼はさらに続けた。「新約聖書の物語は、彼らを変容させたある種のエネルギーに満たされた人々の物語ではありませんか？　イエスご自身が、彼がなしたことは、あなた方もできる、と言ったではありませんか？　私たちは今まで、この言葉を本当に真剣に考えたことはありませんでした。やっと今、イエスが何を語ったのか、彼が私たちをどこへ導いたのか、理解しつつあるのです。写本は彼が言おうとしたことを、はっきりと説明しているのです！　そのやり方をです！」

セバスチャンは顔をそむけた。彼の顔は怒りで真っ赤だった。その時、高級将校が部屋に飛び込んで来て、侵入者を発見したとセバスチャンに告げた。

「あそこだ！」と将校は窓を指さして言った。「あそこにいる！」

三百メートルほど向こうに、二つの姿が切りひらかれた平地を森の方へと走っていた。平地の端にいる兵士たちは銃を構えているようだった。

将校は窓のそばから振り返ると、セバスチャンを見た。彼は無線を口元に持っていった。

「彼らが森の中に逃げ込んでしまうと、見つけにくくなります。二人に向けて、銃を発射する許可をいただけますか？」

走っている二人を見ているうちに、突然その二人が誰かわかった。

「ウィルとジュリアだ！」と私は叫んだ。

サンチェスはセバスチャンにぐっと近よった。「神の名において、この件で殺人を犯してはなりません」

将校はなおもしつこく迫った。「セバスチャン卿、この写本を封じ込めたいとお思いなら、今すぐ、命令を下さねばなりません」

私は恐怖で立ちすくんだ。

「神父様、私を信じてください」とサンチェスが叫んだ。「写本はあなたがうちたてたものも、あなたの信仰も、侵害しはしません。あなたはあの二人を殺してはなりません」

セバスチャンは首を横に振った。「お前を信用しろだと！」彼は机の上にすわって将校を見た。

「我々は誰も撃ちはしない。君の部下に二人を生け捕りにするよう、言いなさい」

将校はうなずくと部屋を出て行った。サンチェスが言った。「ありがとう。あなたは正しい選択をしました」

「殺すなということなら、そうだ」とセバスチャンは言った。「しかし、私の信念は変わらないぞ。この写本は呪《のろ》いだ。これは我々の霊的権威をくつがえすものだ。人々をそそのかして、自分で自分の霊的な運命を支配できると思い込ませてしまうのだ。写本は、地球上のすべての人々を教会に連れてくるために必要な規律をくつがえし、人々は快楽の時が来るのを期待して、写本のとりこになってしまうだろう」彼はサンチェスをにらみつけた。「今、何千人もの軍隊が到着するところだ。お前たちが何をしようと、私の知ったことではない。第九の知恵は絶対にペルーから外へは出さないぞ。今すぐ、私の伝道所から出て行け！」

私たちが走り出した時、遠くの方から沢山のトラックが近づいてくる音が聞こえた。

「なぜ、彼は私たちを逃がしたのですか？」と私は聞いた。

「どっちみち、大した違いはないと思ったからだろう」とサンチェスが答えた。「私たちには何もできないとね。私もどう考えてよいか、わからない」二人の目が合った。「私たちは彼を説得できなかったね」

私もまた、混乱していた。一体、何を意味しているのだろう？　結局、私たちはセバスチャンを説得しにあそこへ行ったのではなかったのだ。おそらく、彼を手間取らせるためだけだったのだ。

私はサンチェスを見た。彼は運転しながら、道路沿いにウィルとジュリアの手がかりを探していた。私たちはもう一度、二人が逃げた方向に向かうことにしたが、これまでのところ、何も発見できなかった。走っているうちに、私の心は天の遺跡へとさ迷って行った。私はそこがどんな様子か想像した。段々になった発掘現場、科学者の住むテント、背景にはぼんやりとピラミッドが見えた。

「二人はこの森にはもういないようだ」とサンチェスが言った。「彼らは車を持っていたに違いない。これからどうするか、決めなければ」

「遺跡へ行くべきだと思います」と私が言った。

彼は私を見た。「そうですね。他に行くべきところはない」

サンチェスは西へ曲がった。

「遺跡について、何か知っていますか？」と私がたずねた。

「ジュリアが言ったように、遺跡は二つの異なった文明によって作られました。最初はマヤがそこに文明を築き繁栄しました。もっとも、彼らの寺院の大部分は、ずっと北のユカタンにあったけれど。不思議なことに紀元前六〇〇年頃、これといった原因もなく、彼らの文明の痕跡《こんせき》がすべて、突然消えてしまったのです。その後インカが、同じ場所に別の文明を築いたのです」

「マヤ文明に一体何が起きたのですか？」

サンチェスは私をちらっと見て言った。「わかりません」

私たちは無言のまま、しばらく走った。その時急に、サンチェス神父がセバスチャンに、第九の知恵の続きを読んだと言っていたことを思い出した。

「第九の知恵の続きを、どうやって知ったのですか？」と私はたずねた。

「私たちを助けてくれた若い兵士が、他の部分が隠されている場所を知っていたのです。あなたと離ればなれになってから、彼は私をもう一つの部屋へ連れて行き、それを見せてくれました。それはフィルとドブソンが話してくれたことに、二、三つけ加えただけのものでした。そこで知ったことを、セバスチャンとの議論に使ったのです」

「具体的には何と言っているのですか？」

「写本が多くの宗教を解明することになると言っています。そして彼らの約束を果たす手助けをするとも言っています。すべての宗教は、人類が大いなる源との関係を見つけるためのものであり、内なる神の認識、すなわち私たちを充たし、私たちを私たち以上のものにする認識について、語っているのです。指導者達が、自分の中に探し求めることを教えるかわりに、神の意志を説き始めると、宗教は堕落します。

歴史上において、ときどき、ある個人が神のエネルギーの源につながることがあります。すると、彼はこのつながりが可能だという例として、永く伝えられるのだと、写本は言っています」サンチェスは私を見た。「イエスが行ったことが、それではありませんか？　イエスはエネルギーと波動を高めて十分に軽くなって……」サンチェスは最後まで言わずに、何やら考え込んでしまった。

「何を考えているのですか？」と私は聞いた。

サンチェスは困ったような顔をした。「わかりません。兵士が見せてくれたコピーは、そこで終わっていたのです。それには、イエスは、全人類が辿《たど》るように運命づけられている道をひらいたと、書かれていました。しかし、この道がどこへ達しているかは、書いてなかったのです」

十五分ほど、私たちは黙ったまま進んだ。次に何が起こるか、何か直感を受けようとしたが、何も浮かんで来なかった。あまり一生懸命になりすぎたようだった。

「あれが遺跡ですよ」とサンチェスが言った。

前方左手の森の向こうに、三つの大きなピラミッドが見えた。私たちは車をとめ、近くまで歩いて行った。ピラミッドは石で作られていて、およそ三十メートルずつの間隔をあけて建てられていた。三つのピラミッドの間に、すべすべした石を敷いた場所があった。ピラミッドの基部に、いくつか発掘のための穴が掘られていた。

「あそこを見て！」とサンチェスが遠くのピラミッドを指さして言った。

ピラミッドの前に、すわっている一つの人影が見えた。そちらの方へ歩いてゆくと、私のエネルギーレベルが上昇してゆくのがわかった。石を敷きつめた場所の真ん中まで行った時、私は信じられないほどのエネルギーに満たされた。私はサンチェスを見た。彼は片方の眉《まゆ》をあげた。もっと近づくと、ピラミッドのそばの人物がジュリアであることに気がついた。ジュリアはあぐらをかき、膝《ひざ》の上に何枚か紙をのせていた。

「ジュリア」とサンチェスが呼んだ。

ジュリアがこちらを向いて立ち上がった。彼女の顔は虹色《にじいろ》に輝いていた。

「ウィルはどこですか？」と私が聞いた。

ジュリアは彼女の右手をさした。三十メートルほど離れたところにウィルがいた。彼は黄昏《たそがれ》の中で、光を放っているように見えた。

「彼は何をしているの？」と私は聞いた。

「第九の知恵よ」と答えて、ジュリアは私たちの方へ持っていた紙を差し出した。すでに意識の進化による世界の変容を予言した部分は見たと、サンチェスはジュリアに話した。

「しかし、この進化は私たちをどこへ連れて行くのですか?」とサンチェスがたずねた。

ジュリアは答えなかった。彼女はただ紙を差し出して、自分の心を読んで欲しいと言っているかのようだった。

「何ですか?」と私が聞いた。

サンチェスが近づいてきて、私の腕にさわった。彼の表情を見て、注意深く待っていなければならないことを、私は思い出した。

「第九の知恵は、私たちの究極の運命を明らかにしています」とジュリアは言った。「すべてを一点の曇りもなく明らかにしています。人間として、私たちは進化の全体の頂点にいると、写本はくり返し言っています。物質が単純な形から始まって、原子から原子へ、さらに種から種へと複雑さを増し、常に高い波動へと進化してきたことについても、語っています。

原始人が生まれてから、私たちは他を征服し、エネルギーを獲得し、少しずつ前進することによって、無意識のうちにこの進化を続けました。こうした肉体的な闘争は、民主主義が発明されるまで続きました。民主主義は闘争を終わらせはしませんでしたが、肉体のレベルから、精神のレベルへと移行させました」

「そして今」とジュリアは続けた。「私たちはこの全体のプロセスを意識化しつつあります。そして、人間の歴史全体が、この意識の進化を達成するための準備であったことがわかったのです。今、私たちはエネルギーを増加させて、意識的に偶然の一致を体験できます。これは進化をより速く推し進め、波動をより高めてゆきます」

彼女は私たちを一人ずつ見て、しばらくためらっていた。それから、もう一度同じことをくり返した。「私たちの使命は、エネルギーレベルをあげ続けることです。そしてエネルギーレベルがあがるに従って、私たち体の原子の振動レベルがあがります」

彼女は再びためらった。

「それは何を意味しているのですか？」と私がたずねた。

「それは」とジュリアが言った。「私たちがどんどん軽くなり、より純粋に霊的になるということです」

私はサンチェスを見た。彼はジュリアに真剣に意識を集中していた。

「第九の知恵は」とジュリアが続けた。「人間が波動をあげ続けると、驚くべきことが起こり始めると言っています。人々があるレベルに達すると、そのグループ全体が突然、それよりも低いレベルで振動している人々からは、見えなくなってしまうのです。この低いレベルの人々には、もう一方の人々がただ消え失《う》せたように見えますが、そのグループの人自身は、まだ自分たちはそこにいるように感じます。ただ、ずっと軽くなったように感じています」

ジュリアが話しているうちに、彼女の顔と体が何か変化しているのに気がついた。彼女の体は、エネルギーの場と同じような感じになりつつあった。彼女の顔つきはまだはっきりわかったが、私が見ているものは筋肉でも皮膚でもなかった。彼女は、まるで内側から輝いている純粋な光のように見えた。

私はサンチェスを見た。彼も同じように見えた。驚いたことに、すべてのものが同じように見えた。ピラミッドも私たちの足もとの石も、まわりの森も私の手も、すべて同じだった。すべてのものが、今まで体験したことがないほど、美しく見えた。山の上にいた時よりも、ずっと美しかった。

「人間が、他の人々から見えなくなるレベルまで波動をあげ始めると」とジュリアは続けた。「それは私たちがそこから生まれ、死んだあとまた戻ってゆく向こう側の世界と、こちら側の世界との境界線を越えたしるしです。このように意識的に境界を越える方法は、キリストによって示された道です。彼はエネルギーに自分を開放し、水の上を歩けるほどに軽くなりました。彼はこの地上で死を超越し、境界線を越えて、物質的な世界から霊的な世界へと広がった最初の人だったのです。彼の人生はその方法を示し、その同じ源とつながりさえすれば、私たちも一歩一歩同じ道へ向かうことができるということを、教えているのです。すべての人の波動が十分に高くなれば、私たちは天国へそのままの姿で歩いて行けるのです」

ウィルが私たちの方へゆっくりと歩いてくるのに、私は気がついた。彼の動きは見たこともないほど優雅で、まるで滑るようだった。

「第九の知恵は」とジュリアが続けた。「次の千年紀にはほとんどの人の波動がこのレベルに達し、また、最もエネルギーと強くつながった人々からなる集団もこのレベルに達するようになると、言っています。しかし、歴史上の文明のいくつかは、すでにこの波動に達しています。第九の知恵によれば、マヤ人は全員、この境界線を越えたのです」

ジュリアは突然、話をやめた。後ろの方で、スペイン語で何か言う声が聞こえた。数十人の兵士が遺跡に入って来ると、こちらに歩いて来た。驚いたことに、私はちっとも恐ろしい気がしなかった。兵士たちはさらに近づいて来たが、おかしなことに私たちの方へまっすぐには来なかった。

「彼らには私たちが見えないのだ」とサンチェスが言った。「私たちの波動が高すぎるからだ」

私はもう一度兵士たちを見た。彼が言ったことは正しかった。兵士たちは私たちの十メートルほど左を歩いていたが、私たちを完全に無視していた。

突然、左手にあるピラミッドのそばで、スペイン語の大きな叫び声がした。私たちの近くにいた兵士たちが立ちどまり、それからその方向へ駆けていった。私は何が起こっているのか見ようとして目をこらした。別の一団の兵士が、二人の男の腕を摑《つか》んで森の中から現れた。ドブソンとフィルだった。二人が捕らえられたのを見て、私は動揺した。そしてエネルギーレベルがあっという間に急降下した。私はサンチェスとジュリアを見た。二人は兵士たちをじっと見ていたが、やはり動揺しているようだった。

「待て！」とウィルが反対の方向から叫んだようだった。「エネルギーを失うな！」私はその言葉を聞いたようでもあり、感じ取ったようでもあった。それは少し奇妙な感覚だった。

私たちが振り向くと、ウィルが足早にこちらに来るところだった。私たちが彼を見ると、彼は何か言いたそうだったが、今度は言葉はまったくわからなかった。私は焦点を合わせづらくなったのに気がついた。彼の姿がもやのようになり、形が崩れていった。ゆっくりと彼は消えていった。私は信じられない思いで、それを見ていた。

ジュリアがサンチェスと私に顔を向けた。彼女のエネルギーレベルも下がっていた。しかし彼女は少しも恐れてはいなかった。今起こったことで、何かが明らかになったと感じている様子だった。

「私たちは波動を維持できなかったのね」と彼女は言った。「恐怖は人の波動を落とすのだわ」

彼女はウィルが消えた場所の方を見ながら言った。「第九の知恵にあったのです。ときどきその境界を越える人はいるが、私たちが恐れをなくし、どんな状況でも波動を維持できるようになるまでは、全体的な変化は起こらないって」

ジュリアは次第に興奮してきた。「わからない？　私たちにはまだできなかったけれど、第九の知恵の役割は、私たちに自信を与えることなのです。第九の知恵とは、私たちがどこへ向かっているか、知ることなのです。他のすべての知恵は、信じられないほどの美しさとエネルギーに充ちた世界と、そのエネルギーとのつながりを増して、その美しさを見はじめる私たちを、描き出しているのです。

私たちは美しさが見えるようになればなるほど、進化します。そして進化すればするほど、私たちの波動は高くなります。第九の知恵は、究極的には、高いレベルに達した私たちの知覚と波動が、すでに私たちの目の前にある天国への道を開いてくれるということを示しているのです。私たちにはまだ、それが見えないだけなのです。

自分の道に疑問を持ったり、どこにいるかわからなくなった時はいつも、私たちが何に向かって進化しているか、何のために生きているのか、思い出さなければなりません。地上の天国に達するのが、私たちがここにいる理由です。そして今、どうすればそれができるか、どうすればそうなれるか、わかったのです」

彼女は一瞬だまった。「第九の知恵は、第十の知恵の存在に触れていました。それが明らかにしているのは……」

彼女が言い終わらないうちに、ダダーという機関銃を発射する音がして、私たちの足もとの石のタイルが弾《はじ》き飛ばされた。私たちは地面にぱっと伏せて両手をあげた。兵士が来て書類を没収した。私たちはつかまり、みんな別々の方向へ連れてゆかれた。誰も一言もしゃべらなかった。

捕らえられたあとの数週間、私は恐怖の日々を過ごした。次から次へと軍人がやって来ては私を脅迫し、写本について尋問したので、私のエネルギーレベルはすっかり下がってしまった。私は愚かな旅行者のようにふるまい、何も知らないと言い張った。他に誰がコピーを持っているかも、どれぐらいの人が写本を受け入れているかも、私が知らないというのは事実だった。次第に私の策略は功を奏し始めた。時間がたつうちに、兵士たちも私に興味を失ったらしく、私を文官の所管当局へまかせた。彼らは私に対して別の手段を講じた。

役人たちは、私のペルー旅行は最初から馬鹿げていたと、私に信じさせようとした。写本など初めから存在しないのだから、というわけだった。写本は、反乱を計画した僧侶《そうりょ》の少人数のグループが、捏造《ねつぞう》したものだとされた。私はただ騙《だま》されただけだと彼らは主張し、私はそれに反論もしなかった。

しばらくすると、彼らの話し方はとても友好的なものになった。私は策略に引っかかった罪のない被害者で、冒険小説の読みすぎで外国に迷い込んだ愚かなアメリカ人として、扱われるようになった。

そして私のエネルギーレベルはあまりにも低かったので、もし、何か他のことが起きなかったならば、おそらくそのとおりに洗脳されたかもしれなかった。私は突然、ずっと拘留されていた軍の基地から、リマの空港のそばにある政府の収容所に移送された。そこには、カール神父が拘留されていた。この偶然の一致に、私は失った自信を取り戻した。

彼がベンチにすわって本を読んでいるのを最初に見たのは、私が中庭を歩いていた時だった。私は彼の方へゆっくりと歩いて行った。喜びを抑えて、建物の中にいる役人の注意を引かないように祈った。私がすわると、彼は本から顔をあげてにっこりした。

「あなたに会えると思っていました」と彼は言った。

「本当？」

彼は本を置いた。彼の目には、喜びが溢《あふ》れていた。

「コストス神父と私はリマにやって来て」と彼は説明した。「すぐに捕らえられ、別々にされました。私はそれ以来ずっと、ここに拘留されています。なぜここに連れて来られたのかわかりませんでした。何も起こりそうになかったのです。すると、何回もあなたのことが思い浮かぶようになったのです」彼はわかるでしょうと言うように、私を見た。「それであなたがここに現れると思ったのです」

「あなたと会えて、嬉《うれ》しいです」と私が言った。「天の遺跡での出来事は聞きましたか？」

「ええ」とカール神父が答えた。「サンチェス神父と立ち話をしました。彼はここに一日だけ入れられ、またどこかへ連れてゆかれました」

「彼は元気でしたか？　他の人がどうなったか、知っていましたか？　彼はどうなるのでしょうか？　投獄されるのですか？」

「彼は他の人がどうなったか、全然知りませんでした。サンチェス神父のことはわかりません。政府の戦略は、芋蔓《いもづる》式に関係者を探し出して、写本のコピーを根絶しようというものです。そしてすべてを大がかりな悪ふざけだとして、葬り去ろうとしています。私たちはまったく信用を失うことになりますが、彼らが私たちを最終的にどう扱うつもりなのかは、誰にもわかりません」

「ドブソンのコピーはどうなったのですか?」と私は聞いた。「第一と第二の知恵をアメリカに置いて来たはずですが」

「それも没収されました」とカール神父が言った。「サンチェス神父の話では、政府のスパイが隠してあった場所を発見して盗んだそうです。ペルーのスパイは世界中にいますからね。彼らはドブソンを最初からマークしていました。あなたの友人のシャーリーンもマークされています」

「政府が成功すれば、コピーは一つも残らないと思いますか?」

「もし残っていたら、奇跡でしょうね」

私は横を向いた。せっかく見つけたエネルギーが、すーっと消えてゆくような気がした。

「これがどういう意味か、わかっているでしょうね」とカール神父が聞いた。

私は彼を見たが何も言わなかった。

「これは」と彼が続けた。「私たち一人ひとりが、写本の言葉を正確に覚えておかなければならないということです。あなたとサンチェス神父は、写本を公開するようにセバスチャン卿を説得することはできませんでした。しかし、彼を引き止めて、その間に第九の知恵が理解される時間を稼いだのです。今、それを伝えなければなりません。あなたは、それを伝える仕事にたずさわらなければなりません」

彼の言葉に私はプレッシャーを感じた。そして例の傍観者のドラマが顔を出し始めた。私はベンチの背にもたれかかると、あらぬ方向をながめた。この私の態度に、カール神父は苦笑した。

その時、大使館の役人が数人、私たちを事務所の窓から見ているのに気がついた。

「よく聞いて下さい」とカール神父が早口で言った。「これからは、写本を人々に伝えなければなりません。メッセージを聞いて写本の知恵が真理だとわかった人は、それぞれにそのメッセージをうけ入れる用意のできた人々に、伝えなければならないのです。エネルギーとつながるということは大切なことで、私たちは心を開き、話し合い、それを求めなければいけないのです。そうしなければ、全人類が人生とは他人に勝ち、地球を搾取することだという思い込みに、戻ってしまうかもしれません。そこに戻ってしまったら、私たちは生き残ることはできません。このメッセージを広めるために、私たちは一人ひとり、自分のできることをしてゆかなければならないのです」

二人の役人が建物から出て来て、こちらの方へ歩いてくるのが見えた。

「もう一つ」とカール神父は声をひそめて言った。

「何ですか？」と私がたずねた。

「サンチェス神父は、ジュリアが第十の知恵について話していたと私に言いました。それはまだ発見されていませんし、どこにあるのか誰も知りません」

役人が私たちのすぐそばまで来た。

カール神父は続けた。「私は彼らはあなたを釈放するだろうと思っていました。あなたはそれを探すことのできる唯一の人かもしれません」

男たちが突然私たちの会話をさえぎり、私を建物の中へ連行した。カール神父はにっこりして何か言ったが、私は半分しか注意を向けることができなかった。カール神父が第十の知恵のことを言ったとたん、私はシャーリーンのことを考え始めていた。なぜ、彼女のことが心に浮かんだのだろう？　彼女は第十の知恵と何か関係があるのだろうか？

二人の男は私にわずかな荷物をまとめさせると、アメリカ大使館の前まで連れて行き、官用車に乗せた。そこから直接、私は飛行場の搭乗口まで連れて行かれた。そこで男の一人がかすかに笑みを浮かべて、分厚い眼鏡の向こうから私を見た。

私にパスポートとアメリカまでの航空券を渡すと、彼の微笑は消えた……そして、ひどいペルー訛《なま》りの英語で、もう絶対に戻ってくるなよ、と私に言った。

著者あとがき

　ここ半世紀間、私たち人類の世界に新しい意識が生れ始めています。それは、超越的、あるいは霊的としか言いようのない一つの新しい気づきです。この本を読む方々は、すでにこのことを自分の内部で感じとっていることでしょう。

　歴史上のこの時期、私たちの人生の展開の仕方そのものが宇宙と同調し始めているようにみえます。丁度、必要な時に、偶然のように何かが起こり、私たちに必要な人々が目の前に現われて、私たちの人生をわくわくする方向へと導いてくれるのです。そして私たちは、こうした神秘的な出来事の高次な意味を、いまだかつてなかったほど直感するようになっています。人生とは魅惑的で神秘的な個人の魂の絵巻物がひもとかれていくようなもので、これまでどんな哲学も宗教も明らかにしていなかったことだという事実に私たちは気がついているのです。

　さらに私たちは次のようなことも知っています。今何が起っているのか、どのように霊的な成長を始め、どのように成長し続けるかを人々が知りさえすれば、人類の世界は全く新しい生き方へと、飛躍的な展開をとげるということです。この新しい生き方こそ、全歴史を通して私たちが何とか達成しようとして、永い間、苦闘してきたものだったのです。この小説は、この新しい理解へとあなたを誘うものです。もしこの小説があなたの心を揺り動かしたり、あなたの人生をどこかで説き明かしたら、あなたが理解したことを、どうぞ友達に話してください。私たちの新しい霊的な気づきは、まさにこのような方法で、広まってゆくものだからです。それはもはや、誇大広告や一時的な流行で広まるものではなく、人から人へと、一種のポジティブな心理的な伝染病として広まってゆくものだからです。

私たちのすべきことは、しばらくの間、疑いや不安を脇においておくことです。すると奇跡的に、この現実は私たち自身のものになります。

一九九二年　秋

ジェームズ・レッドフィールド

訳者あとがき

本書「聖なる予言」、原題「The Celestine Prophecy」は一九九三年にアラバマ州フーバーにあるサトリ出版社から出されました。サトリ出版といっても本書が一冊あるだけの出版社です。

これは、著者、ジェームズ・レッドフィールド（四三歳）が初めて書いた小説です。彼は自分の自己発見の過程を振り返って、それを九つのインサイト（知恵）を発見し、悟ってゆく冒険小説の形で著しました。

意識の変革の過程をフィクションの形にして著すことはきわめて新しく、いままでにあまり例がありません。精神世界にあまりなじみのない人に読んでもらうには、動きがあり、楽しんで読める冒険小説の形がとても良い方式だったわけです。ところが新しいものがでてくる場合に、よく起こることですが、どこの出版社も出版を引き受けてくれませんでした。そこで彼は自分の貯金をはたいて自分で出版社を作り、サトリ出版となづけ、この一冊を出版しました。そして、この本をホンダミニに積んで奥さんのサリー（三三歳）と共に南部のいくつかの州をまわって、精神世界の本を売っている本屋さんに置いてもらうように頼んだのです。努力のかいがあって本書を読んだ人の口から口へと広まり、なんと一〇万部を売りました。最初は精神世界に興味がある人々に読まれていましたが、彼らは精神世界にあまりなじみのない家族や友人たちにさりげなく勧めるにはもってこいの本だと考え、一人で何冊も買い始めました。この本であれば、面白い本だからと言って、親しい人に読んでもらえば、自分が感じている世界の見方をわかってもらえると感じたからです。アメリカ南部では宗教的な雰囲気が強いため、ニューエイジショップにいるのを人に見られることさえ、あまり名誉なことではないということです。

まもなく、本書の評判をかぎつけた大手出版社が興味を示し、「マディソン郡の橋」を出したワーナーブックスが八〇万ドルで版権を買い取り、一九九四年三月に初版二〇万部で全国の一般書店で売り出しました。

本書は一九九四年三月以降、アメリカで最も話題になった本の一冊です。精神世界の本でありながら、フィクション部門で何週間にもわたってベストセラー上位に名を連ねています。このようなことは、シャーリー・マクレーンの本以後なかったことです。

本書がなぜ人々の関心を呼んだのか、著者は次のように語っています。「アメリカでは、過去三〇年間にわたって、スピリチュアルな気づきに関する興味が高まっていますが、多くの人々が本書を読んで、自分の人生にも確かに思い当るところがあると感じるからです。二〇世紀も終わろうとしている今、多くの人々が人生において、より大きな満足感と目的意識を求めています。そして、本当の人生を生きるためには、真のスピリチュアリティが必要と感じているからでしょう」

まったく無名だったジェームズ・レッドフィールド氏は一躍ベストセラー作家になり、本のプロモーションのため全米各地の書店を駆けめぐらなければならなくなってしまいました。最初は楽しんでいたのですが、あまりに忙しい生活になって、悟ったことは、やはり元の落ち着いたゆったりとしたアラバマでの生活がいちばん良いということで、元の生活スタイルに戻ろうと努力しているようです。著者については本人があまり詳しくは明らかにしていないようです。特に最初の結婚とその結婚での二人の子供のことは、あまり語りたがりません。この冒険小説の主人公のバックグラウンドと重なっている部分もみうけられます。物語の発端となる古文書のことも本人がペルー旅行に行った時、本当に耳にしたことがヒントになったのだそうです。彼自身、過去二〇年間、人類の可能性について興味を持ち、探求してきました。大学では社会学修士とカウンセリングの教育学修士を終了し、感情障害を持つ青少年のためのセラピストとして一五年間働いています。現在もアラバマに住んで、人間の意識の霊的側面についての著作活動を行っています。現在本書の続編「第十の知恵」を執筆中。なお、奥さんのサリーと共に月刊ニュースレター「セレスタイン・ジャーナル」を発行しています。サリーは占星術が専門ですが、彼自身も占星学に造詣が深く、申し込めば、テープにふきこんで送ってくれます。

本書はまだ、アメリカで大々的に発売になっていない一九九三年の暮れに角川書店の郡司聡さんが私たちのところに持ってこられて、一九九四年に出そうということに決まりました。私たちは一九九四年の三月ニュージーランドのオークランドに滞在していたのですが、ある日、本屋さんに行きますと、緑色のカバーの本書がずらりと並べられていたので、これは早く日本語にしなければと少しあわてました。日本に帰って、翻訳を始めたところ、アメリカ在住の友人が、今アメリカで大評判になっている本があるから、ぜひ読んで、翻訳してくださいと送ってきたのが本書でした。これも偶然の一致と呼ぶのでしょうか？　本書の中の知恵はすべて日常の生活の中で応用してみると楽しいものです。眼と眼が合ったら話してみるとか、相手の良いところを見て愛を送るとか、ぜひ実践してみてください。私たちもやってみてとても楽しく役に立つ体験をしました。「すべては偶然ではない」ということを実感することから、意識の改革が起こってくるようです。

さて、翻訳に際して、二、三気をつけたことがあります。写本に書かれていた「知恵」は原文では「Insight」という言葉を使っています。「Insight」とは、「洞察」あるいは「気づき」という意味です。いろいろ考えた結果、簡単な「知恵」という言葉を使いました。「第一の知恵」、「第二の知恵」……というような日常的な言葉のほうが読みやすいと判断したからです。

「coincidence」は「偶然の一致」という言葉を使いましたが、本来の意味は「同時性」あるいは「符合すること」というものです。ですから、正しくは、「偶然とは言えない偶然の一致」ということです。ユングの言っている「synchronicity」、いわゆる、「共時性」のことですが、著者も「共時性」という言葉を使っていないので、訳にも、「同時性」、「共時性」という言葉を使いませんでした。

また、「エネルギーの場」というのは、通常、私たちが「オーラ」と言っているものですが、著者は「オーラ」という言葉を使われていませんので、「energy field」を直訳して、「エネルギーの場」としました。

本書を読者の皆様に楽しんでいただければ幸いです。

最後にこの本を翻訳するにあたり、いろいろと貴重な助言を下さった角川書店の郡司聡さん、その他エネルギーサポートをして下さった関係者の皆様に、心より感謝いたします。どうもありがとう。

一九九四年九月

聖なる予言

1994年10月31日　初版発行
1995年 1 月15日　9 版発行

著者／ジェームズ・レッドフィールド
訳者／山川紘矢・山川亜希子
発行者／角川歴彦
発行所／株式会社角川書店
東京都千代田区富士見2-13-3　〒102　振替　00130-9-195208
TEL　営業03-3817-8521　編集03-3817-8410
印刷所／暁印刷株式会社
製本所／株式会社鈴木製本所

落丁・乱丁本はご面倒でも小社角川ブック・サービス宛に
お送りください。送料は小社負担でお取り替えいたします。
Printed in Japan

ISBN4-04-791222-0　C0397